「十三五」国家重点出版物出版规划项目

中国中药资源大典

资源大典

广东卷

11

黄璐琦／总主编

童毅华　夏念和／主　编

北京科学技术出版社

图书在版编目（CIP）数据

中国中药资源大典. 广东卷. 11 / 童毅华, 夏念和
主编. -- 北京 : 北京科学技术出版社, 2024. 6.
ISBN 978-7-5714-4013-8

Ⅰ. R281.4

中国国家版本馆CIP数据核字第2024N3W323号

责任编辑：侍　伟　李兆弟　王治华　庞璐璐　吕　慧
责任校对：贾　荣
图文制作：樊润琴
责任印制：李　茗
出 版 人：曾庆宇
出版发行：北京科学技术出版社
社　　址：北京西直门南大街16号
邮政编码：100035
电　　话：0086-10-66135495（总编室）　　0086-10-66113227（发行部）
网　　址：www.bkydw.cn
印　　刷：北京博海升彩色印刷有限公司
开　　本：889 mm × 1 194 mm　　1/16
字　　数：992千字
印　　张：44.75
版　　次：2024年6月第1版
印　　次：2024年6月第1次印刷
审 图 号：GS京（2023）1758号
ISBN 978-7-5714-4013-8

定　价：490.00元

李泰辉 （广东省科学院微生物研究所）

肖凤霞 （广州中医药大学）

何春梅 （广东省林业科学研究院）

张宏伟 （南方医科大学）

陈　娟 （中国科学院华南植物园）

陈秋梅 （广州中医药大学）

林哲丽 （韶关学院）

赵万义 （中山大学）

秦新生 （华南农业大学）

夏　静 （广州白云山和记黄埔中药有限公司）

夏念和 （中国科学院华南植物园）

晁　志 （南方医科大学）

黄海波 （广州中医药大学）

梅全喜 （深圳市宝安区中医院）

彭泽通 （广州中医药大学）

童　毅 （广州中医药大学）

童家赟 （广州中医药大学）

童毅华 （中国科学院华南植物园）

曾飞燕 （中国科学院华南植物园）

楼步青 （广东省中医院）

廖文波 （中山大学）

潘超美 （广州中医药大学）

黄 序

　　中药资源是中医药事业传承和发展的物质基础，是关系国计民生的战略性资源。为促进中药资源保护、开发和合理利用，国家中医药管理局组织开展了第四次全国中药资源普查。广东省得天独厚的地理环境，孕育了丰富多样、具有岭南特色的中药资源。《中国中药资源大典·广东卷》对广东省中药资源现状的总结，也是广东省中药资源普查成果的集中体现。

　　本书分上、中、下篇，上篇介绍了广东省中药资源概况、中药资源普查工作及中药资源产业现状等，中篇介绍了广东省23种道地、大宗中药资源的栽培面积、分布区域、资源利用等，下篇为广东省3 514种中药资源的基本信息。本书充分反映了广东省中药资源的最新研究成果，内容丰富，体例新颖，图文并茂，为一部具有较高学术价值和实用价值的工具书。

　　相信本书的出版可为进一步开展中药品质研究与评价、推动中药产业的健康和可持续发展、为地方制定中药产业政策提供支撑，为推动区域经济社会高质量发展贡献力量。

　　欣闻本书即将付梓，乐之为序。

中国工程院院士

中国中医科学院院长

第四次全国中药资源普查技术指导专家组组长

2024 年 4 月

序言

　　中药资源是中医药事业发展的物质基础，国家高度重视中药资源保护及其可持续利用。我国已开展了4次全国范围的中药资源普查，其中第四次全国中药资源普查工作起止时间为2011—2021年。第四次全国中药资源普查确认了我国共有18 817种药用资源，与第三次普查相比增加了6 000多种，其中，3 151种为我国特有的药用植物，464种为需要保护的物种；还发现196个新物种，其中约100种具有潜在药用价值。

　　广东省第四次中药资源普查工作于2014年开始、2021年11月结束，历时近8年，普查区域实现了对全省全部县级行政区域的覆盖。为推广中药资源普查成果，更好地服务于广东省中药产业发展，广东省第四次全国中药资源普查（试点）工作办公室（以下简称广东省普查办）、广东省中药资源普查（试点）工作技术专家指导委员会组织相关专家、学者和技术人员，从广东省中药资源概况、重点中药资源情况、中药资源监测体系建设、中药材种植生产区划、传统医药知识收集、种质资源圃建设等方面入手，进行了数据统计和细致的整理研究工作，汇总了广东省在中药资源保护、科研和产业等领域取得的一系列成果。一是基本摸清了广东省中药资源家底，为编制《中国中药资源大典·广东卷》提供了翔实的数据。本次普查共发现药用植物3 443种，其中涵盖栽培药用植物185种；发现新种8种，新分布记录属和新分布记录种共11种；对区域内水生和耐盐药用资源、菌类药用资源、瑶药资源等进行了专项调研，构建了广东省岭南中药资源信息管理系统。二是建立了广东省中药资源动态监测信息和技术服务体系，形成了区域内中药资源动态监测网络，与国家中药资源动态监测信息和技术服务体系实现了数据共享，形成了长效机制，可实时掌握广东省中药材的产量、流通量、价格和质量等的变化趋势，促进中药产业的健康发展。广东省中药资源普查过程中开展了区域内重点道地药材品种的标准化建设，开展了中药材产业扶贫行动，使中药材生产成为推进乡村振兴的重要抓手，为加快区域中药材产业的发展贡献了力量。三是建立了省级中药材种子种苗繁育基地、省中药药用植物重点物种保存圃和种质资源圃，保存广东省活体中药药用植物种质资源2 639份，从源头上保证了中药材的质量，促进了珍稀、濒危、道地药材的繁育和保护，凸显了中药资源保护和可持续利用工作的重要性。四是在汇总广东省中药资源相关传统知识调查成果的基础上，梳理了广东省岭南地区独特地理气候条件下的人群体质特点，形成了具有地域特色的岭南中医药学体系亮点，如广东凉茶、罗浮山百草油、沙溪凉茶、冯了性风湿跌打药酒、跌打万花油、乌鸡白凤丸等具有岭南特色的中药配伍应用；整理出岭南民间特色治疗验方554首，挖掘、传承、保护与中药资源相关的传统知识。五是汇编出版了《广东省中药资源志要》《梅州中草药图鉴》《乳源瑶医瑶药志要》《岭南采药录考释》等专著。

《中国中药资源大典·广东卷》是对广东省第四次中药资源普查工作成果的全面汇总，是全体普查人员经过多年努力，获得的广东省中药资源现状的第一手资料。《中国中药资源大典·广东卷》由广州中医药大学、中国科学院华南植物园、中山大学、南方医科大学、广东药科大学、华南农业大学等17个普查技术单位的200多位普查技术人员共同编撰完成。全书分为上篇、中篇、下篇，共12册。上篇全面介绍了广东省中药资源生态环境、分布概况，梳理了广东省中药资源和产业现状，对比广东省第三次中药资源普查结果，对广东省野生药用资源分布、人工种植（养殖）中药资源物种的变化、中药材市场流通情况、岭南民间用药特点等进行了分析，并提出了广东省中药资源区划和发展建议；中篇详细地介绍了广东省23种道地、大宗中药资源的资源情况、分布情况、栽培情况、采收应用等内容，为中药材产业的高质量发展提供了技术服务，为中药材生产布局提供了参考；下篇对广东省境内3 514种中药资源物种（药用植物、药用动物、药用矿物）做了图文并茂的介绍，展现了广东省中药资源领域的最新数据信息成果。《中国中药资源大典·广东卷》的出版客观真实地反映了广东省中药资源的整体情况，对广东省乃至全国中药资源的保护、合理利用、开发、科研、教学以及产业规划等将发挥重要的指导作用。

《中国中药资源大典·广东卷》编写委员会

2024 年 3 月

前　言

　　广东省位于我国大陆最南端，北回归线横穿其中部。全省地势北高南低，山脉大多呈东北—西南走向。气候从北向南分别为中亚热带、南亚热带和热带气候，受海洋上的湿润气流影响，夏季高温多雨、多台风，冬季多干旱且有冷空气侵袭。广东省年平均气温为18.9～23.8℃，气温呈南高北低的特点，南端雷州半岛年平均气温最高，为23.8℃，粤北山区年平均气温最低，为18.9℃；历史极端最高气温为42.0℃，极端最低气温为−7.3℃。

　　广东省光、热、水资源丰富，得天独厚的地理环境和气候为生物的生长创造了优越的条件，动植物种类繁多，药用植物资源非常丰富。广东省的植被类型有纬度地带性分布的北亚热带季雨林、南亚热带季风常绿阔叶林、中亚热带典型常绿阔叶林和沿海的热带红树林，还有非纬度地带性分布的常绿落叶阔叶混交林、常绿针阔叶混交林、常绿针叶林、竹林、灌丛和草坡，以及水稻、甘蔗和茶树等栽培植被。

　　2014年，广东省启动了第四次中药资源普查工作，到2021年11月普查结束。广东省本次中药资源普查共记录调查信息445 240条、中药资源4 692种（已确认的药用植物3 443种），调查中药材栽培面积14.3万 hm²，涵盖药用植物栽培品种185种；记录病虫害种类351种，调查市场主流药材品种852种，记录传统医药知识信息629条。通过统计分析现有典籍专著和文献记载的广东省药用资源种类信息，结合广东省本次中药资源普查结果，确定广东省现有中药资源种类为3 587种。广东省本次中药资源普查调查代表区域 368 个，调查样地 4 056 个，调查样方套 20 273 个，记录有蕴藏量的中药资源 330 种，收集药材标本 4 977 份、中药材种质资源 2 639 份。此外，本次普查还对广东省菌类和水生、耐盐等药用植物资源进行了专项调研，收载大型药用真菌 217 种，隶属 26 科 46 属；记录水生药用植物资源 160 种、耐盐药用植物资源 269 种。

广东省是我国南药的主产区，与第三次中药资源普查相比，其道地药材和岭南特色药材的生产现状发生了很大的变化。广东省目前生产的道地药材品种主要有春砂仁、何首乌、广藿香、巴戟天、白木香、檀香、穿心莲、肉桂、广陈皮、芡实、山柰、益智等，珍稀野生药材品种有金毛狗、桫椤、青天葵、华南龙胆、蛇足石杉、金线兰等，岭南特色药材品种有莪术、红豆蔻、草豆蔻、甘葛、广山药、猴耳环、溪黄草、凉粉草、九节茶、鸡骨草、广金钱草、牛大力、千斤拔、黑老虎、铁皮石斛等。

广东省是中成药、中药配方颗粒、凉茶的生产大省，每年消耗的中药原料达数千吨，而许多中药原料主要来源于野生资源，导致野生药用资源品种数和蕴藏量均急剧减少。为了保证国家基本药物所需中药原料的可持续利用，广东省大部分制药企业建立了配套的中成药原料基地，还建立了野生中药资源转家种的药材原料基地，主要种植品种有黑老虎、吴茱萸、猴耳环、九里香、白花蛇舌草、溪黄草、紫茉莉、岗梅、毛冬青、两面针、三桠苦、草珊瑚、南板蓝根、山银花、鸡血藤、虎杖、龙脷叶、金樱子、金毛狗、钩藤、土牛膝、佩兰、千年健、山豆根、桃金娘、五指毛桃、无花果、地胆草、紫花杜鹃、裸花紫珠等稀缺原料药材，这些药材种植基地的建立对广东省中药资源的保护和可持续利用具有重要意义。

广东省第四次中药资源普查为广东省中药材产业提供了准确的资源信息，已有的成果数据信息可以更好地服务于产业发展，同时也为区域内主管部门制定相关法规政策提供了数据支撑。我们对广东省近 8 年来的普查数据进行了系统、严谨的梳理和统计，这对促进区域内中药资源的保护和可持续利用、促进地方中药资源产业和国民经济的发展具有重要意义。

《中国中药资源大典·广东卷》编写委员会

2024 年 3 月

凡 例

（1）本书分为上篇、中篇、下篇，共 12 册。上篇内容包括广东省自然地理概况、广东省第四次中药资源普查实施情况、广东省第四次中药资源普查成果、广东省中药资源发展存在的问题与建议；中篇重点介绍广东省 23 种道地、大宗中药资源；下篇是各论，共收载植物、动物、矿物等药用资源 3 514 种，以药用资源物种为单元进行介绍。本书主要参考《中国药典》《中国药材学》《中华本草》《中国植物志》《全国中草药汇编》等，以及历代本草文献等权威著作。为检索方便，本书在第 1 册正文前收录 1 ～ 12 册总目录，在页码前均标注了其所在册数（如"[1]"）。同时，还在第 12 册正文后附有 1 ～ 12 册所录中药资源的中文笔画索引、拉丁学名索引。

（2）植物分类系统。蕨类植物采用秦仁昌 1978 年分类系统。裸子植物采用郑万钧 1975 年分类系统。被子植物采用哈钦松分类系统。少数类群根据最新研究成果稍作调整；属、种按拉丁学名的字母顺序排列。

（3）本书下篇各品种按照其科名及属名、物种名、药材名、形态特征、生境分布、资源情况、采收加工、药材性状、功能主治、用法用量、凭证标本号、附注依次著述，资料不全者项目从略。

1）科名及属名。该项包括科、属的中文名和拉丁学名。

2）物种名。该项包括中文名和拉丁学名。

3）药材名。该项介绍药用部位及药材的别名。未查到药材别名的则内容从略。

4）形态特征。该项简要介绍物种的形态。

5）生境分布。该项介绍物种的生存环境及其在广东省的分布区域，栽培品种则介绍其主产地及道地产区。分布中的地级市专指其城区范围，不涵盖其管辖的县域范围，正文中采用"地级市（市区）"的形式表示，如"茂名（市区）"。

6）资源情况。该项介绍物种的蕴藏量情况，野生资源以丰富、较丰富、一般、较少、稀少表示，并说明药材来源于栽培资源还是野生资源。

7）采收加工。该项简要介绍药材的采收时间、采收方式及加工方法。

8）药材性状。该项主要介绍药材的性状特征。对于民间习用的鲜草药或冷背药材，则此项内容从略。

9）功能主治。该项介绍药材的味、性、毒性、归经、功能和主治。

10）用法用量。该项介绍药材的使用方法及用量范围。

11）凭证标本号。该项为第四次全国中药资源普查收载的物种标本号或补充收录物种的馆藏标本号。依据文献记载补充的经确认广东省已有、普查未收录的物种同时附上中国科学院华南植物园标本馆（IBSC）、深圳市中国科学院仙湖植物园植物标本馆（SZG）、广东省韩山师范学院植物标本室（CZH）等的标本号。补充收录的动物和矿物药用资源的标本号引用《广东中药志》《广东省中药材标准》《中国药用动物志》等文献的记录；菌类药用资源的标本号引用广东省科学院微生物研究所标本馆（GDGM）的标本号。

12）附注。该项简述物种的品种情况、民间使用情况、资源利用情况等内容。

被子植物

水鳖科 Hydrocharitaceae 黑藻属 *Hydrilla*

黑藻

Hydrilla verticillata (L. f.) Royle

| 药 材 名 | 水王孙（药用部位：全草）。

| 形态特征 | 沉水草本。茎圆柱形，表面具纵向细棱纹。叶 3 ~ 8 轮生，线形或长条形，常具紫红色或黑色小斑点，先端锐尖，边缘锯齿明显，无柄，具腋生小鳞片。花单性，雌雄同株或异株；雄佛焰苞近球形，绿色，表面具明显的纵棱纹，先端具刺凸，雄花成熟后自佛焰苞内放出，漂浮于水面；雌佛焰苞管状，绿色，苞内具 1 雌花。果实圆柱形。花果期 5 ~ 10 月。

| 生境分布 | 生于淡水中。分布于广东乳源、南澳、惠东、连州、英德、高要、新兴、阳春及广州（市区）等。

| **资源情况** | 野生资源丰富。药材来源于野生。

| **采收加工** | 夏、秋季采收，鲜用。

| **功能主治** | 清热解毒，利尿消肿，生津止渴。用于疔疮，无名肿毒。

| **用法用量** | 内服研末冲，2 ~ 4 g。外用适量，鲜品捣敷。

水鳖科 Hydrocharitaceae 水鳖属 Hydrocharis

水鳖

Hydrocharis dubia (Blume) Backer

| **植物别名** | 水白、芣菜、水苏。

| **药 材 名** | 马尿花（药用部位：全草）。

| **形态特征** | 浮水草本。匍匐茎发达。叶簇生，多漂浮；叶片心形或圆形，远轴面有蜂窝状贮气组织，并具气孔。雄花序腋生，佛焰苞 2，膜质，透明，具红紫色条纹，萼片 3，离生，长椭圆形，先端急尖，花瓣 3，黄色，与萼片互生，广倒卵形或圆形；雌花花瓣 3，白色，基部黄色，广倒卵形至圆形，近轴面具乳头状突起。果实浆果状，球形至倒卵形。花果期 8 ~ 10 月。

| **生境分布** | 生于静水池沼中。分布于广东乳源、南澳、惠东、连州、英德、高要及广州（市区）等。

| **资源情况** | 野生资源丰富。栽培资源较少。药材来源于野生。

| **采收加工** | 春、夏季采收，切段，晒干或鲜用。

| **功能主治** | 清热解毒，祛湿止带。用于带下。

| **用法用量** | 内服研末冲，2 ~ 4 g。

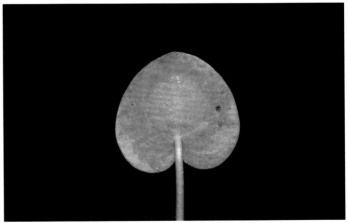

水鳖科 Hydrocharitaceae　水车前属 Ottelia

龙舌草
Ottelia alismoides (L.) Pers.

| **植物别名** | 水芥菜、水带菜、水车前。

| **药材名** | 龙舌草（药用部位：全草）。

| **形态特征** | 沉水草本。叶基生；叶片因生境条件的不同而形态各异，多为广卵形、卵状椭圆形、近心形或心形，先端钝、急尖或渐尖，基部楔形、截形或心形。佛焰苞椭圆形或卵形，具6至多条脊状突起和2～6翅，有时无脊无翅，常见成行的刺或瘤，内含1至多朵花；有花梗。果实长圆柱形、纺锤形或圆锥形；种子多数，长圆形或纺锤形。花期4～10月。

| **生境分布** | 生于山地溪边和峡谷中。分布于广东翁源、始兴、南雄、乳源、蕉岭、

惠阳、博罗、郁南、阳春、徐闻及深圳（市区）、广州（市区）、佛山（市区）、
肇庆（市区）、汕头（市区）等。

| **资源情况** | 野生资源丰富。药材来源于野生。

| **采收加工** | 夏、秋季采收，切段，晒干或鲜用。

| **功能主治** | 清热化痰，解毒利尿。用于肺热咳嗽，肺结核，咯血，哮喘，水肿，小便不利；
外用于痈肿，烫火伤。

| **用法用量** | 内服煎汤，15 ~ 30 g。外用适量，捣敷；或研末调敷。

水鳖科 Hydrocharitaceae 苦草属 Vallisneria

苦草
Vallisneria natans (Lour.) Hara

| 药 材 名 | 扁担草（药用部位：全草）。

| 形态特征 | 沉水草本。匍匐茎直径约2 mm。叶基生，线形或带形，具5～9叶脉，全缘或有不明显的细锯齿，先端钝。雄佛焰苞卵状圆锥形，每佛焰苞内含雄花200余，雄蕊1，花丝先端有时2裂，基部具毛；雌佛焰苞长1.5～2 cm，花序梗纤细，萼片绿紫色，先端钝，花瓣白色，微小，退化雄蕊3。果实圆筒状；种子狭倒卵球形，有腺毛状突起。

| 生境分布 | 生于淡水沼泽及溪沟边。分布于广东高要、英德及汕头（市区）、深圳（市区）、广州（市区）等。

| 资源情况 | 野生资源丰富。药材来源于野生。

| 采收加工 | 夏、秋季采收，切段，晒干或鲜用。

| 功能主治 | 清热解毒，舒筋活络，祛风除湿，止咳祛痰，和血止痛。用于支气管炎，扁桃体炎，咽炎等。

| 用法用量 | 内服煎汤，6 ~ 10 g。

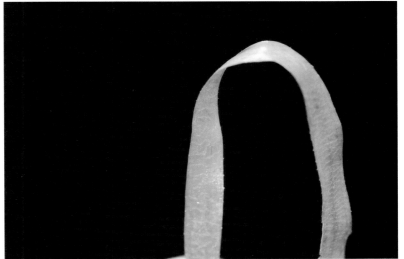

泽泻科 Alismataceae 泽泻属 Alisma

泽泻
Alisma plantago-aquatica L.

| **植物别名** | 水泻。

| **药 材 名** | 泽泻（药用部位：块茎）。

| **形态特征** | 水生或沼生草本。块茎直径 1 ～ 3.5 cm 或更大。叶通常多数；沉水叶条形或披针形；挺水叶宽披针形、椭圆形至卵形。花序具 3 ～ 8 轮分枝，每轮分枝 3 ～ 9；外轮花被片广卵形，内轮花被片近圆形，远大于外轮花被片，边缘具不规则粗齿，白色、粉红色或浅紫色。瘦果椭圆形或近矩圆形；种子紫褐色，具突起。花果期 5 ～ 10 月。

| **生境分布** | 生于沼泽中。广东广州（市区）、深圳（市区）等有栽培。

| **资源情况** | 野生资源较少。栽培资源较丰富。药材来源于栽培。

| **采收加工** | 冬季采收,晒干。

| **功能主治** | 利水渗湿,泻热,化浊降脂。用于肾炎性水肿,肾盂肾炎,肠炎泄泻,小便不利。

| **用法用量** | 内服煎汤,6 ~ 12 g;或入丸、散剂。

泽泻科 Alismataceae 慈姑属 *Sagittaria*

冠果草

Sagittaria guayanensis Kunth subsp. *lappula* (D. Don) Bogin

| **植物别名** | 假菱角、土紫菀。

| **药 材 名** | 冠果草（药用部位：全草）。

| **形态特征** | 水生浮叶草本。叶基生；叶柄长短不等，常视水的深浅而定；叶片沉水或浮于水面；沉水叶条形；浮水叶圆形或宽卵形，先端圆，基部深心形，裂片基部通常锐尖。总状花序，上部数轮为雄花；花梗短粗；外轮花被片3，萼片状，卵形，内轮花被片3，花瓣状，白色，基部淡黄色；雄蕊9 ~ 15，花丝基部扁；心皮多数。花果期5 ~ 11 月。

| **生境分布** | 生于水塘、湖泊浅水区及沼泽、水田、沟渠等处。分布于广东德庆、

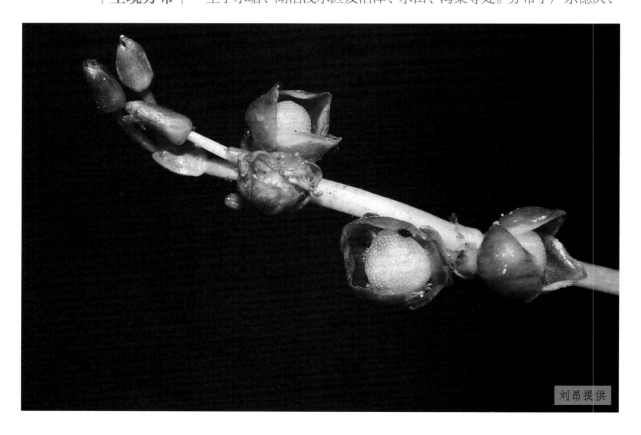

刘昂提供

阳春、电白及广州（市区）等。

| **资源情况** | 野生资源较少。药材来源于野生。

| **采收加工** | 夏、秋季采收，切段，晒干。

| **功能主治** | 清热利湿，解毒。用于肺炎咳嗽，湿热痢疾。

| **用法用量** | 内服煎汤，10 ~ 15 g。外用适量，捣敷。

刘昂提供

刘昂提供

泽泻科 Alismataceae 慈姑属 Sagittaria

矮慈姑 *Sagittaria pygmaea* Miq.

| 植物别名 | 水充草、高原慈姑。

| 药 材 名 | 鸭舌草（药用部位：全草）。

| 形态特征 | 多为一年生草本。具匍匐茎。叶柄不明显；叶片线形或近匙形，基部具鞘，先端渐尖或钝。总状花序；苞片椭圆形；花单性；雌花 1，单生，无花梗或具非常短的花梗；雄花具花梗，萼片倒卵形，花瓣圆形，雄蕊 6 ~ 21，花药黄色。瘦果两侧压扁，具翅，近倒卵形，背翅具鸡冠状裂齿，果喙自腹侧伸出。花果期 5 ~ 11 月。

| 生境分布 | 生于湖泊、池塘、沼泽、沟渠、水田等浅水处。分布于广东翁源、乐昌、连州、英德、封开、新兴、阳春、信宜等。

| **资源情况** | 野生资源丰富。栽培资源较少。药材来源于野生和栽培。 |

| **采收加工** | 夏、秋季采收，切段。 |

| **功能主治** | 清肺利咽，利湿解毒。用于无名水肿，蛇咬伤，小便热痛，烫火伤等。 |

| **用法用量** | 内服煎汤，鲜品 15 ～ 30 g。外用适量，捣敷。 |

泽泻科 Alismataceae 慈姑属 Sagittaria

野慈姑 *Sagittaria trifolia* L.

| 植物别名 | 茨菇、茨菰。

| 药 材 名 | 慈姑（药用部位：球茎）。

| 形态特征 | 多年生水生或沼生草本。根茎横走。挺水叶箭形，叶片长短、宽窄变异很大，侧裂片长于中裂片。总状或圆锥状花序；花单性；花被片反折，内轮花被片白色或淡黄色；雌花 1 ~ 3 轮，具短花梗；雄花多轮。瘦果两侧压扁，长约 4 mm，宽约 3 mm，倒卵形，具翅，背翅多少不整齐，果喙短，自腹侧斜上；种子褐色。花果期 5 ~ 11 月。

| 生境分布 | 生于湖泊、池塘、沼泽、沟渠、水田等浅水处。分布于广东乐昌、仁化、乳源、翁源、始兴、和平、连平、连州、英德、阳山、连南、龙门、

德庆、怀集、阳春、信宜及广州（市区）、云浮（市区）等。

| **资源情况** | 野生资源丰富。药材来源于野生。

| **采收加工** | 秋季初霜后至翌年春季发芽前采收，洗净，鲜用或晒干。

| **功能主治** | 活血凉血，止咳通淋，散结解毒。用于淋浊，疮肿，目赤肿痛，瘰疬，睾丸炎，毒蛇咬伤。

| **用法用量** | 内服煎汤，15 ~ 30 g；或绞汁。外用适量，捣敷；或磨汁沉淀后点眼。

泽泻科 Alismataceae 慈姑属 *Sagittaria*

华夏慈姑 *Sagittaria trifolia* L. subsp. *leucopetala* (Miq.) Q. F. Wang

| 药 材 名 |

慈姑（药用部位：球茎）。

| 形态特征 |

植株高大，粗壮。匍匐茎末端膨大成球茎；球茎卵圆形或球形。叶片宽大，肥厚，顶裂片先端钝圆，卵形至宽卵形。圆锥花序高大，分枝（1～）2（～3），着生于下部，具1～2轮雌花，主轴雌花3～4轮，位于侧枝之上；雄花多轮，生于上部，组成大型圆锥花序，果期常斜卧水中；果期花托扁球形，直径4～5 mm，高约3 mm。种子褐色，具小突起。

| 生境分布 |

生于湖泊、池塘、沼泽、沟渠、水田等浅水处。广东各地均有栽培。

| 资源情况 |

野生资源一般。栽培资源较丰富。药材来源于栽培。

| 采收加工 |

秋季初霜后至翌年春季发芽前采收，洗净，鲜用或晒干。

| 功能主治 | 活血凉血，止咳通淋，散结解毒。用于淋浊，疮肿，目赤肿痛，瘰疬，睾丸炎，毒蛇咬伤。

| 用法用量 | 内服煎汤，15 ~ 30 g；或绞汁。外用适量，捣敷；或磨汁沉淀后点眼。

眼子菜科 Potamogetonaceae 眼子菜属 Potamogeton

眼子菜
Potamogeton distinctus A. Benn.

| **药 材 名** | 泉生眼子菜（药用部位：球茎）。

| **形态特征** | 多年生水生草本。根茎发达，白色，直径 1.5 ~ 2 mm，多分枝，常于先端形成纺锤状休眠芽体，并在节处生有稍密的须根。茎圆柱形，通常不分枝。穗状花序顶生，具花多轮，开花时伸出水面，花后沉入水中；花序梗稍膨大，粗于茎；花小，绿色；雌蕊 2，稀 1 或 3。果实宽倒卵形，中脊于果实上部明显隆起，侧脊稍钝。花果期 5 ~ 10 月。

| **生境分布** | 生于池塘、水田和水沟等静水处。分布于广东平远、高要及云浮（市区）等。

| **资源情况** | 野生资源较丰富。药材来源于野生。

| **采收加工** | 秋季初霜后至翌年春季发芽前采收，洗净，鲜用或晒干。

| **功能主治** | 清热解毒，利湿通淋，止血，驱蛔虫。用于热淋，痔疮出血，湿热痢疾，黄疸，带下，鼻衄，蛔虫病，疮痈肿毒。

| **用法用量** | 内服煎汤，9～15 g，鲜品 30～60 g。外用适量，捣敷。

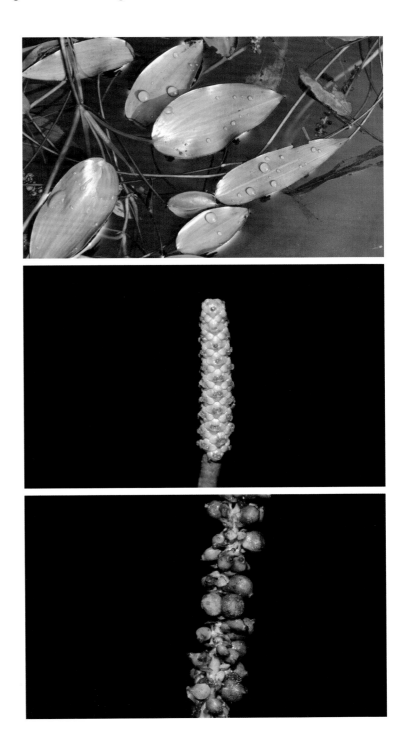

浮叶眼子菜 *Potamogeton natans* L.

| 药 材 名 | 浮叶眼子菜（药用部位：全草）。

| 形态特征 | 多年生水生草本。根茎发达，白色，常具红色斑点，多分枝，节处生有须根。茎圆柱形，通常不分枝或极少分枝。浮水叶革质，卵形至矩圆状卵形；沉水叶质厚，先端较钝。穗状花序顶生，具花多轮，开花时通常直立，花后弯曲而使果穗沉入水中；花小，绿色，肾形至近圆形。果实倒卵形，外果皮常呈灰黄色，背部钝圆。花果期7～10月。

| 生境分布 | 生于湖泊、沟塘等静水或缓流处。分布于广东平远、高要及云浮（市区）等。

| 资源情况 | 野生资源较丰富。药材来源于野生。

| 采收加工 | 夏、秋季采收，切段。

| 功能主治 | 清热解毒，除湿利水。用于目赤肿痛，疮痈肿毒，黄疸，水肿，痔疮出血，蛔
虫病。

| 用法用量 | 内服煎汤，6 ~ 15 g。外用适量，鲜品捣敷。

穿鞘花

Amischotolype hispida (Less. & A. Rich.) Hong

| 植物别名 |

独竹草。

| 药 材 名 |

穿鞘花（药用部位：全草）。

| 形态特征 |

多年生粗大草本。根茎长，节上生根，无毛。茎直立。叶鞘长达 4 cm，密生褐黄色细长硬毛；叶椭圆形，先端尾状，基部楔状，渐狭成带翅的柄。头状花序大，常有花数十朵；苞片卵形；萼片舟状，先端呈盔状；花瓣长圆形，稍短于萼片。蒴果卵球状三棱形，先端钝，近先端疏被细硬毛，长约 7 mm，较宿存的萼片短得多。花期 7 ~ 8 月，果期 9 月。

| 生境分布 |

生于湖泊、沟塘等静水或缓流处。分布于广东乐昌、乳源、翁源、和平、连山、高要、阳春及深圳（市区）等。

| 资源情况 |

野生资源丰富。药材来源于野生。

| **采收加工** | 夏、秋季采收，切段，晒干。

| **功能主治** | 清热利尿，解毒。

| **用法用量** | 内服煎汤，15 ～ 30 g。

鸭跖草科 Commelinaceae 鸭跖草属 Commelina

饭包草
Commelina benghalensis L.

| 植物别名 | 竹叶菜、火柴头、圆叶鸭跖草。

| 药 材 名 | 马耳草（药用部位：全草）。

| 形态特征 | 多年生匍匐草本。茎多分枝。单叶互生，叶片卵形。总苞片漏斗状，与叶对生，常数个集生于枝顶，下部边缘合生；聚伞花序数朵，几不伸出苞片；花梗短；萼片 3，膜质，其中 2 萼片基部常合生；花蓝色；花瓣 3；雄蕊 6，能育雄蕊 3；子房长圆形，具棱，长约 1.5 mm，花柱线形。蒴果椭圆形，膜质，长约 5 mm；种子 5，肾形，黑褐色。花期 6 ~ 7 月，果期 11 ~ 12 月。

| 生境分布 | 生于海拔 1 000 m 以下的湿地。分布于广东和平、博罗等。

| **资源情况** | 野生资源一般。药材来源于野生。 |

| **采收加工** | 夏、秋季采收，切段。 |

| **功能主治** | 清热解毒，利湿消肿。用于小便短赤涩痛，血痢，疔疮。 |

| **用法用量** | 内服煎汤，15～30 g，鲜品30～60 g。外用适量，鲜品捣敷；或煎汤洗。 |

鸭跖草科 Commelinaceae 鸭跖草属 Commelina

鸭跖草
Commelina communis L.

| 植物别名 | 竹节菜、鸭趾草。

| 药 材 名 | 鸭跖草（药用部位：全草）。

| 形态特征 | 茎匍匐生根，多分枝，长可达1 m，下部无毛，上部被短毛。叶披针形至卵状披针形。总苞片佛焰苞状，与叶对生，折叠状，展开后呈心形，先端短急尖，基部心形，边缘常有硬毛；聚伞花序，上面一枝具花3～4；花瓣深蓝色，内面2花瓣具爪，长近1 cm。蒴果椭圆形；种子4，棕黄色，一端平截，腹面平，有不规则的窝孔。

| 生境分布 | 生于湿地。分布于广东仁化、翁源、乳源、乐昌、和平、连平、梅县、大埔、五华、从化、阳山、连山、怀集、德庆、信宜及深圳（市

区）等。

| **资源情况** | 野生资源丰富。药材来源于野生。

| **采收加工** | 夏、秋季采收，切段。

| **功能主治** | 清热泻火，解毒，利水消肿。用于流行性感冒，急性扁桃体炎，咽炎，水肿，尿路感染，急性肠炎，痢疾；外用于睑腺炎，疮疖肿毒。

| **用法用量** | 内服煎汤，15～30 g，鲜品60～90 g；或捣汁。外用适量，捣敷。

鸭跖草科 Commelinaceae 鸭跖草属 Commelina

竹节菜

Commelina diffusa Burm. f.

| **植物别名** | 竹蒿草、竹节花。

| **药 材 名** | 竹节草（药用部位：全草）。

| **形态特征** | 披散草本。茎匍匐，极少不匍匐，节上生根。叶披针形或生于分枝
下部的叶呈长圆形。蝎尾状聚伞花序通常单生于分枝上部叶腋，自
基部开始二叉分枝，其中一枝的花序梗与总苞垂直，而与总苞的柄
成 1 直线，另一枝具短得多的梗，与总苞的方向一致；萼片椭圆形，
浅舟状，宿存，无毛；花瓣蓝色。蒴果矩圆状三棱形，不裂；种子
黑色，卵状长圆形。花果期 5 ~ 11 月。

| **生境分布** | 生于旷野或林缘较阴湿处。分布于广东始兴、大埔、博罗、从化、

英德及肇庆（市区）、阳江（市区）等。

| **资源情况** | 野生资源丰富。药材来源于野生。

| **采收加工** | 夏、秋季采收，切段。

| **功能主治** | 清热解毒，利尿消肿，止血。用于急性咽喉炎，痢疾，疮疖，小便不利；外用于外伤出血。

| **用法用量** | 内服煎汤，10 ~ 20 g，鲜品 30 ~ 60 g。外用适量，捣敷；或研末撒。

鸭跖草科 Commelinaceae 鸭跖草属 Commelina

大苞鸭跖草 *Commelina paludosa* Blume

| **植物别名** |

大鸭跖草、大竹叶菜。

| **药 材 名** |

大苞鸭跖草（药用部位：全草）。

| **形态特征** |

粗壮大草本。茎常直立。叶无柄；叶片披针形至卵状披针形，先端渐尖。总苞片漏斗状，无毛，无柄，常 4 ~ 10 在茎先端集成头状，下缘合生，上缘急尖或短急尖；蝎尾状聚伞花序有花数朵，几不伸出；花梗短，折曲；萼片膜质，披针形；花瓣蓝色，匙形或倒卵状圆形。蒴果卵球状三棱形；种子椭圆状，黑褐色，腹面稍压扁，具细网纹。花期 8 ~ 10 月，果期 10 月至翌年 4 月。

| **生境分布** |

生于林下及山谷溪边。分布于广东乐昌、仁化、翁源、新丰、南雄、紫金、蕉岭、大埔、博罗、龙门、英德、连山、连南、罗定、新兴、台山、阳春及深圳（市区）、茂名（市区）等。

| **资源情况** |

野生资源丰富。药材来源于野生。

| **采收加工** | 夏、秋季采收，切段。

| **功能主治** | 清热解毒，利水消肿。用于流行性感冒，急性扁桃体炎，咽炎，水肿，尿路感染，急性肠炎，痢疾；外用于睑腺炎，疮疖肿毒。

| **用法用量** | 内服煎汤，15 ～ 30 g，鲜品 30 ～ 45 g；或捣汁含咽。外用适量，捣敷。

鸭跖草科 Commelinaceae 蓝耳草属 Cyanotis

蛛丝毛蓝耳草 *Cyanotis arachnoidea* C. B. Clarke

| 植物别名 | 大蓝耳草、鸡冠参、露水草。

| 药 材 名 | 珍珠露水草（药用部位：根）。

| 形态特征 | 多年生草本。根须状，粗壮。主茎不育，短缩，具多枚丛生的叶。蝎尾状聚伞花序常数个簇生于枝顶或叶腋，无梗而呈头状；总苞片佛焰苞状，先端渐尖，密或疏被蛛丝状毛，通常背面基部毛很密；萼片线状披针形，基部连合，外面被蛛丝状毛；花瓣蓝紫色、蓝色或白色，比萼片长；花丝被蓝色蛛丝状毛。花期 6～9 月，果期 10 月。

| 生境分布 | 生于山坡、路旁向阳缓坡草地及湿处。分布于广东翁源、连平、梅县、惠阳、英德、连山、怀集及东莞、广州（市区）、茂名（市区）等。

| **资源情况** | 野生资源丰富。药材来源于野生。

| **采收加工** | 夏、秋季采收，除去茎、叶，洗净，鲜用或晒干。

| **功能主治** | 活血止痛，祛风活络。用于腰腿疼痛，跌打损伤，风湿性关节炎。

| **用法用量** | 内服煎汤，15 ~ 30 g，鲜品 30 ~ 45 g；或捣汁含咽。

鸭跖草科 Commelinaceae 蓝耳草属 *Cyanotis*

四孔草
Cyanotis cristata (L.) D. Don

| **植物别名** | 蛇通管。

| **药 材 名** | 竹叶菜（药用部位：全草）。

| **形态特征** | 一年生草本。茎下部节上生根，匍匐或否。叶全部茎生，长圆形或披针形；叶鞘被相当密的蛛丝状毛，或仅沿口部被蛛丝状毛。蝎尾状聚伞花序常单生于茎顶或兼生于叶腋；总苞片佛焰苞状；苞片大，疏生蛛丝状毛；萼片狭披针形，基部连合，宿存；花瓣蓝色或紫色，膜质。蒴果短柱状三棱形，先端疏生细刚毛；种子 6，灰褐色，呈四面体形。花期 7 ~ 8 月，果期 9 ~ 10 月。

| **生境分布** | 生于疏林、旷野潮湿处或溪旁。分布于广东新兴、徐闻等。

| **资源情况** | 野生资源丰富。药材来源于野生。

| **采收加工** | 夏、秋季采收，切段，晒干。

| **功能主治** | 消肿利尿，清热解毒，润燥止血。用于消炎，止血。

| **用法用量** | 内服煎汤，9 ~ 15 g。外用适量，捣敷。

鸭跖草科 Commelinaceae 蓝耳草属 *Cyanotis*

蓝耳草 *Cyanotis vaga* (Lour.) Schult. et Schult. f.

植物别名

土贝母、苦籽。

药材名

鸡冠参（药用部位：全草或根）。

形态特征

多年生披散草本。全体密被长硬毛，基部有球状而被毛的鳞茎。叶线形至披针形。蝎尾状聚伞花序顶生兼腋生，单生，稀在先端数个聚生成头状；总苞片较叶宽而短，佛焰苞状；苞片镰状弯曲而渐尖；萼片基部连合，长圆状披针形，外被白色长硬毛；花瓣蓝色或蓝紫色；花丝被蓝色绵毛。蒴果倒卵状三棱形；种子灰褐色，具许多小窝孔。花期7～9月，果期10月。

生境分布

生于海滨沙地、山坡草地或疏林中。分布于广东翁源及深圳（市区）、广州（市区）等。

资源情况

野生资源丰富。药材来源于野生。

| 采收加工 | 夏、秋季采收，洗净，鲜用或晒干。

| 功能主治 | 利湿消肿，祛风活络，退虚热。用于腰腿疼痛，跌打损伤，风湿性关节炎。

| 用法用量 | 内服煎汤，9 ~ 15 g；或浸酒。外用适量，捣敷。

鸭跖草科 Commelinaceae 聚花草属 Floscopa

聚花草

Floscopa scandens Lour.

| 植物别名 | 水草、大祥竹篙草。

| 药 材 名 | 聚花草（药用部位：全草）。

| 形态特征 | 根茎极长，节上密生须根。全体或仅叶鞘及花序各部分被多细胞腺毛。叶片椭圆形至披针形，上面有鳞片状突起。圆锥花序多个，顶生兼有腋生，组成扫帚状复圆锥花序；下部总苞片叶状，与叶同形等大，上部总苞片比叶小得多；花瓣蓝色或紫色，稀白色，倒卵形，略比萼片长；花丝长而无毛。蒴果卵圆状，侧扁。花果期 7 ~ 11 月。

| 生境分布 | 生于沟边草地及林中。分布于广东仁化、新丰、乐昌、南雄、连平、和平、从化、英德、怀集、新兴、罗定、台山、恩平、阳春、信宜

及深圳（市区）、珠海（市区）等。

| **资源情况** | 野生资源丰富。药材来源于野生。

| **采收加工** | 夏、秋季采收，切段，鲜用或晒干。

| **功能主治** | 清热解毒，利水消肿。用于发热，肺热咳嗽，目赤肿痛，淋证，水肿，疮疖肿毒，淋巴结肿大，急性肾炎。

| **用法用量** | 内服煎汤，9 ~ 15 g。外用适量，鲜品捣敷。

大苞水竹叶 *Murdannia bracteata* (C. B. Clarke) J. K. Morton ex D. Y. Hong

| **药 材 名** | 痰火草（药用部位：全草）。

| **形态特征** | 多年生草本。根须状而极多。主茎不育，极短；可育茎通常 2，自主茎下部叶丛中发出，长而匍匐，先端上升，节上生根。叶在主茎上的密集成莲座状；叶鞘全面被细长柔毛或仅沿口部一侧有刚毛。蝎尾状聚伞花序通常 2 ~ 3，稀 1；苞片圆形，早落；花梗极短，果期伸长，强烈弯曲；萼片草质，卵状椭圆形，浅舟状；花瓣蓝色。花果期 5 ~ 11 月。

| **生境分布** | 生于密林中、溪旁沙地上。分布于广东始兴、仁化、翁源、博罗、南海、高要、阳春、高州及河源（市区）、广州（市区）、茂名（市区）等。

| **资源情况** | 野生资源丰富。药材来源于野生。

| **采收加工** | 夏、秋季采收，切段，晒干。

| **功能主治** | 化痰散结，清热通淋。用于淋巴结结核。

| **用法用量** | 内服煎汤，30 ~ 60 g。

鸭跖草科 Commelinaceae 水竹叶属 Murdannia

葶花水竹叶
Murdannia edulis (Stokes) Faden

| **药 材 名** | 大叶水竹叶（药用部位：块根）。

| **形态特征** | 多年生草本。根多条，长而粗壮，密被长绵毛，部分根（或全部根）在近末端处纺锤状加粗成块状。叶全部基生。总苞片腋内有时为单蝎尾状聚伞花序，有时为几个聚伞花序组成的花序分枝，在单聚伞花序的情况下，花序梗上有鞘状膜质总苞片，可见是退化的花序分枝；苞片很小，杯状，红色；花瓣粉红色或紫色，长于萼片。蒴果椭圆状三棱形，长约 7 mm。花期 8 月，果期 8 ~ 9 月。

| **生境分布** | 生于山地林下阴湿处。分布于广东陆丰及东莞等。

| **资源情况** | 野生资源较少。药材来源于野生。

| 采收加工 | 夏、秋季采收，晒干。

| 功能主治 | 清心润肺，解热除烦，养胃生津。用于虚劳逆咳，烦躁咯血，衄血，热病口干，津伤便秘等。

| 用法用量 | 内服煎汤，9 ~ 15 g。

鸭跖草科 Commelinaceae 水竹叶属 Murdannia

牛轭草

Murdannia loriformis (Hassk.) R. S. Rao et Kammathy

| 植物别名 | 水竹草、鸡嘴草。

| 药 材 名 | 牛轭草（药用部位：全草）。

| 形态特征 | 多年生草本。根须状，被长绒毛或否。主茎上的叶密集，呈莲座状、禾叶状或剑形。蝎尾状聚伞花序单支顶生或 2 ～ 3 集成圆锥花序；下部的总苞片叶状而较小，上部的总苞片很小；苞片早落，长约 4 mm；萼片草质，卵状椭圆形，浅舟状；花瓣紫红色或蓝色，倒卵圆形；能育雄蕊 2。蒴果卵圆状三棱形。花果期 5 ～ 10 月。

| 生境分布 | 生于山谷、沟边或潮湿处。分布于广东乳源、龙川、连平、丰顺、平远、潮安、连山、德庆、徐闻及深圳（市区）、阳江（市区）等。

| 资源情况 | 野生资源丰富。药材来源于野生。

| 采收加工 | 夏、秋季采收，切段，晒干。

| 功能主治 | 清热解毒，止咳，利尿。用于小儿高热，肺热咳嗽，目赤肿痛，热痢，疮疖肿毒，小便不利。

| 用法用量 | 内服煎汤，15 ~ 30 g。外用适量，捣敷。

鸭跖草科 Commelinaceae 水竹叶属 Murdannia

裸花水竹叶

Murdannia nudiflora (L.) Brenan

| 植物别名 | 竹叶草。

| 药 材 名 | 红毛草（药用部位：全草）。

| 形态特征 | 多年生草本。叶几全部茎生；叶片禾叶状或披针形，先端钝或渐尖。蝎尾状聚伞花序数个；下部的总苞片叶状，较小，上部的总苞片很小，长不及 1 cm；聚伞花序有数朵排列密集的花，具纤细而长达 4 cm 的总花梗；苞片早落；花梗细而挺直；萼片草质，卵状椭圆形，浅舟状；花瓣紫色；能育雄蕊 2，不育雄蕊 2 ~ 4，花丝下部有须毛。蒴果卵圆状三棱形。花果期（6 ~）8 ~ 9（ ~ 10）月。

| 生境分布 | 生于林中或旷地上。分布于广东乐昌、始兴、乳源、仁化、翁源、

大埔、惠东、惠阳、博罗、连南、阳山、英德、高要、郁南、罗定、阳春及深圳（市区）、广州（市区）、茂名（市区）等。

| **资源情况** | 野生资源丰富。药材来源于野生。

| **采收加工** | 夏、秋季采收，切段。

| **功能主治** | 清热止咳，凉血止血。用于肺热咳嗽，咯血，扁桃体炎，咽喉炎，急性肠炎。

| **用法用量** | 内服煎汤，15～30 g，大剂量可用至 60 g；或绞汁。外用适量，鲜品捣敷。

鸭跖草科 Commelinaceae 水竹叶属 Murdannia

细竹篙草 *Murdannia simplex* (Vahl) Brenan

| 植物别名 | 书带水竹叶。

| 药材名 | 细竹篙草（药用部位：全草）。

| 形态特征 | 多年生草本。根有多数须根。茎常丛生，稀单生，节间甚长，无毛或被短柔毛。基生叶丛生；茎生叶较小，生于茎中部，叶片条状披针形，先端渐尖，基部鞘状抱茎，被长睫毛。聚伞花序排列成顶生的圆锥花序；总苞片条形至披针形，果期多脱落；苞片早落；花梗细而挺直；萼片 3，浅舟状，长卵形。蒴果卵状三棱形，每室有 2 种子。花期 4 ~ 9 月。

| 生境分布 | 生于林中或草地上。分布于广东博罗、从化等。

| **资源情况** | 野生资源丰富。药材来源于野生。

| **采收加工** | 夏、秋季采收，切段，晒干。

| **功能主治** | 清热解毒，凉血。用于小儿热病，肿毒，吐血，病后食欲不振。

| **用法用量** | 内服煎汤，9 ~ 15 g。

鸭跖草科 Commelinaceae 水竹叶属 Murdannia

水竹叶

Murdannia triquetra (Wall. ex C. B. Clarke) G. Brückn

| 植物别名 | 细叶竹高草。

| 药 材 名 | 水竹叶（药用部位：全草）。

| 形态特征 | 根茎具叶鞘，节上具细长须根。茎肉质，下部匍匐，节上生根。叶无柄；叶片竹叶形，下部有睫毛；叶鞘合缝处有 1 列毛。花序通常仅有单花；花序梗中部有 1 条状苞片；萼片绿色，狭长圆形，浅舟状；花瓣粉红色、紫红色或蓝紫色，倒卵圆形；花丝密生长须毛。蒴果卵圆状三棱形，每室有种子 3；种子短柱状。花期 9 ~ 10 月，果期 10 ~ 11 月。

| 生境分布 | 生于水稻田边或湿地上。分布于广东翁源、大埔、连州及广州（市

区）、肇庆（市区）等。

| **资源情况** | 野生资源丰富。药材来源于野生。

| **采收加工** | 夏、秋季采收，切段，晒干或鲜用。

| **功能主治** | 甘，平。清热解毒，利尿，消肿。用于肺热咳嗽，赤白痢，小便不利，咽喉肿痛，痈疽疔肿。

| **用法用量** | 内服煎汤，30 ～ 60 g。

鸭跖草科 Commelinaceae 杜若属 Pollia

杜若

Pollia japonica Thunb.

| 植物别名 |

水芭蕉。

| 药 材 名 |

竹叶莲（药用部位：全草或根茎）。

| 形态特征 |

多年生草本。根茎长而横走。叶鞘无毛；叶无柄或叶基部渐狭而延成带翅的柄；叶片长椭圆形，基部楔形，先端长渐尖，近无毛，上面粗糙。蝎尾状聚伞花序长 2 ~ 4 cm，花序总梗长 15 ~ 30 cm，花序远远地伸出叶子，各级花序轴和花梗被相当密的钩状毛；总苞片披针形；花瓣白色，倒卵状匙形，长约 3 mm；雄蕊 6 全育，近等长。花期 7 ~ 9 月，果期 9 ~ 10 月。

| 生境分布 |

生于林下潮湿地。分布于广东仁化、翁源、乳源、乐昌、南雄、和平、梅县、大埔、平远、博罗、英德、阳山、连州及广州（市区）等。

| 资源情况 |

野生资源丰富。药材来源于野生。

| **采收加工** | 夏、秋季采收，洗净，鲜用或晒干。

| **功能主治** | 辛，微温。理气止痛，疏风消肿。用于胸胁气痛，胃痛，腰痛，头肿痛，流泪；外用于毒蛇咬伤。

| **用法用量** | 内服煎汤，6 ~ 12 g。外用适量，捣敷。

竹叶吉祥草 Spatholirion longifolium (Gagnep.) Dunn

| 植物别名 | 猪叶菜、白龙须、马耳草。

| 药 材 名 | 珊瑚草花（药用部位：花序）。

| 形态特征 | 多年生缠绕草本，全体近无毛或被柔毛。根须状，数条，粗壮，直径约 3 mm。茎长达 3 m。叶具长 1 ~ 3 cm 的叶柄；叶片披针形至卵状披针形，先端渐尖。圆锥花序总梗长达 10 cm；总苞片卵圆形；花无梗；萼片长 6 mm，草质；花瓣紫色或白色，略短于萼片。蒴果卵状三棱形，长 12 mm，先端有芒状突尖，每室有种子 6 ~ 8；种子酱黑色。花期 6 ~ 8 月，果期 7 ~ 9 月。

| 生境分布 | 生于林下潮湿地，多攀缘于树干上。分布于广东仁化、翁源、乳源、

乐昌、南雄、和平、梅县、大埔、平远、博罗、英德、阳山、连州及广州（市区）等。

| **资源情况** | 野生资源丰富。药材来源于野生。

| **采收加工** | 夏、秋季采收，晒干。

| **功能主治** | 涩，凉。理气活血，止痛。用于月经不调，神经性头痛。

| **用法用量** | 内服煎汤，9 ～ 15 g。

鸭跖草科 Commelinaceae 紫万年青属 Tradescantia

紫万年青 *Tradescantia spathacea* Sw.

| 药 材 名 | 蚌兰花（药用部位：花）、蚌兰叶（药用部位：叶）。

| 形态特征 | 多年生草本，高约 50 cm。茎较粗壮，肉质，节密生，不分枝。叶基生，密集覆瓦状，无柄；叶片披针形或舌状披针形，先端渐尖，基部扩大成鞘状抱茎，上面暗绿色，下面紫色。聚伞花序生于叶基部，大部分藏于叶内；苞片蚌壳状，大而扁，淡紫色，包围花序；萼片长圆状披针形，分离；雄蕊 6，花丝被长毛；子房 3 室。花期 5 ~ 8 月。

| 生境分布 | 广东各地均有栽培。

| 资源情况 | 栽培资源较丰富。药材来源于栽培。

| 采收加工 | **蚌兰花**：夏、秋季采收，晒干或鲜用。
蚌兰叶：全年均可采收，鲜用或晒干。

| 功能主治 | **蚌兰花**：清肺化痰，凉血止血，解毒止痢。用于肺热咳喘，百日咳，咯血，鼻衄，血痢，便血，瘰疬。

蚌兰叶：清热解毒，化瘀止血。用于肺热咳嗽，吐血，衄血，便血，泻痢，跌打损伤，瘰疬，疮疖。

| 用法用量 | **蚌兰花**：内服煎汤，10 ～ 15 g。

蚌兰叶：内服煎汤，10 ～ 30 g，鲜品可用至 60 g。外用适量，捣敷。

水竹草

Tradescantia zebrina Bosse

| 药 材 名 | 吊竹梅（药用部位：全草）。

| 形态特征 | 茎稍柔弱，半肉质，分枝，披散或悬垂。叶互生，无柄；叶片椭圆形至长圆形，先端急尖至渐尖，基部鞘状抱茎，上面紫绿色而杂以银白色，中部和边缘有紫色条纹，下面紫色，通常无毛，全缘。花萼连合成 1 管，3 裂，苍白色；花瓣连合成 1 管，白色；雄蕊 6，着生于花冠管喉部；子房 3 室，花柱丝状，柱头头状。蒴果。

| 生境分布 | 广东各地均有栽培。

| 资源情况 | 栽培资源丰富。药材来源于栽培。

| 采收加工 | 夏、秋季采收，洗净，晒干或鲜用。

| 功能主治 | 润肺止咳，凉血解毒。用于肺热咳嗽咯血，百日咳，衄血，细菌性痢疾，淋巴结结核。

| 用法用量 | 内服煎汤，15 ～ 30 g，鲜品 60 ～ 90 g；或捣汁。外用适量，捣敷。

黄眼草科 Xyridaceae 黄眼草属 Xyris

葱草
Xyris pauciflora Willd.

| 药 材 名 | 少花黄眼草（药用部位：全草）。

| 形态特征 | 直立簇生或散生草本。叶狭线形，质较柔软，先端尖至渐尖，草质，绿色，干后具条纹，两面及边缘具稀疏乳突。花葶近圆柱形；头状花序卵形至球形；中萼片风帽状；开花时花冠伸出苞片外；花瓣黄色，檐部倒卵形，基部下延，渐细成爪部；雄蕊贴生于花瓣上，花药宽卵形，头钝，药隔宽，花丝极短；退化雄蕊较正常雄蕊短，子房倒卵形。花期 9 ～ 11 月，果期 10 ～ 12 月。

| 生境分布 | 生于水稻田中。分布于广东英德、台山、阳春、徐闻及东莞、广州（市区）等。

| **资源情况** | 野生资源丰富。药材来源于野生。

| **采收加工** | 夏、秋季采收，晒干或鲜用。

| **功能主治** | 杀虫止痒。外用于疥癣。

| **用法用量** | 外用适量，鲜品捣敷；或煎汤熏洗；或研末。

谷精草科 Eriocaulaceae 谷精草属 Eriocaulon

毛谷精草 *Eriocaulon australe* R. Br.

| 药 材 名 | 流星草（药用部位：花序）。

| 形态特征 | 大型草本。叶狭带形，丛生，先端加厚而尖。总苞片圆肾形至卵状楔形，禾秆色，位于下半部的毛较长；苞片倒卵形至菱状楔形，背面上部密生白色短毛；雄花花萼合生，3裂，侧裂片舟状，背面顶部有毛，具翅，中裂片条形，与侧裂片全部结合或大部分结合，无毛，花冠3裂，雄蕊6，花药黑色；雌花萼片3，花瓣3，线形，子房3室。花果期夏、秋季。

| 生境分布 | 生于水边或溪边湿地。分布于广东仁化、南雄、乐昌、乳源、平远、惠阳、从化、新会、阳春、雷州及珠海（市区）等。

| **资源情况** | 野生资源丰富。药材来源于野生。

| **采收加工** | 夏、秋季采收，晒干或鲜用。

| **功能主治** | 辛、甘，微温。明目清热。用于风热眼疾，头痛，牙痛，喉痹。

| **用法用量** | 内服煎汤，9 ~ 12 g；或入丸、散剂。外用适量，煎汤洗；或烧存性，研末撒；或为末吹鼻；或烧烟熏鼻。

谷精草 *Eriocaulon buergerianum Körn.*

| **植物别名** | 连萼谷精草、珍珠草、麦苗谷精草。

| **药 材 名** | 谷精草（药用部位：花序）。

| **形态特征** | 草本。叶线形，丛生，半透明，具横格。花葶多数，具 4 ~ 5 棱；鞘状苞片，口部斜裂；花序成熟时近球形，禾秆色；总苞片倒卵形至近圆形；苞片倒卵形至长倒卵形；雄花花萼佛焰苞状，外侧裂开，花冠裂片 3，近锥形，雄蕊 6，花药黑色；雌花花萼合生，外侧裂开，花瓣 3，离生，扁棒形，肉质，果实成熟时毛易脱落，内面常有长柔毛。花果期 7 ~ 12 月。

| **生境分布** | 生于溪边、田边潮湿处。分布于广东翁源、乐昌、始兴、新丰、博

罗、阳山、连州、怀集、封开及深圳（市区）等。

| **资源情况** | 野生资源丰富。栽培资源较少。药材来源于野生和栽培。

| **采收加工** | 夏、秋季采收，晒干。

| **功能主治** | 辛、甘，平。疏散风热，明目退翳。用于结膜炎，角膜云翳，夜盲症，视网膜脉络膜炎，疳积。

| **用法用量** | 内服煎汤，9 ～ 12 g；或入丸、散剂。外用适量，煎汤洗；或烧存性，研末撒；或为末吹鼻；或烧烟熏鼻。

谷精草科 Eriocaulaceae 谷精草属 Eriocaulon

白药谷精草

Eriocaulon cinereum R. Br.

| **植物别名** | 小谷精草、赛谷精草、流星草。

| **药 材 名** | 谷精草（药用部位：花序）。

| **形态特征** | 一年生草本。叶丛生，狭线形。花葶 6 ~ 30；鞘状苞片，口部膜质，斜裂；花序成熟时宽卵状至近球形；总苞片倒卵形至长椭圆形；总花托常有密毛，偶无毛；苞片长圆形至倒披针形；花冠卵形至长圆形，各有 1 黑色或棕色腺体，先端有短毛；雄蕊 6，对瓣的花丝稍长，花药白色，乳白色至淡黄褐色；雌花萼片 2，偶 3，线形，带黑色，花瓣缺。花期 6 ~ 8 月，果期 9 ~ 10 月。

| **生境分布** | 生于水田沟边。分布于广东始兴、翁源、乳源、五华、陆丰、从化、

连山、连州、连南、德庆、英德及深圳（市区）、阳江（市区）等。

| **资源情况** | 野生资源丰富。栽培资源较少。药材来源于野生。

| **采收加工** | 夏、秋季采收，晒干。

| **功能主治** | 甘，平。消炎，利尿，清肝明目，疏风清热，退翳。用于风热头痛，目赤肿痛，鼻衄，牙痛。

| **用法用量** | 内服煎汤，9～12 g；或入丸、散剂。外用适量，煎汤洗；或烧存性，研末撒；或为末吹鼻；或烧烟熏鼻。

谷精草科 Eriocaulaceae 谷精草属 Eriocaulon

尼泊尔谷精草 *Eriocaulon nepalense* J. D. Prescott ex Bong.

| **植物别名** | 疏毛谷精草、老谷精草、连萼谷精草。

| **药 材 名** | 谷精草（药用部位：花序）。

| **形态特征** | 草本。叶线形，丛生，半透明，具横格。花葶多数，具 4 ~ 7 棱；鞘状苞片，口部斜裂；花序成熟时近球形；总苞片倒卵形至近圆形；苞片倒披针状楔形；雄花花萼佛焰苞状，外侧裂开，花冠裂片 3，倒卵状披针形，雄蕊 6，花药黑色；雌花花萼合生，外侧裂开，花瓣 3，果实成熟时毛易落，内面常有长柔毛。花果期 8 ~ 10 月。

| **生境分布** | 生于溪边、田边潮湿处。分布于广东翁源、乐昌、始兴、新丰、博罗、阳山、连州、怀集、封开及深圳（市区）等。

| 资源情况 | 野生资源丰富。药材来源于野生。

| 采收加工 | 夏、秋季采收，晒干。

| 功能主治 | 辛、甘，微温。明目退翳，祛风止痛。用于结膜炎，角膜云翳，夜盲症，视网膜脉络膜炎，疳积。

| 用法用量 | 内服煎汤，9 ~ 12 g；或入丸、散剂。外用适量，煎汤洗；或烧存性，研末撒；或为末吹鼻；或烧烟熏鼻。

谷精草科 Eriocaulaceae 谷精草属 Eriocaulon

华南谷精草 *Eriocaulon sexangulare* L.

| 植物别名 | 谷精草。

| 药 材 名 | 谷精珠（药用部位：花序）。

| 形态特征 | 叶丛生，线形，先端钝。花葶 5 ~ 20；鞘状苞片，口部斜裂，裂片
禾叶状；花序成熟时近球形，灰白色；总苞片倒卵形，禾秆色；总
花托无毛；苞片倒卵形至倒卵状楔形；雄花花萼合生，佛焰苞状，
花冠 3 裂，裂片条形，雄蕊 6，花药黑色；雌花萼片 3，舟形，中萼
片较小，无翅，花瓣 3，膜质，线形，子房 3 室，花柱扁。种子卵形。
花果期 8 月至翌年 3 月。

| 生境分布 | 生于溪边潮湿之地及水稻田边。分布于广东紫金、大埔、丰顺、宝安、

从化、德庆、新兴、阳春、徐闻等。

| **资源情况** | 野生资源较丰富。药材来源于野生。

| **采收加工** | 夏、秋季采收，晒干。

| **功能主治** | 甘，平。散风火，消炎，明目，退翳。用于两目赤肿，目暗不明，畏光流泪，各种热病，风热感冒，咽喉肿痛，小便不利，淋沥混浊。

| **用法用量** | 内服煎汤，9～12 g；或入丸、散剂。外用适量，煎汤洗；或烧存性，研末撒；或为末吹鼻；或烧烟熏鼻。

凤梨
Ananas comosus (L.) Merr.

| 药 材 名 |

菠萝（药用部位：果皮）。

| 形态特征 |

茎短。叶多数，莲座式排列，剑形，先端渐尖，全缘或有锐齿，腹面绿色，背面粉绿色，边缘和先端常带褐红色，生于花序顶部的叶变小，常呈红色。花序自叶丛中抽出，状如松球，结果时增大；苞片基部绿色，上半部淡红色，三角状卵形；萼片宽卵形，肉质，先端带红色；花瓣长椭圆形，先端尖，长约2 cm，上部紫红色，下部白色。花期夏季至冬季。

| 生境分布 |

广东博罗、海丰、惠东及东莞、广州（市区）、深圳（市区）、肇庆（市区）、湛江（市区）等有栽培。

| 资源情况 |

栽培资源较丰富。药材来源于栽培。

| 采收加工 |

采收后鲜用。

| **功能主治** | 收敛。用于痢疾。 |

| **用法用量** | 内服煎汤，9 ~ 15 g。 |

水塔花 *Billbergia pyramidalis* (Sims) Lindl.

| 植物别名 |

红运当头。

| 药 材 名 |

火炬水塔花（药用部位：叶）。

| 形态特征 |

草本。茎极短。叶 6 ~ 15，莲座状排列，阔披针形，直立至稍外弯，先端钝而有小锐尖，基部阔，边缘至少在上半部有棕色小刺，上面绿色，下面粉绿色。穗状花序直立，略长于叶；苞片披针形至椭圆状披针形，粉红色；萼片有粉被，暗红色，长约为花瓣的 1/3，裂片钝至短尖；花瓣红色，长约 4 cm，开花时旋扭；雄蕊比花瓣短；子房有粉被。

| 生境分布 |

广东各地均有栽培。

| 资源情况 |

栽培资源较丰富。药材来源于栽培。

| 采收加工 |

采收后鲜用。

| **功能主治** | 消肿排脓。用于痈疮肿毒。

| **用法用量** | 外用适量，鲜品捣敷。

芭蕉科 Musaceae 芭蕉属 Musa

野蕉 *Musa balbisiana* Colla

| 植物别名 |

山芭蕉。

| 药 材 名 |

山芭蕉子（药用部位：种子）。

| 形态特征 |

假茎丛生，黄绿色，有大块黑斑。具匍匐茎。叶片卵状长圆形，基部耳形，两侧不对称，叶面绿色，微被蜡粉；叶柄长约 75 cm，叶翼张开约 2 cm，幼时常闭合。花序长 2.5 m；雌花的苞片脱落，中性花及雄花的苞片宿存，苞片卵形至披针形，外面暗紫红色，被白粉，内面紫红色，开放后反卷；合生花被片具条纹，外面淡紫白色，内面淡紫色，离生花被片乳白色，透明，倒卵形，基部圆形，先端内凹，在凹陷处有 1 小尖头。花期夏、秋季。

| 生境分布 |

生于溪边潮湿之地及水稻田边。分布于广东乐昌、大埔、从化、英德、台山、信宜等。

| 资源情况 |

野生资源较丰富。药材来源于野生。

| 采收加工 | 秋后采收，晒干。

| 功能主治 | 苦、辛，凉；有小毒。止咳润肺，润肠通便，降血糖。用于热病烦渴，大便秘结等。

| 用法用量 | 内服煎汤，4 ~ 6 g。

芭蕉科 Musaceae 芭蕉属 Musa

芭蕉
Musa basjoo Siebold ex Miq.

药材名

芭蕉根（药用部位：根茎）、芭蕉叶（药用部位：叶）、芭蕉花（药用部位：花）、芭蕉子（药用部位：果实）、芭蕉油（药用部位：假茎基部的汁液）。

形态特征

植株高 2.5 ~ 4 m。叶片长圆形，先端钝，基部圆形或不对称，叶面鲜绿色，有光泽；叶柄粗壮。花序顶生，下垂；苞片红褐色或紫色；雄花生于花序上部；雌花生于花序下部，每苞片内具 10 ~ 16 花，花排成 2 列；合生花被片具 5（3 + 2）裂齿，离生花被片与合生花被片近等长，先端具小尖头。浆果三棱状长圆形，具 3 ~ 5 棱，近无柄，肉质，内具多数种子。花期 8 ~ 9 月。

生境分布

广东各地均有栽培。

资源情况

栽培资源多。药材来源于栽培。

采收加工

芭蕉根：全年均可采收。

芭蕉叶：全年均可采收，切碎，鲜用或晒干。

芭蕉花：花开时采收，鲜用或阴干。

芭蕉子：夏、秋季果实成熟时采收，鲜用。

芭蕉油：夏、秋季将假茎基部刺破，取流出的汁液，密封，或取嫩茎捣烂绞汁。

| **功能主治** | 芭蕉根：甘，寒。清热解毒，止痛，利尿。用于目赤肿痛，疮痈肿毒，黄疸，水肿，痔疮出血，蛔虫病。

芭蕉叶：清热，利尿，解毒。用于热病，中暑，水肿，脚气，痈肿，烫伤。

芭蕉花：化痰消痞，散瘀，止痛。用于胸膈饱胀，脘腹痞痛，吞酸反胃，呕吐痰涎，头目昏眩，心痛，怔忡，风湿疼痛，痢疾。

芭蕉子：止咳润肺，润肠通便，降血糖。用于热病烦渴，大便秘结等。

芭蕉油：清热，止渴，解毒。用于热病烦渴，惊风，癫痫，高血压头痛，疔疮痈疽，中耳炎，烫伤。

| **用法用量** | 芭蕉根：内服煎汤，15 ~ 30 g，鲜品 30 ~ 60 g；或捣汁。外用适量，捣敷；或捣汁涂；或煎汤含漱。

芭蕉叶：内服煎汤，6 ~ 9 g；或烧存性，研末，0.5 ~ 1 g。外用适量，捣敷；或烧存性，研末调敷。

芭蕉花：内服煎汤，5 ~ 10 g；或烧存性，研末，6 g。

芭蕉子：内服适量，生食；或蒸熟取仁。

芭蕉油：内服煎汤，50 ~ 250 ml。外用适量，搽涂；或滴耳；或含漱。

芭蕉科 Musaceae 芭蕉属 Musa

香蕉 *Musa nana* Lour.

| 植物别名 | 梅花蕉。

| 药材名 | 香蕉根（药用部位：根茎）、香蕉（药用部位：果实）。

| 形态特征 | 假茎油绿色，带黑斑，被蜡粉。叶片长圆形，基部耳形，不对称，叶面绿色，被蜡粉，叶背黄绿色，无蜡粉或被蜡粉，中脉上面绿色，中脉下面白黄色；叶柄被蜡粉，叶翼张开约 6 mm。雄花合生花被片先端 3 裂，中裂片两侧有小裂片，2 侧裂片先端具钩，钩上有毛，离生花被片长不及合生花被片的一半，先端微凹，凹陷处具小突尖。果序被白色刚毛。

| 生境分布 | 广东各地均有栽培。

| **资源情况** | 栽培资源多。药材来源于栽培。

| **采收加工** | 香蕉根：全年均可采收，除去茎叶，洗净，切碎，鲜用或晒干。
香蕉：成熟时采收，鲜用或晒干。

| **功能主治** | 香蕉根：清热，润肺，滑肠，解毒。用于热病烦渴，血淋，痈肿。
香蕉：清热，润肺，滑肠，解毒。用于热病烦渴，肺燥咳嗽，便秘，痔疮。

| **用法用量** | 香蕉根：内服煎汤，30 ~ 60 g；或捣汁。外用适量，煎汤洗；或绞汁涂。
香蕉：内服 1 ~ 4 枚，生食；或炖熟。

芭蕉科 Musaceae 芭蕉属 Musa

大蕉 *Musa sapientum* L.

药材名

大蕉根（药用部位：根茎）、大蕉皮（药用部位：皮）、粉芭蕉（药用部位：果实）。

形态特征

植株丛生，具匍匐茎。假茎厚而粗重，多少被白粉。叶直立或上举，被明显的白粉。穗状花序下垂；苞片卵形或卵状披针形，脱落，外面呈紫红色，内面深红色，每苞片有花2列；雄花脱落，花被片黄白色，离生花被片长约为合生花被片长的一半，透明蜡质，具光泽，长圆形或近圆形。果序由7～8段至数十段果束组成。

生境分布

广东各地均有栽培。

资源情况

栽培资源多。药材来源于栽培。

采收加工

大蕉根：全年均可采收，除去茎叶，洗净，切碎，鲜用或晒干。

大蕉皮：果实成熟时采收，剥取果皮，鲜用或晒干。

粉芭蕉：果实成熟时采收，鲜用或晒干。

| 功能主治 |　**大蕉根：**甘，寒。清热凉血，解毒。用于热病烦渴，血淋，痈肿。

　　　　　　大蕉皮：清热解毒，降血压。用于痢疾，霍乱，皮肤瘙痒，高血压。

　　　　　　粉芭蕉：清热，润肺，滑肠，解毒。用于热病烦渴，肺燥咳嗽，便秘，痔疮。

| 用法用量 |　**大蕉根：**内服煎汤，30 ～ 60 g。外用适量，煎汤洗；或研末调敷。

　　　　　　大蕉皮：内服煎汤，30 ～ 60 g。外用适量，煎汤洗；或研末调敷。

　　　　　　粉芭蕉：内服 1 ～ 4 枚，生食；或炖熟。

芭蕉科 Musaceae 地涌金莲属 Musella

地涌金莲 *Musella lasiocarpa* (Franch.) C. Y. Wu ex H. W. Li.

| 植物别名 | 地金莲、地涌莲。

| 药 材 名 | 地母金莲（药用部位：花）。

| 形态特征 | 植株丛生，具水平向根茎。假茎矮小，基部有宿存的叶鞘。叶片长椭圆形，先端锐尖，基部近圆形，两侧对称，有白粉。花序直立，直接生于假茎上，密集如球穗状；苞片干膜质，黄色或淡黄色，有花2列，每列4~5花；合生花被片卵状长圆形，先端具5（3+2）裂齿，离生花被片先端微凹，凹陷处具短尖头。浆果三棱状卵形，外面密被硬毛。花期夏、秋季。

| 生境分布 | 广东珠江三角洲等有栽培。

| **资源情况** | 栽培资源较丰富。药材来源于栽培。

| **采收加工** | 夏、秋季花开时采收,晒干或鲜用。

| **功能主治** | 苦、涩,寒。止血,止带。用于崩漏,便血。

| **用法用量** | 内服煎汤,10 ~ 15 g。

姜科 Zingiberaceae 山姜属 Alpinia

三叶山姜
Alpinia austrosinensis (D. Fang) P. Zou & Y. S. Ye

| 植物别名 | 华南豆蔻、三叶豆蔻。

| 药材名 | 三叶山姜果实（药用部位：果实）、三叶山姜根茎（药用部位：根茎）。

| 形态特征 | 植株高 0.5 m。叶常 2 ~ 3，叶片狭椭圆形至长圆形，长 10 ~ 40 cm，宽 3.5 ~ 11 cm，几无毛；叶柄 0.5 ~ 5 cm；叶舌 3 ~ 6 mm。花序基生，长 3 ~ 6 cm；花序梗长 4 ~ 16 cm；苞片长圆形，宿存；花冠白色，唇瓣倒卵形，长 13 mm，宽 9 mm，白色，具红色条纹；侧生退化雄蕊线形，长 5 ~ 6 mm；药隔附属体 2 裂。果实球形，直径 0.8 ~ 1.4 cm，密被短柔毛。花期 5 ~ 6 月，果期 10 ~ 11 月。

| 生境分布 | 生于海拔 450 ～ 1 300 m 的林荫下。分布于广东乳源、仁化、从化、连南等。

| 资源情况 | 野生资源丰富。药材来源于野生和栽培。

| 采收加工 | 三叶山姜果实：秋季采收，晒干。
三叶山姜根茎：秋季采收，晒干。

| 功能主治 | 三叶山姜果实：辛，温。化湿行气，温中止呕，开胃消食。用于胃寒痛，消化不良，呕吐，泄泻，痢疾。
三叶山姜根茎：辛，温。化湿行气，温中止呕，开胃消食。用于胃寒痛，消化不良，呕吐，泄泻，痢疾。

| 用法用量 | 三叶山姜果实：内服煎汤，3 ～ 6 g，后下。
三叶山姜根茎：内服煎汤，3 ～ 6 g，后下。

| 附　　注 | 本种原属豆蔻属，名为华南豆蔻或三叶豆蔻 *Amomum austrosinense* D. Fang，邹璞等（2016）基于形态学将其并入山姜属，并更名为三叶山姜。

姜科 Zingiberaceae 山姜属 Alpinia

云南草蔻
Alpinia blepharocalyx K. Schum.

| 植物别名 |

云南野砂仁。

| 药 材 名 |

绿苞山姜（药用部位：种子团）。

| 形态特征 |

植株高 1 ~ 3 m。叶片披针形，长 45 ~ 60 cm，宽 4 ~ 15 cm，叶面无毛，叶背密被长柔毛；叶柄长达 2 cm；叶舌长约 6 mm。总状花序长 20 ~ 30 cm，花序轴被粗硬毛；小苞片长 3 ~ 4 cm，脆壳质，花时脱落；花冠肉红色；侧生退化雄蕊钻状，长 6 ~ 7 mm；唇瓣卵形，长 3 ~ 3.5 cm，宽约 3 cm，红色。果实椭圆形，长约 3 cm，宽约 2 cm，被毛。花期 4 ~ 6 月，果期 7 ~ 12 月。

| 生境分布 |

广东广州（市区）等有栽培。

| 资源情况 |

栽培资源一般。药材来源于栽培。

| 采收加工 |

秋季采收果实，晒干，剥去果皮。

| 功能主治 | 辛，温。祛寒燥湿，温胃止呕。用于心腹冷痛，痞满吐酸，噎膈，反胃，寒湿吐泻。

| 用法用量 | 内服煎汤，3 ~ 6 g。

姜科 Zingiberaceae 山姜属 Alpinia

光叶云南草蔻
Alpinia blepharocalyx K. Schum. var. *glabrior* (Hand.-Mazz.) T. L. Wu

| **药 材 名** | 绿苞山姜（药用部位：种子团）。 |

| **形态特征** | 植株高 1 ~ 3 m。叶片披针形，长 45 ~ 60 cm，宽 4 ~ 15 cm，两面无毛；叶柄长达 2 cm；叶舌长约 6 mm。总状花序长 20 ~ 30 cm，花序轴被粗硬毛；小苞片长 3 ~ 4 cm，脆壳质，花时脱落；花冠肉红色；侧生退化雄蕊钻状，长 6 ~ 7 mm；唇瓣卵形，长 3 ~ 3.5 cm，宽约 3 cm，红色。果实椭圆形，长约 3 cm，宽约 2 cm，被毛。花期 3 ~ 7 月，果期 4 ~ 11 月。 |

| **生境分布** | 广东广州（市区）等有栽培。 |

| **资源情况** | 栽培资源较丰富。药材来源于栽培。 |

| **采收加工** | 秋季采收果实，晒干，剥去果皮。 |

| **功能主治** | 辛，温。祛寒燥湿，温胃止呕。用于心腹冷痛，痞满吐酸，噎膈，反胃，寒湿吐泻。 |

| **用法用量** | 内服煎汤，3 ~ 6 g。 |

姜科 Zingiberaceae 山姜属 Alpinia

红豆蔻

Alpinia galanga (L.) Willd.

| 药 材 名 |

大高良姜（药用部位：根茎。别名：大良姜、良姜、山姜）、红豆蔻（药用部位：果实。别名：红蔻、良姜子）。

| 形态特征 |

植株高达 2 m。根茎块状，稍有香气。叶片长圆形或披针形，长 25 ~ 35 cm，宽 6 ~ 10 cm，两面均无毛；叶柄长约 6 mm；叶舌长约 5 mm。圆锥花序，分枝多而短，每分枝上有花 3 ~ 6；苞片与小苞片均迟落，小苞片披针形，长 5 ~ 8 mm；花绿白色；唇瓣倒卵状匙形，长达 2 cm，白色而有红色线条，2 深裂。果实长圆形，长 1 ~ 1.5 cm，宽约 7 mm，中部稍收缩，成熟时棕色或枣红色，平滑或略有皱缩。花期 5 ~ 8 月，果期 9 ~ 11 月。

| 生境分布 |

生于山坡、旷野的草地或灌丛中。分布于广东普宁、陆丰、博罗、惠阳、高要、台山、信宜及潮州（市区）、广州（市区）、清远（市区）、云浮（市区）、阳江（市区）等。

| 资源情况 | 野生资源丰富。栽培资源丰富。药材来源于野生和栽培。

| 采收加工 | **大高良姜**：2 ~ 3 月采挖，除去茎叶及杂质，洗净，切段或片，晒干。

红豆蔻：11 ~ 12 月果实呈红色时采收，摊放阴凉通风处 4 ~ 7 天，待果皮变成深红色时脱粒，除去枝秆，扬净，晒干。

| 药材性状 | **大高良姜**：本品呈圆柱形，有分枝，长 8 ~ 12 cm，直径 2 ~ 3 cm；表面红棕色或暗紫色，有波浪形淡黄色叶痕形成的环节，节间长 0.5 ~ 1 cm，具纵皱纹，下方有根痕。质坚韧，不易折断，断面灰棕色或红棕色，纤维性，皮部占 2/3，内皮层明显，维管束星点明显可见，木部与皮部分离。气芳香，味辛、辣。

红豆蔻：本品呈长圆形，中部稍收缩，长 0.7 ~ 1.5 cm，直径 0.4 ~ 1 cm；表面红棕色或淡红棕色，光滑或皱缩，先端有突出的花被残基，基部有果柄痕。果皮薄，易碎。种子团长圆形或哑铃形，每室有种子 2，种子呈不规则状四面体形，长 4 ~ 6 mm，直径 3 ~ 6 mm；表面暗棕色或褐棕色，微有光泽，具不规则皱纹，外被淡黄色或灰黄色假种皮，背面有凹陷的种脐，合点位于腹面，种脊呈 1 浅纵沟。气芳香而浓，味辛、辣。

| 功能主治 | **大高良姜**：温中散寒，行气止痛。用于胃寒痛，伤食吐泻。

红豆蔻：用于消化不良，腹部胀痛。

| 用法用量 | **大高良姜**：内服煎汤，3 ~ 5 g；或入丸、散剂。外用适量，鲜品捣敷。

红豆蔻：内服煎汤，3 ~ 6 g；或研末。外用适量，研末搐鼻；或调搽。

| 附　　注 | 2020 年版《中国药典》仅收载红豆蔻 *Alpinia galanga* (L.) Willd. 的果实入药。

姜科 Zingiberaceae 山姜属 Alpinia

山姜
Alpinia japonica (Thunb.) Miq.

| 药 材 名 | 山姜（药用部位：根茎。别名：土砂仁、福建土砂仁、建砂仁）。

| 形态特征 | 植株高 35 ～ 70 cm。叶片披针形或狭长椭圆形，长 25 ～ 40 cm，宽 4 ～ 7 cm，两面被短柔毛；叶柄长达 2 cm；叶舌长约 2 mm。总状花序顶生；花序轴密生绒毛；小苞片极小，早落；常 2 花聚生；小花梗长约 2 mm；唇瓣卵形，宽约 6 mm，白色，具红色脉纹，先端 2 裂，边缘具不整齐的缺刻。果实球形或椭圆形，直径 1 ～ 1.5 cm，被短柔毛。花期 4 ～ 8 月，果期 7 ～ 12 月。

| 生境分布 | 生于林下阴湿处。广东各地均有分布。

| 资源情况 | 野生资源丰富。药材来源于野生。

| 采收加工 | 3 ~ 4 月采挖，洗净，晒干。

| 功能主治 | 辛，温。温中散寒，祛风，活血。用于脘腹冷痛，肺寒咳喘，风湿痹痛，跌打损伤，月经不调，劳伤吐血。

| 用法用量 | 内服煎汤，3 ~ 6 g；或浸酒。外用适量，捣敷；或捣烂调酒搽；或煎汤洗。

姜科 Zingiberaceae 山姜属 Alpinia

草豆蔻
Alpinia katsumadae Hayata

| 药 材 名 | 草豆蔻（药用部位：种子团。别名：草蔻、豆蔻、大草果）。

| 形态特征 | 植株高 1.5 ～ 3 cm。叶片狭椭圆形，长 50 ～ 65 cm，宽 6 ～ 9 cm，两面均无毛；叶柄长 1.5 ～ 2 cm；叶舌长 5 ～ 8 mm。总状花序长 20 ～ 30 cm，被黄色稍粗硬的绢毛；小苞片长约 3.5 cm；小花梗长约 3 mm；花萼长 1.5 ～ 2.5 cm；唇瓣倒卵形，长 5 ～ 5.5 cm，边缘及先端黄色，基部密被紫红色斑点和紫色条纹。蒴果近球形，直径约 3 cm，被粗毛。花期 4 ～ 6 月，果期 5 ～ 8 月。

| 生境分布 | 生于山地、疏林沟谷、河边及林缘湿处。分布于广东乐昌、台山、阳春、雷州及深圳（市区）、珠海（市区）、广州（市区）等。

资源情况	野生资源丰富。药材来源于野生。
采收加工	夏、秋季果实成熟时采收，晒至 8 ~ 9 成干，剥除果皮，取出种子团，晒干。
药材性状	本品呈类球形或椭圆形，具较明显的 3 钝棱及 3 浅沟，长 1.5 ~ 3 cm，直径 1.5 ~ 3 cm；表面灰棕色或黄棕色，中间被黄白色或淡棕色隔膜分成 3 室，每室有种子 22 ~ 90（~ 110）颗，不易散开。种子呈卵圆状多面体形，长 35 mm，直径 2.5 ~ 3 mm，背稍隆起，较厚一端有圆窝状种脐，合点位于较扁端的中央微凹处，腹面有 1 纵沟，淡褐色种脊沿着纵沟自种脐直达合点，沿合点再向背面也有 1 纵沟，沟的末端不达种脐。质硬，断面乳白色。气芳香，味辛、辣。
功能主治	辛，温。祛寒燥湿，温胃止呕。用于脾胃虚弱，不思饮食，呕吐满闷。
用法用量	内服煎汤，3 ~ 6 g，后下；或入丸、散剂。
附 注	该种为 2020 年版《中国药典》收载的草豆蔻的基原植物。在 FOC 中，本种的拉丁学名被修订为 *Alpinia hainanensis* K. Schum.。

姜科 Zingiberaceae 山姜属 Alpinia

长柄山姜

Alpinia kwangsiensis T. L. Wu & S. J. Chen

| 药 材 名 | 长柄山姜（药用部位：果实）。

| 形态特征 | 植株高 1.5 ～ 3 m。叶片长圆状披针形，长 40 ～ 60 cm，宽 8 ～ 16 cm，叶面无毛，叶背密被短柔毛；叶舌长 8 mm；叶柄长 4 ～ 8 cm。总状花序直立；花序轴密被黄色粗毛；花排列稠密；小苞片壳状包卷，长圆形，长 3.5 ～ 4 cm，宽约 1.5 cm，褐色，先端 2 裂，宿存；唇瓣卵形，长约 2.5 cm，白色，内染红色。果实圆球形，直径约 2 cm，疏被长毛。花果期 4 ～ 6 月。

| 生境分布 | 生于海拔 500 m 以下的山谷林下阴湿处。分布于广东英德、广宁及广州（全市）等。

| **资源情况** | 野生资源较丰富。药材来源于野生。

| **采收加工** | 秋季采收，晒干。

| **功能主治** | 辛，温。祛寒燥湿，温胃止呕。用于胃寒胀痛，反胃吐酸，食欲不振，寒湿吐泻。

| **用法用量** | 内服煎汤，3 ~ 6 g。

姜科 Zingiberaceae 山姜属 Alpinia

华山姜
Alpinia oblongifolia Hayata

| 药 材 名 |

廉姜（药用部位：根茎。别名：山姜、箭杆风、小良姜）。

| 形态特征 |

植株高约 1 m。叶披针形或卵状披针形，长 20 ~ 30 cm，宽 3 ~ 10 cm，两面均无毛；叶柄长约 5 mm；叶舌长 4 ~ 10 mm，2 裂。圆锥花序，长 15 ~ 30 cm；分枝短，长 3 ~ 10 mm，有花 2 ~ 4；小苞片长 1 ~ 3 mm，花时脱落；花白色；唇瓣卵形，长 6 ~ 7 mm，先端微凹；子房无毛。果实球形，直径 5 ~ 8 mm。花期 5 ~ 7 月，果期 6 ~ 12 月。

| 生境分布 |

生于海拔 100 ~ 930 m 的山谷、溪边、林下等阴湿处。分布于广东廉江、雷州、吴川、遂溪、徐闻、连山、连南、龙门、蕉岭、饶平、丰顺、大埔、英德、梅县、博罗、阳春、阳西、怀集、高要及湛江（市区）、广州（市区）、云浮（市区）、阳江（市区）等。

| 资源情况 |

野生资源较丰富。药材来源于野生。

| 采收加工 | 夏、秋季采收，晒干。

| 药材性状 | 本品呈圆柱形或块状，长 7 ～ 10 cm，直径 0.3 ～ 1 cm，先端渐尖细，多数有分枝；表面灰黄色或棕黄色，有明显的环节，节上有鳞片样的叶柄残基及须根痕，节间距 0.3 ～ 1 cm，有较顺直的纵皱纹。质硬而韧，不易折断，断面淡黄色，纤维性。气微香，味微辛、辣。

| 功能主治 | 辛，温。止咳平喘，散寒止痛，除风湿，解疮毒。用于风寒咳喘，胃气痛，风湿关节痛，跌打瘀血停滞，月经不调，无名肿毒。

| 用法用量 | 内服煎汤，15 ～ 30 g；或作酒剂。外用适量，捣敷。

姜科 Zingiberaceae 山姜属 Alpinia

高良姜
Alpinia officinarum Hance

| 药 材 名 |

高良姜（药用部位：根茎。别名：高凉姜、良姜、蛮姜）。

| 形态特征 |

植株高 40 ~ 110 cm。根茎圆柱形。叶片线形，长 20 ~ 30 cm，宽 1.2 ~ 2.5 cm，两面均无毛，无柄；叶舌长 2 ~ 3 cm，不开裂。总状花序长 6 ~ 10 cm；花序轴被绒毛；小苞片极小，长不逾 1 mm；小花梗长 1 ~ 2 mm；花萼长 8 ~ 10 mm，被小柔毛；花冠管长约 1 cm，花冠裂片长约 1.5 cm；唇瓣卵形，长约 2 cm，白色而有红色条纹。果实球形，直径约 1 cm。花期 4 ~ 9 月，果期 5 ~ 11 月。

| 生境分布 |

生于荒坡灌丛或疏林中。分布于广东连平、惠来、徐闻、阳春、阳西、高州、化州、信宜及广州（市区）、阳江（市区）、茂名（市区）等。

| 资源情况 |

野生资源一般。栽培资源较丰富。药材来源于栽培。

采收加工	夏末秋初采挖，除去地上茎及须根，洗净，切段，晒干。
功能主治	辛，热。温中散寒，理气止痛。用于脘腹冷痛，呕吐，噫气。
用法用量	内服煎汤，3 ~ 6 g，后下；或入丸、散剂。
附 注	该种为 2020 年版《中国药典》收载的高良姜的基原植物。

姜科 Zingiberaceae 山姜属 Alpinia

益智

Alpinia oxyphylla Miq.

| 药 材 名 | 益智仁（药用部位：果实。别名：益智子）。

| 形态特征 | 植株高 1 ～ 3 m。根茎短，长 3 ～ 5 cm。叶片披针形，长 25 ～ 35 cm，宽 3 ～ 6 cm；叶柄短；叶舌 2 裂，长 1 ～ 2 cm。总状花序；花序轴被极短的柔毛；小花梗长 1 ～ 2 mm；苞片极短；唇瓣倒卵形，长约 2 cm，粉白色而具红色脉纹，先端边缘皱波状。蒴果鲜时球形，干时纺锤形，长 1.5 ～ 2 cm，宽约 1 cm，被短柔毛。花期 3 ～ 5 月，果期 4 ～ 9 月。

| 生境分布 | 广东各地均有栽培。

| 资源情况 | 栽培资源丰富。药材来源于栽培。

| 采收加工 | 定植后 2～3 年，于 6～7 月果实呈浅褐色、果皮茸毛脱落、果肉带甜、种子辛辣时，选晴天采收，除去果柄，晒干或烘干。

| 药材性状 | 本品呈纺锤形或椭圆形，两端渐尖，长 1.2～2 cm，直径 1～1.3 cm；表面棕色或灰棕色，有凹凸不平的断续状隆起线 13～20，先端有花被残基，基部残留果柄或果柄痕，果皮薄韧，与种子紧贴。种子团中间被淡棕色隔膜分成 3 室，每室有种子 6～11；种子呈不规则多面形，直径 3～4 mm，灰褐色，具淡黄色假种皮，腹面中央有凹陷的种脐，种脊沟状。气芳香，味辛、微苦。

| 功能主治 | 辛，温。温中散寒，祛风，活血。用于脾胃虚寒诸症。

| 用法用量 | 内服煎汤，3～9 g；或入丸、散剂。

| 附 注 | 该种为 2020 年版《中国药典》收载的益智的基原植物。

姜科 Zingiberaceae 山姜属 Alpinia

花叶山姜

Alpinia pumila Hook. f.

| 药 材 名 | 野黄姜（药用部位：根茎。别名：箭杆风、矮山姜）。

| 形态特征 | 植株高约 15 cm。无地上茎；根茎平卧。叶 2 ~ 3 自根茎生出；叶片椭圆形，长达 15 cm，宽约 7 cm，叶面绿色，有银白色条纹，两面均无毛；叶柄长约 2 cm；叶舌短。总状花序；总花梗长约 3 cm；苞片长约 2 cm，迟落；唇瓣卵形，长约 1.2 cm，先端短，2 裂，反折，边缘具粗锯齿，白色，有红色脉纹。果实球形，直径约 1 cm。花期 4 ~ 6 月，果期 6 ~ 11 月。

| 生境分布 | 生于海拔 500 ~ 1 100 m 的林下或溪边阴湿处。分布于广东新丰、龙门、博罗、从化、英德、高要、阳春、信宜等。

| **资源情况** | 野生资源丰富。药材来源于野生。 |

| **采收加工** | 秋季采收。 |

| **功能主治** | 辛、微苦，温。除湿消肿，行气止痛。用于风湿痹痛，胃痛，跌打损伤。 |

| **用法用量** | 外用 10 ~ 30 g，鲜品捣敷。 |

姜科 Zingiberaceae 山姜属 Alpinia

密苞山姜
Alpinia stachyoides Hance

| 药 材 名 | 密苞山姜（药用部位：全草）。

| 形态特征 | 植株高约 1 m。叶片披针形或线状披针形，长 20～30 cm，宽 2～4（～6）cm，除顶部边缘具小刺毛外，余无毛；叶柄长达 4 cm；叶舌长约 2 mm，2 裂。穗状花序直立，长 10～20 cm；常每 3 小花一簇生于花序轴上；花序轴被绒毛；小苞片极小；唇瓣倒卵形，长 7～13 mm，皱波状，2 裂。蒴果球形，直径 7～8 mm，被短柔毛。花期 4～6 月，果期 6～11 月。

| 生境分布 | 生于海拔 600～700 m 的林下或路边。广东各地均有分布。

| 资源情况 | 野生资源丰富。药材来源于野生。

| **采收加工** | 夏、秋季采收，切段。

| **功能主治** | 辛、微苦，温。祛风除湿，行气止痛。用于风湿痹痛，咳嗽，胃痛，跌打损伤。

| **用法用量** | 外用 10 ～ 30 g，鲜品捣敷。

姜科 Zingiberaceae 山姜属 Alpinia

艳山姜

Alpinia zerumbet (Pers.) B. M. Burtt & R. M. Smith

| 药 材 名 | 艳山姜果（药用部位：果实）、艳山姜根茎（药用部位：根茎。别名：大草扣、草豆蔻、玉桃）。

| 形态特征 | 植株高 2 ~ 3 m。叶片披针形，长 30 ~ 60 cm，宽 5 ~ 10 cm，两面均无毛；叶柄长 1 ~ 1.5 cm；叶舌长 5 ~ 10 mm。圆锥花序呈总状花序式，下垂，分枝短，每分枝有花 2 ~ 3；小苞片长 3 ~ 3.5 cm，白色，先端粉红色；唇瓣匙状宽卵形，长 4 ~ 6 cm，黄色，有紫红色条纹。蒴果卵圆形，直径约 2 cm，被稀疏的粗毛，具明显的条纹。花期 4 ~ 6 月，果期 7 ~ 10 月。

| 生境分布 | 广东饶平、博罗、高要、新会、高州、南澳及汕头（市区）、深圳（市区）、广州（市区）等有栽培。

| 资源情况 | 栽培资源较丰富。药材来源于栽培。

| 采收加工 | **艳山姜果**：果实将熟时采收，烘干。

艳山姜根茎：全年均可采收，鲜用或切片晒干。

| 药材性状 | **艳山姜果**：本品呈球形，两端略尖，长约 2 cm，直径 1.5 cm，黄棕色，略有光泽，有 10 余条隆起的纵棱，先端具 1 突起，为花被残基，基部有的具果柄断痕。种子团瓣排列疏松，易散落，假种皮膜质，白色；种子为多面体，长 4 ~ 5 mm，直径 3 ~ 4 mm。味淡、微辛。

| 功能主治 | **艳山姜果**：辛，温。温中燥湿，行气止痛，截疟。用于心腹冷痛，胸腹胀满，消化不良，呕吐腹泻，疟疾。

艳山姜根茎：祛风，活血。用于痈疽。

| 用法用量 | **艳山姜果**：内服煎汤，3 ~ 9 g；或研末冲，1.5 g。

艳山姜根茎：内服煎汤，3 ~ 9 g。外用适量，鲜品捣敷。

姜科 Zingiberaceae 豆蔻属 Amomum

海南假砂仁

Amomum chinense Chun ex T. L. Wu

| 植物别名 | 砂仁、土砂仁、海南土砂仁。

| 药材名 | 海南假砂仁（药用部位：果实）。

| 形态特征 | 植株高 1 ~ 1.5 m。根茎细长。叶片长圆形，长 16 ~ 30 cm，宽 4 ~ 8 cm；叶柄长 0.5 ~ 1 cm；叶舌膜质，紫红色，长约 3 mm；叶鞘有非常明显的方格状网纹。花序基生；总花梗长 5 ~ 10 cm；苞片卵形，长 1 ~ 2 cm，紫色；唇瓣白色，三角状卵形，长 1.5 cm，宽 1 cm，中脉黄绿色，两边有紫色脉纹；药隔附属体半圆形，顶部微凹。蒴果椭圆形，长 2 ~ 3 cm，直径 1 ~ 5 cm，被片状、分叉的柔刺，刺长 2 ~ 3 mm。花期 4 ~ 5 月，果期 6 ~ 8 月。

| 生境分布 | 广东各地均有栽培。

| 资源情况 | 栽培资源一般。药材来源于栽培。

| 采收加工 | 夏季采收，晒干。

| 功能主治 | 辛，温。化湿开胃，行气宽中，温脾止泻，安胎。用于感冒，流行性感冒，咳嗽，消化不良，呕吐，腹泻，牙痛。

| 用法用量 | 内服煎汤，3～6 g，后下。

| 附　注 | 本种原属豆蔻属，de Boer 等（2018）基于分子系统学和形态学将豆蔻属拆分为多个属，按新系统本种属假砂仁属，拉丁学名被修订为 *Meistera chinensis* (Chun ex T. L. Wu) Škorničk. & M. F. Newman。为避免名称变动引起不便，本书沿用旧名称。

姜科 Zingiberaceae 豆蔻属 Amomum

爪哇白豆蔻
Amomum compactum Solander ex Maton

| 植物别名 | 印尼白豆蔻。

| 药 材 名 | 白豆蔻（药用部位：果实）、豆蔻花（药用部位：花）、豆蔻壳（药用部位：果皮）。

| 形态特征 | 植株高 1 ~ 1.5 m。根茎延长。叶鞘红色；叶片披针形，长 25 ~ 50 cm，宽 4 ~ 9 cm，有尾尖，两面无毛，无柄；叶舌 2 裂，长 5 ~ 7 mm。花序基生；总花梗长达 8 cm；苞片麦秆色；花冠白色或淡黄色；唇瓣椭圆形，长 1.5 ~ 1.8 cm，宽 1 ~ 1.5 cm，淡黄色，中脉有带紫边的橘红色带；无侧生退化雄蕊；药隔附属体 2 裂。果实扁球形，直径 1 ~ 1.5 cm，干时具 9 槽，疏被长毛，鲜时淡黄色；种子为不规则多面体。花期 2 ~ 5 月，果期 6 ~ 8 月。

叶育石提供

| 生境分布 | 广东湛江（市区）有栽培。

| 资源情况 | 栽培资源较少。药材来源于栽培。

| 采收加工 | **白豆蔻**：夏、秋季果实成熟时采收，晒干或低温干燥。
豆蔻花：春季采收，晒干或低温干燥。
豆蔻壳：夏、秋季果实成熟时采收，晒干或低温干燥，剥取果皮。

| 功能主治 | **白豆蔻、豆蔻花、豆蔻壳**：化湿行气，温中止呕。用于脘腹胀闷，食少纳呆，呕吐等。

| 用法用量 | **白豆蔻、豆蔻花、豆蔻壳**：内服煎汤，3 ~ 6 g，后下。

| 附　　注 | 本种功能主治与豆蔻相同，但温性略减，力亦较弱。本种原属豆蔻属，de Boer 等（2018）基于分子系统学和形态学将豆蔻属拆分为多个属，按新系统本种属砂仁属，拉丁学名被修订为 *Wurfbainia compacta* (Sol. ex Maton) Škorničk. & A. D. Poulsen。为避免名称变动引起不便，本书沿用旧名称。

叶育石提供

姜科 Zingiberaceae 豆蔻属 Amomum

白豆蔻

Amomum kravanh Pierre ex Gagnep.

叶育石提供

| 植物别名 |

豆蔻。

| 药 材 名 |

豆蔻花（药用部位：花）、豆蔻壳（药用部位：果实）。

| 形态特征 |

植株高 3 m。茎丛生。叶片长 60 cm，宽 12 cm，无毛，近无柄；叶舌 7 ~ 10 mm，密被长粗毛。花序基生，圆柱形，长 8 ~ 11 cm，宽 4 ~ 5 cm；苞片密，长 3.5 ~ 4 cm，具明显的方格状网纹；花冠白色；唇瓣椭圆形，长 1.5 cm，宽 1.2 cm，中央黄色，内凹，边缘黄褐色，基部具瓣柄；药隔附属体 3 裂。蒴果近球形，直径 16 mm，白色或淡黄色，具 3 钝棱，有 7 ~ 9 浅槽及若干纵线条。花期 5 月，果期 6 ~ 8 月。

| 生境分布 |

广东广州（市区）、湛江（市区）等有栽培。

| 资源情况 |

栽培资源较少。药材来源于栽培。

| 采收加工 | **豆蔻花**：春季采收，晒干或低温干燥。
豆蔻壳：夏、秋季果实成熟时采收，晒干或低温干燥。

| 功能主治 | **豆蔻花、豆蔻壳**：化湿行气，温中止呕。用于脘腹胀闷，食少纳呆，呕吐等。

| 用法用量 | **豆蔻花、豆蔻壳**：内服煎汤，3～6 g，后下。

| 附　　注 | 本种功能主治与爪哇白豆蔻相同，但温性略减，力亦较弱。本种原属豆蔻属，de Boer 等（2018）基于分子系统学和形态学将豆蔻属拆分为多个属，按新系统本种属砂仁属，拉丁学名被修订为 *Wurfbainia vera* (Blackw.) Škorničk. & A. D. Poulsen。为避免名称变动引起不便，本书沿用旧名称。

叶育石提供

姜科 Zingiberaceae 豆蔻属 Amomum

海南砂仁

Amomum longiligulare T. L. Wu.

叶育石提供

| 药 材 名 |

砂仁花（药用部位：花）、砂仁壳（药用部位：果壳）、海南壳砂仁（药用部位：种子。别名：壳砂）。

| 形态特征 |

植株高 1 ~ 1.5 m。根茎匍匐。叶片线形或线状披针形，长 20 ~ 30 cm，宽 2.5 ~ 3 cm，无毛；叶柄长 5 mm；叶舌长 2 ~ 4.5 mm，薄膜质，无毛。花序基生；苞片披针形；花冠管较花萼略长；唇瓣圆匙形，长、宽均约 2 cm，白色，先端具 2 裂的黄色小尖头，中脉隆起，紫色；药隔附属体 3 裂。蒴果卵圆形，具 3 钝棱，长 1.5 ~ 2.2 cm，直径 0.8 ~ 1.2 cm，被片状、分裂的短柔刺；种子紫褐色。花期 4 ~ 6 月，果期 6 ~ 9 月。

| 生境分布 |

广东茂名（市区）、湛江（市区）等有栽培。

| 资源情况 |

栽培资源较少。药材来源于栽培。

| 采收加工 |

砂仁花：春季采收，晒干或低温干燥。

砂仁壳：夏、秋季果实成熟时采收，晒干或低温干燥，取果壳。

海南壳砂仁：夏、秋季果实成熟时采收，晒干或低温干燥，取种子。

| 功能主治 |　**砂仁花、砂仁壳**：化湿开胃，温脾止泻，理气安胎。用于脾胃气滞，脘腹胀满，恶心呕吐。

海南壳砂仁：理气开胃，消食。用于脘腹胀痛，食欲不振，呕吐。

| 用法用量 |　**砂仁花、砂仁壳、海南壳砂仁**：内服煎汤，3～6 g，后下。

| 附　　注 |　本种性味、功能主治与砂仁相同，但温性略减，力较薄弱。本种原属豆蔻属，de Boer 等（2018）基于分子系统学和形态学将豆蔻属拆分为多个属，按新系统本种属砂仁属，拉丁学名被修订为 *Wurfbainia longiligularis* (T. L. Wu) Škorničk. & A. D. Poulsen。为避免名称变动引起不便，本书沿用旧名称。

叶育石提供

姜科 Zingiberaceae 豆蔻属 Amomum

九翅豆蔻 *Amomum maximum* Roxb.

| 药 材 名 | 九翅砂仁（药用部位：根茎、花、果实）。

| 形态特征 | 植株高 0.5 ~ 1.5 m。叶 4 ~ 5，椭圆形或倒披针形，长 22 ~ 94 cm，宽 8 ~ 26 cm，腹面无毛，背面被短柔毛；叶柄长 5 ~ 45 cm；叶舌长 15 ~ 75 mm，2 深裂。苞片长圆状椭圆形至倒披针形；唇瓣卵形，直径 3.5 cm，白色，两侧淡黄色，基部具红色条纹；侧生退化雄蕊小；药隔附属体全缘，稀 2 浅裂；子房具棱，密被毛。果实长 1 ~ 2.5 cm，直径 1.5 ~ 2.2 cm，具 9 翅。花期 4 ~ 6 月，果期 7 ~ 8 月。

| 生境分布 | 广东各地均有栽培。

| 资源情况 | 栽培资源较少。药材来源于栽培。

| 采收加工 | 根茎、果实，果实将熟时采收，烘干。花，春末夏初采收，干燥。

| 功能主治 | 根茎、果实，温中止痛，开胃消食。用于脘腹冷痛，腹胀，不思饮食，嗳腐吞酸。花，化湿开胃，温脾止泻，理气安胎。用于脾胃气滞，脘腹胀满，恶心呕吐。

| 用法用量 | 根茎、花，内服煎汤，3 ~ 6 g，后下。果实，内服煎汤，2 ~ 6 g。

| 附　　注 | 本种性味、功能主治与砂仁相同，但温性略减，力较薄弱。

姜科 Zingiberaceae 豆蔻属 Amomum

疣果豆蔻 *Amomum muricarpum* Elmer

| 药 材 名 |

疣果豆蔻（药用部位：花蕾、种子。别名：牛牯缩砂）。

| 形态特征 |

植株高达 4 m。叶片长圆形至长圆状披针形，长 26 ~ 46 cm，宽 6 ~ 8 cm，近无毛；叶柄长 4 ~ 10 mm；叶舌长 4 ~ 10 mm，被睫毛。花序长 8 ~ 14 cm；苞片披针形，长 3.5 mm，宽 7 mm；花冠黄色；唇瓣近倒卵形，长 2.5 ~ 3.3 cm，宽 2 ~ 2.8 cm，杏黄色，具紫红色条纹和斑点，先端有 2 伸出的浅裂片；侧生退化雄蕊小；药隔附属体全缘。果实球形，直径约 2 cm，表面具柔刺，疏被柔毛，刺长 3 ~ 6 mm。花期 5 ~ 9 月，果期 6 ~ 12 月。

| 生境分布 |

广东郁南、阳春、信宜等有栽培。

| 资源情况 |

栽培资源较少。药材来源于栽培。

| 采收加工 |

夏、秋季采收，晒干。

| **功能主治** | 花蕾，祛风，消肿。用于肺结核。种子，辛、涩，温。消食健胃，安胎止痛。用于胃酸过多，胃寒痛，妊娠腹痛，胎动不安。

| **用法用量** | 内服煎汤，3 ~ 6 g，后下。

| **附　注** | 本种的拉丁学名现被一些学者修订为 *Meistera muricarpa* (Elmer) Škorničk. & M. F. Newman，并由豆蔻属并入砂仁属，该物种在中国没有分布或栽培，本条目记载的广东地区所产疣果豆蔻实为同属植物 *Meistera vespertilio* (Gagnep.) Škorničk. & M. F. Newman 的错误鉴定。为避免名称变动引起不便，本书沿用旧名称。

姜科 Zingiberaceae 豆蔻属 Amomum

草果

Amomum tsao-ko Crevost & Lemarié

| 药 材 名 |

草果仁（药用部位：果仁。别名：草果子）。

| 形态特征 |

植株高达 3 m。叶片椭圆形至长圆形，长 11 ~ 83 cm，宽 8 ~ 20 cm，无毛，无叶柄或有短柄；叶舌长 8 ~ 20 mm，革质，全缘。苞片长圆形，长 3.3 ~ 6 cm，红色，革质；唇瓣近倒椭圆形，长 3 ~ 3.5 cm，宽 1.6 cm，杏黄色，具红色条纹；无侧生退化雄蕊；药隔附属体啮蚀状；子房无毛。果实成熟时呈暗紫色，近球形，干时呈椭圆形至倒卵球形，长 1.8 ~ 4 cm，直径 1.5 ~ 2.5 cm，密具纵棱或纵条纹。花期 4 ~ 5 月，果期 8 ~ 9 月。

| 生境分布 |

广东广州（市区）、湛江（市区）等有栽培。

| 资源情况 |

栽培资源较少。药材来源于栽培。

| 采收加工 |

果实成熟时采收，除去杂质，晒干或低温干燥。

| 功能主治 | 燥湿温中，除痰截疟。用于脘腹胀痛，痞满呕吐，疟疾。

| 用法用量 | 内服煎汤，3 ~ 6 g，捣碎。

| 附 注 | 本种原属豆蔻属，de Boer 等（2018）基于分子系统学和形态学将豆蔻属拆分为多个属，按新系统本种属草果属，拉丁学名被修订为 *Lanxangia tsao-ko* (Crevost & Lemarié) M. F. Newman & Škorničk.。为避免名称变动引起不便，本书沿用旧名称。

姜科 Zingiberaceae 豆蔻属 *Amomum*

砂仁

Amomum villosum Lour.

| **植物别名** | 春砂仁。

| **药 材 名** | 砂仁花（药用部位：花）、砂仁壳（药用部位：果壳）、砂仁（药用部位：果实）。

| **形态特征** | 植株高 1 ~ 2 m。根茎细长，匍匐于地表。叶片披针形至线形，长 10 ~ 37 cm，宽 2 ~ 7 cm，两面无毛，无叶柄；叶舌长 1 ~ 5 mm。花序基生，椭圆形，长 3 ~ 7 cm；苞片披针形；花冠白色；唇瓣圆匙形，直径 1.6 ~ 2 cm，白色，中间淡黄色，具红色条纹；无侧生退化雄蕊；药隔附属体 3 裂。果实紫色，椭圆形，长 1.5 ~ 2.5 cm，直径 1.2 ~ 2 cm，密生分叉或不分叉的柔刺。花期 5 ~ 6 月，果期 8 ~ 9 月。

| 生境分布 | 广东阳春及云浮（市区）等有栽培。

| 资源情况 | 栽培资源较少。药材来源于栽培。

| 采收加工 | **砂仁花**：春季采收，晒干或低温干燥。
砂仁壳、砂仁：夏、秋季果实成熟时采收，晒干或低温干燥。

| 功能主治 | **砂仁花、砂仁壳、砂仁**：化湿开胃，温脾止泻，理气安胎。用于脘腹胀满，恶心呕吐。

| 用法用量 | **砂仁花、砂仁壳、砂仁**：内服煎汤，3 ～ 6 g，后下。

| 附　注 | 本种原属豆蔻属，de Boer 等（2018）基于分子系统学和形态学将豆蔻属拆分为多个属，按新系统本种属砂仁属，拉丁学名被修订为 *Wurfbainia villosa* (Lour.) Škorničk. & A. D. Poulsen。为避免名称变动引起不便，本书沿用旧名称。

黄花大苞姜 *Caulokaempferia coenobialis* (Hance) K. Larsen.

| 植物别名 |

黄花姜、黄花山柰。

| 药 材 名 |

黄花姜（药用部位：全草）。

| 形态特征 |

丛生草本，纤弱。茎高 15 ~ 30 cm，直径 3 mm。叶 5 ~ 9，披针形，长 5 ~ 14 cm，宽 1 ~ 2 cm，先端尾尖，无柄；叶舌膜质，长不及 2 mm。花序顶生；苞片 2 ~ 3，披针形，先端尾尖，内有 1 ~ 2 花；花冠黄色，花冠管长约 3 cm；侧生退化雄蕊长约 1.2 cm；唇瓣黄色，宽卵形，长 1.5 ~ 2 cm；药隔附属体长圆形。果实卵状长圆形，长约 1 cm。花期 4 ~ 7 月，果期 8 月。

| 生境分布 |

生于山地林下阴湿处、岩壁上。生于山地林下阴湿处、岩壁上。分布于广东龙门、从化、连山、英德、鼎湖等。

| 资源情况 |

野生资源较少。药材来源于野生。

| 采收加工 | 夏、秋季采收，鲜用。

| 功能主治 | 解毒，祛风湿。用于蛇咬伤，风湿痹痛。

| 用法用量 | 外用适量，鲜品捣敷。

| 附   注 | Mood 等（2014）认为大苞姜属的拉丁学名为 *Monolophus*，*Caulokaempferia* 为异名，因而本种的拉丁学名应为 *Monolophus coenobialis* Hance。为避免名称变动引起不便，本书沿用旧名称。

姜科 Zingiberaceae 闭鞘姜属 Costus

闭鞘姜 *Costus speciosus* (J. Koenig) Sm.

| 药 材 名 |

闭鞘姜（药用部位：根茎。别名：广东商陆、广商陆、水蕉花）。

| 形态特征 |

植株高 1 ~ 3 m。茎旋卷，顶部常分枝。叶片长圆形或披针形，长 15 ~ 20 cm，宽 6 ~ 10 cm，叶背密被绢毛。花序顶生，长 5 ~ 15 cm；苞片革质，红色，具锐利短尖头；花萼革质，红色，长 1.8 ~ 2 cm；花冠管长 1 cm；唇瓣宽喇叭形，纯白色，长 6.5 ~ 9 cm，先端皱波状；雄蕊花瓣状，长 4.5 cm，宽 1.3 cm，白色，基部橙黄色。蒴果稍木质，长 1.3 cm；种子黑色。花期 7 ~ 9 月。果期 9 ~ 11 月。

| 生境分布 |

生于山地林缘、路边及地边。分布于广东仁化、始兴、连平、博罗、惠阳、英德、高要、新兴、台山及广州（市区）、阳江（市区）、茂名（市区）等。

| 资源情况 |

野生资源丰富。栽培资源较少。药材来源于野生。

| 采收加工 | 全年均可采收，晒干或鲜用。

| 功能主治 | 利水消肿，通淋解毒，止痒。用于百日咳，肾炎性水肿，尿路感染，肝硬化腹水，小便不利；外用于荨麻疹，疮疖肿毒，中耳炎。

| 用法用量 | 内服煎汤，6～15 g。外用适量，煎汤洗；或鲜品捣敷。

| 附　注 | 本种原属闭鞘姜属，现闭鞘姜属被拆分为多个属，拉丁学名被修订为 *Hellenia*，本种的拉丁学名被修订为 *Hellenia speciosa* (J. Koenig) S. R. Dutta。为避免名称变动引起不便，本书沿用旧名称。

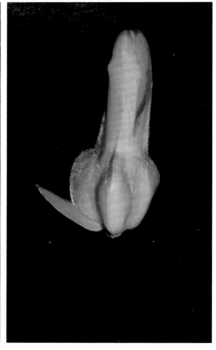

姜科 Zingiberaceae 姜黄属 Curcuma

郁金 Curcuma aromatica Salisb.

| 植物别名 |　毛姜黄。

| 药 材 名 |　姜黄（药用部位：块根。别名：毛姜黄）。

| 形态特征 |　根茎内面黄色。叶片长圆形，长 30 ~ 60 cm，宽 10 ~ 20 cm，绿色，叶面无毛，叶背被短柔毛。花序单独自根茎中抽出，穗状花序长约 15 cm，直径约 8 cm；可育苞片淡绿色，长 4 ~ 5 cm，不育苞片长圆形，粉色，具白色斑纹，先端常具小尖头；花萼长 0.8 ~ 1.5 cm；花冠管长 2.3 ~ 2.5 cm，花冠裂片长 1.5 cm，白色而带粉红；侧生退化雄蕊长约 1.5 cm；唇瓣黄色，倒卵形，长 2.5 cm。花期 4 ~ 6 月。

| 生境分布 | 广东乐昌、南雄、始兴、仁化、翁源、新丰、乳源、四会、广宁、怀集、封开、德庆、连平、博罗、惠阳、英德及韶关（市区）、广州（市区）、肇庆（市区）等有栽培。

| 资源情况 | 栽培资源较丰富。药材来源于栽培。

| 采收加工 | 冬季茎叶枯萎后采挖，除去泥沙和细根，蒸或煮至透心，干燥。

| 功能主治 | 活血止痛，行气解郁，清心凉血，利胆退黄。用于胸胁刺痛，胸痹心痛，经闭痛经，乳房胀痛，热病神昏，癫痫发狂，血热吐衄，黄疸尿赤。

| 用法用量 | 内服煎汤，3 ~ 10 g。

姜科 Zingiberaceae 姜黄属 Curcuma

广西莪术 *Curcuma kwangsiensis* S. G. Lee & C. F. Liang

| 植物别名 | 毛莪术、桂莪术、桂郁金。

| 药 材 名 | 莪术（药用部位：根茎）、郁金（药用部位：块根）。

| 形态特征 | 根茎卵球形，内部白色或微带淡奶黄色。叶片椭圆状披针形，长14～39 cm，宽4.5～7（～9.5）cm，绿色或中部具紫色带，两面被柔毛。花序自根茎或叶鞘中抽出；可育苞片阔卵形，长约4 cm，淡绿色，不育苞片长圆形，斜举，淡红色；花萼长约1 cm；花冠管长2 cm，花冠裂片长约1 cm；侧生退化雄蕊长圆形；唇瓣近圆形，淡黄色。花期5～7月。

| 生境分布 | 广东博罗、惠东、龙门及广州（市区）、惠州（市区）等有栽培。

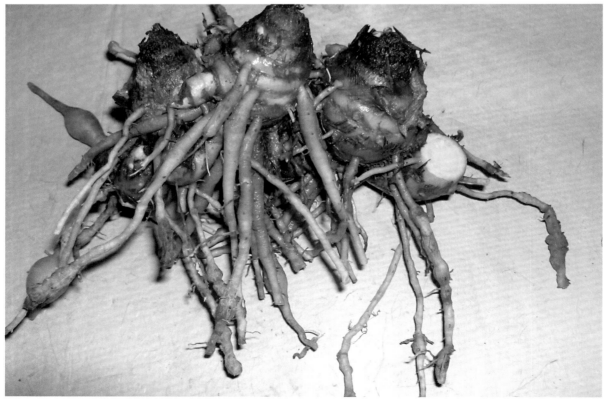

| 资源情况 | 栽培资源较丰富。药材来源于栽培。

| 采收加工 | **莪术**：冬季茎叶枯萎后采挖，洗净，蒸或煮至透心，晒干或低温干燥后除去须根和杂质；也可放入清水中浸泡，捞起，沥干水分，润透，切薄片，晾干。

郁金：冬季茎叶枯萎后采挖，除去泥沙及细根，蒸或煮至透心，干燥。

| 药材性状 | **莪术**：本品呈类圆形、卵圆形或长圆形，先端钝尖，基部钝圆，长 3.5 ~ 6.5 cm，直径 2 ~ 4.5 cm；表面土黄色或土棕色，环节明显或不见，有点状须根痕，两侧各有 1 列下陷的芽痕和侧生根茎痕，侧生根茎痕较大，位于下部。质坚重，断面黄棕色至棕绿色，内皮层花纹黄白色，皮层易与中柱分离，可见条状或点状维管束。气香，味微苦、辛。

郁金：本品呈长圆锥形或长圆形，长 2 ~ 6.5 cm，直径 1 ~ 1.8 cm；表面具疏浅纵纹或较粗糙的网状皱纹。气微，味微辛、苦。

| 功能主治 | **莪术**：行气破血，消积止痛。用于癥瘕痞块，瘀血经闭，胸痹心痛，食积胀痛，跌打损伤。

郁金：活血止痛，行气解郁，清心凉血，利胆退黄。用于胸胁刺痛，胸痹心痛，经闭痛经，乳房胀痛，热病神昏，癫痫发狂，血热吐衄，黄疸尿赤。

| 用法用量 | **莪术**：内服煎汤，3 ~ 10 g；或入丸、散剂。外用适量，煎汤洗；或研末调敷。

郁金：内服煎汤，3 ~ 10 g；或入丸、散剂。

| 附　　注 | 2020 年版《中国药典》收载姜科姜黄属植物广西莪术 *Curcuma kwangsiensis* S. G. Lee & C. F. Liang 的根茎用作莪术，其块根用作郁金，习称"桂郁金"。

姜科 Zingiberaceae 姜黄属 Curcuma

姜黄 *Curcuma longa* L.

| 药 材 名 | 姜黄（药用部位：根茎）、郁金（药用部位：块根。别名：黄丝郁金）。

| 形态特征 | 植株高 1 ～ 1.5 m。根茎橙黄色，极香。叶片长圆形或椭圆形，长 30 ～ 45（～ 90）cm，宽 15 ～ 18 cm，绿色，两面无毛。花序自叶鞘内抽出；可育苞片卵形或长圆形，长 3 ～ 5 cm，淡绿色，不育苞片较狭，开展，白色，边缘染淡红色晕；花冠淡黄色，花冠管长达 3 cm，花冠裂片三角形，长 1 ～ 1.5 cm；唇瓣倒卵形，长 1.2 ～ 2 cm，淡黄色，中部深黄色。花期 8 月。

| 生境分布 | 广东博罗、惠东、龙门及广州（市区）、惠州（市区）等有栽培。

| 资源情况 | 栽培资源较丰富。药材来源于栽培。

| 采收加工 | **姜黄**：冬季茎叶枯萎时采挖，洗净，放入水中煮熟，烘干，去皮，即得；也可将根茎切成厚约 0.7 cm 的薄片，晒干。

郁金：冬季茎叶枯萎时采挖，洗净，煮或蒸至透心，晒干，除去须根。

| 药材性状 | **姜黄**：本品呈不规则卵圆形、圆柱形或纺锤形，常弯曲，有的具短叉状分枝，长 2 ～ 5 cm，直径 1 ～ 3 cm；表面深黄色，粗糙，有皱缩纹理和明显的环节，并有圆形分枝痕及须根痕。质坚实，不易折断，断面棕黄色至金黄色，角质样，有蜡样光泽，内皮层环纹明显，维管束呈点状散在。气香特异，味苦、辛。

郁金：本品呈纺锤形，有的一端细长，长 2.5 ～ 4.5 cm，直径 1 ～ 1.5 cm；表面棕灰色或灰黄色，具细皱纹。断面橙黄色，外周棕黄色至棕红色。气芳香，味辛、辣。

| 功能主治 | **姜黄**：破血行气，通经止痛。用于胸胁刺痛，胸痹心痛，痛经，经闭，癥瘕，风湿肩臂疼痛，跌打肿痛。

郁金：活血止痛，行气解郁，清心凉血，利胆退黄。用于胸胁刺痛，胸痹心痛，经闭，痛经，乳房胀痛，热病神昏，癫痫发狂，血热吐衄，黄疸尿赤。

| 用法用量 | **姜黄**：内服煎汤，3 ～ 10 g；或入丸、散剂。外用适量，研末调敷。

郁金：内服煎汤，3 ～ 10 g；或入丸、散剂。

| 附　注 | 2020 年版《中国药典》收载姜科姜黄属植物姜黄 *Curcuma longa* L. 的根茎用作姜黄，其块根用作郁金，习称"黄丝郁金"。

姜科 Zingiberaceae 姜黄属 Curcuma

莪术
Curcuma phaeocaulis Valeton

| 植物别名 |

蓬莪术、蓬莪茂。

| 药 材 名 |

莪术（药用部位：根茎）、郁金（药用部位：块根）。

| 形态特征 |

根茎圆柱形，具樟脑味，淡黄色或白色。叶椭圆状长圆形，长 25 ~ 35（~ 60）cm，宽 10 ~ 15 cm，中部常有紫斑，无毛。花序自根茎单独发出；可育苞片卵形至倒卵形，下部绿色，先端红色，不育苞片较长，紫色；花萼长 1 ~ 1.2 cm；花冠管长 2 ~ 2.5 cm，花冠裂片长圆形，黄色，长 1.5 ~ 2 cm；唇瓣黄色，近倒卵形，长约 2 cm，宽 1.2 ~ 1.5 cm，先端微缺。花期 4 ~ 6 月。

| 生境分布 |

广东广州（市区）等有栽培。

| 资源情况 |

栽培资源较丰富。药材来源于栽培。

| 采收加工 | **莪术**：冬季茎叶枯萎后采挖，洗净，蒸或煮至透心，晒干或低温干燥后除去须根和杂质；也可将根茎放入清水中浸泡，捞起，沥干水分，润透，切薄片，晾干。

郁金：冬季茎叶枯萎后采挖，除去泥沙及细根，蒸或煮至透心，干燥。

| 药材性状 | **莪术**：本品呈卵圆形、长卵形、圆锥形或长纺锤形，先端多钝尖，基部钝圆，长 2 ~ 8 cm，直径 1.5 ~ 4 cm；表面灰黄色至灰棕色，上部环节凸起，有圆形微凹的须根痕或残留的须根，有的两侧各有 1 列下陷的芽痕和类圆形的侧生根茎痕，有的可见刀削痕。体重，质坚实，断面深绿色至蓝褐色，常附有灰棕色粉末，皮层与中柱易分离，内皮层环纹棕褐色。气微香，味微苦、辛。

郁金：本品呈长椭圆形，较粗壮，长 1.5 ~ 3.5 cm，直径 1.2 cm。气微，味淡。

| 功能主治 | **莪术**：行气破血，消积止痛。用于癥瘕痞块，瘀血经闭，胸痹心痛，食积胀痛。

郁金：活血止痛，行气解郁，清心凉血，利胆退黄。用于胸胁刺痛，胸痹心痛，经闭，痛经，乳房胀痛，热病神昏，癫痫发狂，血热吐衄，黄疸尿赤。

| 用法用量 | **莪术**：内服煎汤，3 ~ 10 g；或入丸、散剂。外用适量，煎汤洗；或研末调敷。

郁金：内服煎汤，3 ~ 10 g；或入丸、散剂。

| 附　　注 | 2020 年版《中国药典》收载姜科姜黄属植物莪术 *Curcuma phaeocaulis* Valeton 的根茎用作莪术，习称"蓬莪术"，其块根用作郁金，习称"绿丝郁金"。

姜科 Zingiberaceae 姜黄属 Curcuma

温郁金

Curcuma wenyujin Y. H. Chen & C. Ling

| **药 材 名** | 温莪术（药用部位：根茎。别名：温州蓬莪茂、片姜黄）、郁金（药用部位：块根。别名：白丝郁金）。

| **形态特征** | 根茎内面淡黄色；块茎内面白色。叶片长椭圆形，长 38 ~ 75 cm，宽 17 ~ 22 cm，绿色，两面无毛。花序自根茎单独发出；可育苞片浅绿色，卵圆形，长约 4 cm，宽约 3.5 cm，不育苞片浅紫红色，长椭圆形，长约 6 cm，宽约 3 cm，先端急尖；萼片长约 1.2 cm；花冠管长约 2 cm，花冠裂片白色，长约 18 mm；唇瓣黄色，长约 17 mm，宽约 15 mm。花期 4 ~ 5 月。

| **生境分布** | 广东乳源、翁源、仁化、始兴、南雄、乐昌、和平、连平、连南、连山、阳山、连州、英德、信宜等有栽培。

| 资源情况 | 栽培资源较丰富。药材来源于栽培。

| 采收加工 | **温莪术**：冬季茎叶枯萎后采挖，洗净，蒸或煮至透心，晒干或低温干燥后除去须根和杂质；也可趁鲜纵切厚片，晒干。

郁金：冬季茎叶枯萎后采挖，除去泥沙及细根，蒸或煮至透心，干燥。

| 药材性状 | **温莪术**：本品断面黄棕色至棕褐色，常附有淡黄色至黄棕色粉末。气香或微香。

郁金：本品呈长圆形或卵圆形，稍扁，有的微弯曲，两端渐尖，长 3.5 ~ 7 cm，直径 1.2 ~ 2.5 cm；表面灰褐色或灰棕色，具不规则的纵皱纹，纵纹隆起处色较浅。质坚实，断面灰棕色，角质样，内皮层环明显。气微香，味微苦。

| 功能主治 | **温莪术**：行气破血，消积止痛。用于癥瘕痞块，瘀血经闭，胸痹心痛，食积胀痛。

郁金：活血止痛，行气解郁，清心凉血，利胆退黄。用于胸胁刺痛，胸痹心痛，经闭，痛经，乳房胀痛，热病神昏，癫痫发狂，血热吐衄，黄疸尿赤。

| 用法用量 | **温莪术**：内服煎汤，3 ~ 10 g；或入丸、散剂。外用适量，煎汤洗；或研末调敷。

郁金：内服煎汤，3 ~ 10 g；或入丸、散剂。

| 附　注 | 2020 年版《中国药典》收载姜科姜黄属植物温郁金 *Curcuma wenyujin* Y. H. Chen & C. Ling 切片晒干的根茎用作片姜黄，能行气破瘀、通经络，用于风湿痹痛、心腹积痛、胸胁疼痛、经闭腹痛、跌打损伤等血瘀气滞之症；其煮熟晒干的根茎用作温莪术，能破血散气、消积，用于闭经、痛经、癥瘕，近年来还用于治疗宫颈癌、宫颈糜烂及多种皮肤病；其块根用作郁金，习称"温郁金"。

姜科 Zingiberaceae 舞花姜属 Globba

舞花姜
Globba racemosa Smith

| 植物别名 |　包谷姜、加罗姜。

| 药 材 名 |　舞花姜（药用部位：根茎）。

| 形态特征 |　植株高 0.6 ~ 1 m。叶片长 12 ~ 20 cm，宽 4 ~ 5 cm，先端尾尖，无柄或具短柄；叶舌被毛。圆锥花序顶生；苞片早落；花黄色，各部均具橙色腺点；花萼管长 4.5 mm；花冠管长约 1 cm，花冠裂片反折，长约 5mm；唇瓣倒楔形，长约 7 mm，反折；侧生退化雄蕊披针形，与花冠裂片等长；花丝弓形，花药无附属体。蒴果具瘤状突起。花期 6 ~ 9 月，果期 8 ~ 9 月。

| 生境分布 |　生于林缘、溪边潮湿处。分布于广东乳源、翁源、仁化、始兴、南

雄、乐昌、和平、连平、连南、连山、阳山、连州、英德、信宜等。

| **资源情况** | 野生资源丰富。栽培资源较少。药材来源于野生。

| **采收加工** | 夏、秋季采收，晒干。

| **功能主治** | 辛，温。健胃消食。用于胃痛，食欲不振，消化不良。

| **用法用量** | 内服煎汤，9 ~ 15 g。

姜科 Zingiberaceae 姜花属 Hedychium

姜花

Hedychium coronarium J. Koenig

| **植物别名** | 土姜活、山姜活、路边姜。

| **药材名** | 姜花（药用部位：根茎）、姜花果实（药用部位：果序）。

| **形态特征** | 植株高 1 ～ 2 m。叶片长圆形至披针形，长 20 ～ 48 cm，宽 3 ～ 9 cm，背面被毛，无叶柄；叶舌长 1 ～ 4.7 cm。穗状花序椭圆形，长 7 ～ 20 cm；苞片常为倒卵形，长 4 ～ 6 cm，宽 2.5 ～ 4 cm，内有 2 ～ 3 花；花白色，芳香；花冠裂片近线形，长 5 cm，宽 5 mm；唇瓣近圆形，直径 3.3 ～ 6 cm，先端 2 裂，基部有爪；侧生退化雄蕊倒披针形，长 3 ～ 4 cm，宽 1 ～ 2 cm；雄蕊稍短于唇瓣，花丝白色，花药长 12 ～ 15 mm。花期 8 ～ 11 月。

| 生境分布 | 广东各地均有栽培。

| 资源情况 | 栽培资源丰富。药材来源于栽培。

| 采收加工 | 姜花：冬季采挖，洗净，切片，晒干。
姜花果实：秋、冬季采收，剪下果穗，晒干。

| 功能主治 | 姜花、姜花果实：祛风散寒，温经止痛。用于头身疼痛，风湿痹痛，脘腹冷痛，跌打损伤。

| 用法用量 | 姜花：内服煎汤，9 ~ 15 g。
姜花果实：内服煎汤，3 ~ 9 g。

姜科 Zingiberaceae 山柰属 Kaempferia

山柰 *Kaempferia galanga* L.

| 药 材 名 | 山柰（药用部位：根茎。别名：三藾、沙姜、山辣）。

| 形态特征 | 根茎卵球形，数枚连接，芳香。叶通常2贴近地面生长，近圆形，长7～13 cm，宽4～9 cm；叶柄长2～3 cm或无。花顶生，半藏于叶鞘中，白色；苞片披针形；花冠管长2～2.5 cm，花冠裂片线形，长1.2 cm；唇瓣白色，基部具紫斑，长2.5 cm，宽2 cm，2深裂至中部以下；侧生退化雄蕊倒卵状楔形，长1.2 cm；雄蕊无花丝，药隔附属体正方形，2裂。蒴果。花期8～9月。

| 生境分布 | 广东各地均有栽培。

| 资源情况 | 栽培资源丰富。药材来源于栽培。

王佳佳提供

| **采收加工** | 12 月至翌年 3 月地上茎枯萎时，采挖二年生的根茎，洗去泥土，横切成片，用硫黄烟熏 1 天，铺在竹席上晒干。 |

| **功能主治** | 行气温中，消食，止痛。用于胸膈胀满，脘腹冷痛，饮食不消。 |

| **用法用量** | 内服煎汤，5 ～ 10 g；或入丸、散剂。外用适量，捣敷；研末调敷或吹鼻。 |

王佳佳提供

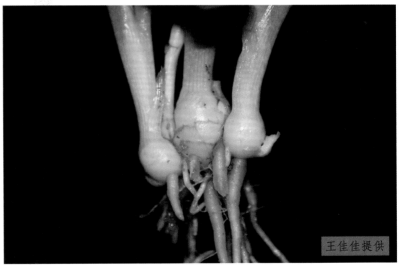

王佳佳提供

姜科 Zingiberaceae 山奈属 Kaempferia

海南三七

Kaempferia rotunda L.

药 材 名

海南三七（药用部位：根茎。别名：山田七、圆山奈）。

形态特征

根茎块状；根粗。先开花后长叶。叶片长椭圆形，长 17 ~ 27 cm，宽 7.5 ~ 9.5 cm，叶面淡绿色，中脉两侧具深绿色斑纹，叶背紫色；叶柄短。花序自根茎发出；花冠裂片白色；唇瓣蓝紫色，近圆形，2 深裂至中部以下，裂片长 3.5 cm，宽 2 cm，先端急尖，下垂；侧生退化雄蕊披针形，长 5 cm，宽 1.7 cm，白色，先端急尖；药隔附属体 2 裂，鱼尾状。花期 4 月。

生境分布

广东连山及广州（市区）等有栽培。

资源情况

栽培资源较少。药材来源于栽培。

采收加工

夏、秋季采收，鲜用或切片晒干。

| **功能主治** | 活血止痛。用于跌打损伤，胃痛。

| **用法用量** | 内服煎汤，3 ~ 6 g；或入丸、散剂。外用适量，捣敷；或研末调敷。

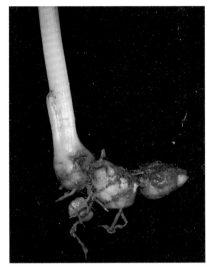 

姜科 Zingiberaceae 土田七属 Stahlianthus

土田七 *Stahlianthus involucratus* (King ex Baker) Craib ex Loes.

| 药 材 名 |

土田七（药用部位：根茎。别名：姜三七、三七姜、姜叶三七）。

| 形态特征 |

植株高 15 ～ 30 cm。根茎块状，棕黄色，芳香而具辛辣味；根末端膨大成块根。叶片披针形，长 10 ～ 18 cm，宽 2 ～ 3.5 cm，绿色或带紫色；叶柄长 6 ～ 18 cm。花聚生于钟状总苞中；总苞长 4 ～ 5 cm，宽 2 ～ 2.5 cm；花梗长 2.5 ～ 10 cm；花白色；花冠管长 2.5 ～ 2.7 cm；唇瓣倒卵状匙形，长 2 cm，宽 1.3 cm，深裂至 5 mm 处，白色，中央有杏黄色斑；侧生退化雄蕊倒披针形，长 1.6 ～ 2 mm，宽 0.4 ～ 0.9 mm；药隔附属体半圆形。花期 5 ～ 6 月。

| 生境分布 |

广东潮阳、徐闻及广州（市区）等有栽培。

| 资源情况 |

栽培资源较少。药材来源于栽培。

| 采收加工 |

春、秋、冬季采挖，洗净，晒干。

| 功能主治 | 散瘀消肿，活血止血，行气止痛。用于跌打瘀痛，风湿骨痛，吐血，衄血，月经过多，蛇虫咬伤。

| 用法用量 | 内服煎汤，10 ~ 15 g；或浸酒。外用适量，研末敷。

| 附   注 | 部分学者认为本种属姜黄属 *Curcuma*，为避免名称变动引起不便，本书沿用旧名称。

姜科 Zingiberaceae 姜属 Zingiber

珊瑚姜

Zingiber corallinum Hance

| 药 材 名 | 珊瑚姜（药用部位：根茎）。

| 形态特征 | 植株高 1 ～ 1.2 m。根茎块状，白色至黄色，具樟脑味。叶舌长 3 ～ 8 mm，密被毛；叶片长 14 ～ 30 cm，宽 3.5 ～ 7 cm。花序基出，长 15 ～ 32 cm，宽 4 ～ 5 cm；花序梗长 16 ～ 30 cm，直立；苞片绿色；花瓣白色，具紫红色斑点；唇瓣倒卵形，长 15 mm，宽 9 mm，白色；侧生退化雄蕊线形至长圆形。果序珊瑚红色，果实近球形，内壁亮红色；种子倒卵球形，假种皮白色。花期 7 ～ 8 月，果期 9 ～ 12 月。

| 生境分布 | 生于山地林缘或路边灌丛中。分布于广东翁源、紫金、惠东、博罗、从化、英德、封开、阳春、信宜及湛江（市区）、深圳（市区）等。

| **资源情况** | 野生资源一般。栽培资源较少。药材来源于野生。

| **采收加工** | 秋、冬季采收，晒干。

| **功能主治** | 健胃消食，消肿止痛。用于食积胀满，脘腹疼痛，恶心呕吐，肝脾肿大，风湿
疼痛等。

| **用法用量** | 内服煎汤，6～9g。

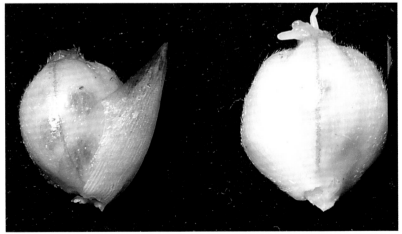

姜科 Zingiberaceae 姜属 Zingiber

蘘荷
Zingiber mioga (Thunb.) Roscoe

| 植物别名 | 野姜、阳藿、羊藿姜。

| 药 材 名 | 蘘荷花（药用部位：花序。别名：山麻雀）、蘘荷子（药用部位：果实）、蘘荷（药用部位：根茎）。

| 形态特征 | 植株高 0.5 ～ 1 m。根茎圆柱形，淡黄色。叶柄长 0.5 ～ 1.7 cm；叶舌膜质，2 裂，长 0.3 ～ 1.2 cm；叶片披针状椭圆形，长 23 ～ 30 cm，宽 2.5 ～ 4 cm，被稀疏长柔毛。穗状花序基出，椭圆形，长 5 ～ 7 cm；花梗匍匐；苞片紫绿色；花淡黄色；唇瓣倒卵形，长 31 ～ 35 mm，宽 17 ～ 20 mm，乳白色；侧生退化雄蕊大部分与唇瓣连合。蒴果倒卵形，成熟时裂成 3 瓣，内面鲜红色；种子黑色，被白色假种皮。

| 生境分布 | 生于林下山沟边潮湿处。分布于广东乳源、新丰、始兴、和平、龙门、连山、连州、英德、怀集、阳春、信宜及深圳（市区）、广州（市区）等。

| 资源情况 | 野生资源丰富。栽培资源较少。药材来源于野生。

| 采收加工 | **蘘荷花**：夏季花开时采收，鲜用或烘干。
蘘荷子：果实成熟开裂时采收，晒干。
蘘荷：全年均可采挖，洗净，鲜用或晒干。

| 功能主治 | **蘘荷花**：温肺。用于肺寒咳嗽。
蘘荷子：止痛。用于胃痛。
蘘荷：温中理气，祛风止痛，止咳平喘。用于感冒咳嗽，气管炎，哮喘，风寒牙痛，脘腹冷痛，跌打损伤，腰腿疼痛，遗尿，月经后期，经闭，带下；外用于风疹，淋巴结结核。

| 用法用量 | **蘘荷花**：内服煎汤，3～6 g。
蘘荷子：内服煎汤，50～100 g。
蘘荷：内服煎汤，15～25 g。外用适量，捣敷；或煎汤洗。

姜

Zingiber officinale Roscoe

| 药 材 名 | 姜叶（药用部位：叶）、姜皮（药用部位：根茎的栓皮及附着的一部分表层。别名：生姜皮）、生姜汁（药材来源：根茎的汁）。

| 形态特征 | 植株高 0.8 ~ 1 m。根茎浅黄色至黄色，有浓烈辛香味。叶舌长 3 ~ 5 mm；叶片披针形，长 20 ~ 23 mm，宽 2.8 ~ 3.2 mm。花序基出，偶尔顶生，长球形，长 4.5 ~ 8 mm，宽 2 ~ 3 mm，先端钝；花序梗直立，长 12 ~ 30 cm；苞片倒卵形，黄绿色，疏被柔毛；花瓣窄卵形，浅黄色，长 13 ~ 20 mm，宽 4.5 ~ 6 mm；唇瓣长圆形至倒卵形，长 16 mm，宽 9 mm，紫红色，具黄斑；侧生退化雄蕊长 9 mm，宽 4 mm；药隔附属体暗红色。

| 生境分布 | 广东各地均有栽培。

| **资源情况** | 栽培资源丰富。药材来源于栽培。

| **采收加工** | **姜叶**：夏、秋季采收，切碎，鲜用或晒干。

姜皮：采收后洗净，浸于清水中过夜，用刀将深色的栓皮及附着的一部分皮层剥下，晒干。

生姜汁：采收后洗净，打烂，绞取其汁。

| **功能主治** | **姜叶**：活血散结。用于癥瘕，扑损瘀血。

姜皮：行气消水。用于小便不利，水肿等。

生姜汁：化痰，止呕。用于恶心呕吐，咳嗽痰多等。

| **用法用量** | **姜叶**：内服研末，1.5 g；或捣汁。

姜皮：内服煎汤，1～5 g。

生姜汁：内服冲，3～10 滴。

姜科 Zingiberaceae 姜属 Zingiber

红球姜
Zingiber zerumbet (L.) Smith

| 药 材 名 | 红球姜（药用部位：根茎。别名：风姜、山姜）。

| 形态特征 | 植株高 1.4 m。根茎块状，肥厚，浅黄色至黄色，芳香。叶舌膜质或干膜质，长 1 ~ 2.8 cm；叶片窄倒卵形，长 6 ~ 15 cm，宽 3.5 ~ 5 cm。花序基生，长球形或近球形，长 6 ~ 15 cm，宽 4 ~ 6 cm；花序梗直立，长 60 cm；苞片绿色，先端阔三角形，边缘膜质，花后变红色，苞片之间充满黏液；花白色；唇瓣宽倒卵形，长 22 ~ 25 mm，宽 14 ~ 18 mm，白色至乳白色；侧生退化雄蕊卵形，长 8 ~ 15 mm，宽 3 mm。

| 生境分布 | 广东龙门、博罗、高要、台山及深圳（市区）、广州（市区）、阳江（市区）、云浮（市区）等有栽培。

| **资源情况** | 栽培资源丰富。药材来源于栽培。

| **采收加工** | 秋、冬季采收，晒干。

| **功能主治** | 辛，温。活血止痛。用于肝气郁滞所致的各种瘀血症，气滞所致的胃痛、腹痛、痛经，中焦虚寒所致的腹泻、消化不良、食滞胃脘。

| **用法用量** | 内服煎汤，9 ~ 15 g。

美人蕉科 Cannaceae 美人蕉属 Canna

蕉芋

Canna edulis Ker

药 材 名

蕉芋（药用部位：根茎。别名：姜芋、芭蕉芋、蕉藕）。

形态特征

植株高达3 m。具块状根茎。茎紫色。叶鞘边缘紫色；叶片长圆形，表面绿色，边缘或背面紫色。花单生或2花簇生；花冠管杏黄色，长约1.5 cm，花冠裂片杏黄色，先端染紫色，长约4 cm；外轮退化雄蕊呈花瓣状，倒披针形，长约5.5 cm，宽约1 cm，红色，基部杏黄色，直立；发育雄蕊披针形，长约4.2 cm，杏黄色而染红色；子房圆球形，密被小疣状突起。花期9～10月。

生境分布

广东各地均有栽培。

资源情况

栽培资源丰富。药材来源于栽培。

采收加工

全年均可采挖，去净茎叶，晒干或鲜用。

| **药材性状** | 本品呈圆锥形，先端有茎基，周围被有数枚叶鞘；表面灰棕色或灰黄色，节明显，具细根或点状根痕。质坚硬，断面粉性。气微，味淡。

| **功能主治** | 甘、淡，凉。清热利湿，解毒。用于痢疾，泄泻，黄疸，痈疮肿毒。

| **用法用量** | 内服煎汤，10 ～ 15 g。外用适量，捣敷。

| **附　　注** | 在 FOC 中，本种的拉丁学名被修订为 *Canna indica* Linn.。为避免名称变动引起不便，本书沿用旧名称。

美人蕉科 Cannaceae 美人蕉属 Canna

黄花美人蕉 *Canna flaccida* Salisb.

| 药 材 名 | 柔瓣美人蕉（药用部位：根茎）。

| 形态特征 | 植株高 1.3 ~ 2 m。茎绿色。叶片长圆状披针形，先端渐尖，具线形尖头。总状花序直立，花少而疏；苞片极小；花黄色，美丽，质柔而脆；花冠管明显，长达花萼的 2 倍，花冠裂片线状披针形，长达 8 cm，宽达 1.5 cm，花后反折；外轮退化雄蕊 3，圆形，黄色，长 5 ~ 7 cm，宽 3 ~ 4 cm；唇瓣圆形；发育雄蕊半倒卵形；花柱短，椭圆形。蒴果椭圆形，长约 6 cm，宽约 4 cm。花期夏、秋季。

| 生境分布 | 广东各地均有栽培。

| 资源情况 | 栽培资源丰富。药材来源于栽培。

| 采收加工 | 秋、冬季采收，晒干。

| 功能主治 | 健胃，消炎，消肿。用于金疮，外伤出血。

| 用法用量 | 内服煎汤，10 ~ 15 g。外用适量，捣敷。

大花美人蕉 *Canna × generalis* L. H. Bailey

| 药 材 名 |

大花美人蕉花（药用部位：花。别名：美人蕉）、大花美人蕉根（药用部位：根茎）。

| 形态特征 |

植株高约 1.5 m。茎、叶和花序均被白粉。叶片椭圆形；叶缘、叶鞘紫色。花序顶生，每苞内有 1 ~ 2 花；花大；萼片披针形，长 1.5 ~ 3 cm；花冠管长 5 ~ 10 mm，花冠裂片披针形，长 4.5 ~ 6.5 cm；外轮退化雄蕊 3，倒卵状匙形，长 5 ~ 10 cm，宽 2 ~ 5 cm，红色、橘红色、淡黄色、白色等；发育雄蕊披针形，长约 4 cm，宽约 2.5 cm；子房球形，直径 4 ~ 8 mm；花柱带形，离生部分长 3.5 cm。花期秋季。

| 生境分布 |

广东珠江三角洲等有栽培。

| 资源情况 |

栽培资源丰富。药材来源于栽培。

| 采收加工 |

大花美人蕉花：夏、秋季采收，鲜用或切片晒干。

大花美人蕉根：夏、秋季采收，除去茎叶及须根，鲜用或切片晒干。

| 功能主治 | 大花美人蕉花：凉血止血。用于吐血，外伤出血。

大花美人蕉根：甘、淡，寒。清热利湿，解毒，止血。用于急性黄疸性肝炎，带下，跌打损伤，疮疡肿毒。

| 用法用量 | 大花美人蕉花：内服煎汤，9 ~ 15 g。外用适量，捣敷。

大花美人蕉根：内服煎汤，15 ~ 30 g，鲜品 60 ~ 90 g。外用适量，捣敷。

美人蕉科 Cannaceae 美人蕉属 Canna

美人蕉 *Canna indica* Linn.

| 药 材 名 |

美人蕉花（药用部位：花）、美人蕉根（药用部位：根茎。别名：观音姜、小芭蕉头、状元红）。

| 形态特征 |

植株高可达 1.5 m，全体绿色无毛，被蜡质白粉。具块状根茎。叶片卵状长圆形，长10 ~ 30 cm，全缘或微波状。总状花序；每花具 1 苞片；苞片卵形，长约 1.2 cm；萼片 3，绿白色，先端带红色，长约 1 cm；花冠大多红色，花冠管长约 1 cm，花冠裂片披针形，长约 3 cm；外轮退化雄蕊 2 ~ 3，鲜红色，倒披针形，长约 4 cm；唇瓣披针形，长约3 cm，弯曲。花果期 3 ~ 12 月。

| 生境分布 |

生于湿润草地。广东各地均有栽培。

| 资源情况 |

野生资源丰富。栽培资源丰富。药材来源于野生和栽培。

| 采收加工 |

美人蕉花： 花开时采收，阴干。

美人蕉根：全年均可采挖，除去茎叶，洗净，切片，晒干或鲜用。

| 功能主治 | 美人蕉花：凉血止血。用于吐血，外伤出血。

美人蕉根：甘、微苦、涩，凉。清热解毒，调经，利水。用于月经不调，带下，黄疸，痢疾，疮疡肿毒。

| 用法用量 | 美人蕉花：内服煎汤，6 ~ 15 g。

美人蕉根：内服煎汤，6 ~ 15 g，鲜品 30 ~ 120 g。外用适量，捣敷。

竹芋科 Marantaceae 竹芋属 Maranta

竹芋

Maranta arundinacea Linn.

| 药 材 名 | 竹芋（药用部位：根茎。别名：上百合、结粉、山百合）。

| 形态特征 | 植株高 0.4 ~ 1 m。根茎肉质，白色纺锤形，长 5 ~ 7 cm。茎柔弱，二叉分枝。叶基生或茎生；叶柄先端的叶枕圆柱形，长 5 ~ 10 mm；叶柄基部鞘状；叶绿色，先端渐尖，基部圆形，背面无毛或薄被长柔毛。总状花序顶生，长 10 ~ 20 cm；花白色；外轮 2 退化雄蕊倒卵形，花瓣状，长 8 ~ 10 mm，先端凹入，内轮退化雄蕊长仅及外轮退化雄蕊的一半。花期夏、秋季。

| 生境分布 | 广东各地均有栽培。

| 资源情况 | 栽培资源丰富。药材来源于栽培。

| **采收加工** | 全年均可采挖，除去茎叶及须根，切片，晒干。

| **功能主治** | 甘、淡，凉。清肺止咳，清热利尿。用于肺热咳嗽，小便热痛。

| **用法用量** | 内服煎汤，9 ~ 15 g。

竹芋科 Marantaceae 竹芋属 *Maranta*

花叶竹芋 *Maranta bicolor* Ker Gawl.

| 药 材 名 | 花叶竹芋（药用部位：根茎。别名：孔雀竹芋、双色竹芋）。

| 形态特征 | 植株矮小，高 25 ~ 40 cm。基部有根茎。叶互生；叶片小圆形、椭圆形至卵形，叶面粉绿色，中脉两侧有暗褐色斑块，背面粉绿色或淡紫色。总状花序单生；每苞片内有 3 对花；花梗与苞片近等长；萼片长约 5 mm；花冠白色；外轮 2 退化雄蕊较大，花瓣状，白色而有青紫色的斑点和线条，内轮退化雄蕊很小。花期夏、秋季。

| 生境分布 | 广东各地均有栽培。

| 资源情况 | 栽培资源丰富。药材来源于栽培。

| 采收加工 | 秋季采挖，洗净，鲜用或切片晒干。

| 功能主治 | 苦、辛，寒；有小毒。清热解毒，散结消肿。用于痈疽，疮疡，无名肿毒，跌打损伤，瘀血肿痛。

| 用法用量 | 内服煎汤，3～6g。外用适量，鲜品捣敷。

竹芋科 Marantaceae 柊叶属 Phrynium

柊叶
Phrynium rheedei Suresh & Nicolson.

| 药 材 名 | 粽粑叶（药用部位：全草或根茎、叶柄、叶片。别名：粽叶、冬叶）。

| 形态特征 | 植株高 1 m。根茎块状。叶基生，长圆形或长圆状披针形，长 25 ~ 50 cm，宽 10 ~ 22 cm，两面均无毛；叶柄长达 60 cm；叶枕长 3 ~ 7 cm，无毛。头状花序直径 5 cm，无柄；苞片长圆状披针形，长 2 ~ 3 cm，紫红色，先端初急尖，后呈纤维状；每苞片内有花 3 对，无柄；外轮退化雄蕊倒卵形，稍折皱，淡红色，内轮退化雄蕊较短，淡黄色。花期 5 ~ 7 月。

| 生境分布 | 生于山地密林中及山谷潮湿处。广东各地均有分布。

| 资源情况 | 野生资源丰富。药材来源于野生。

| 采收加工 | 春、夏季采收，鲜用或切段晒干。

| 功能主治 | 甘、淡，微寒。清热解毒，凉血止血，利尿。用于感冒高热，痢疾，吐血，衄血，崩中，口腔溃烂，酒醉，小便不利，音哑。

| 用法用量 | 根茎，内服煎汤，15 g。叶柄，内服煎汤，15 g；或鲜品捣汁或含漱。叶片，内服煎汤，9 ~ 15 g。

百合科 Liliaceae 粉条儿菜属 Aletris

短柄粉条儿菜 *Aletris scopulorum* Dunn

| 药 材 名 |

小肺筋草（药用部位：全草。别名：铁卵子、粉条儿菜、小肺金草）。

| 形态特征 |

植株具球茎，有稍肉质的纤维根。叶呈不明显的莲座状簇生，纸质，条形，长 5 ～ 15 cm，宽 2 ～ 4 mm。总状花序长 4 ～ 11 cm，疏生几朵花；苞片 2，条状披针形，位于花梗中部，长 3 ～ 5 mm，短于花；花梗长 1 ～ 2.5（～ 3.5）mm，有毛；花被白色，长 3.5 ～ 4 mm，有毛，分裂到中部；裂片条形，长 1.8 ～ 2 mm，宽约 0.3 mm。蒴果近球形，长 2.5 ～ 3 mm，宽 2 ～ 2.5 mm，有毛。花期 3 月，果期 4 月。

| 生境分布 |

生于荒地或草坡上。分布于广东蕉岭等。

| 资源情况 |

野生资源稀少。药材来源于野生。

| 采收加工 |

夏、秋季采收，切段。

| **功能主治** | 甘、苦，平。清热，润肺止咳，活血调经，杀虫。用于咳嗽咯血，百日咳，气喘，肺痈，乳痈，肠风便血，妇人乳少，经闭，疳积，蛔虫病。

| **用法用量** | 外用 10 ～ 30 g，鲜品捣敷。

百合科 Liliaceae 粉条儿菜属 Aletris

粉条儿菜

Aletris spicata Franch.

| 药 材 名 | 小肺筋草（药用部位：全草）。

| 形态特征 | 植株具多数须根，根毛局部膨大。叶簇生，长 10 ~ 25 cm，宽 3 ~ 4 mm。总状花序长 6 ~ 30 cm，疏生多花；花被黄绿色，上端粉红色，外面有柔毛，长 6 ~ 7 mm，分裂部分占 1/3 ~ 1/2；裂片条状披针形，长 3 ~ 3.5 mm，宽 0.8 ~ 1.2 mm。蒴果倒卵形或矩圆状倒卵形，有棱角，长 3 ~ 4 mm，宽 2.5 ~ 3 mm，密生柔毛。花期 4 ~ 5 月，果期 6 ~ 7 月。

| 生境分布 | 生于海拔 350 ~ 1 900 m 的山坡上、路边、灌丛边或草地上。分布于广东乳源、仁化、南雄、乐昌、蕉岭、饶平、连山、阳山等。

| **资源情况** | 野生资源一般。药材来源于野生。

| **采收加工** | 夏、秋季采收，切段。

| **功能主治** | 甘、苦，平。清热，润肺止咳，活血调经，杀虫。用于咳嗽，咯血，百日咳，气喘，肺痈，乳痈，腮腺炎，经闭，缺乳，疳积，蛔虫病，风火牙痛。

| **用法用量** | 内服煎汤，10 ~ 30 g，鲜品可用 60 ~ 120 g。外用适量，捣敷。

百合科 Liliaceae 芦荟属 Aloe

芦荟
Aloe vera (L.) Burm. f.

| 药 材 名 |

芦荟（药材来源：汁液浓缩的干燥物）。

| 形态特征 |

茎较短。叶近簇生或稍 2 列（幼小植株），肥厚多汁，条状披针形，粉绿色，长 15 ～ 35 cm，基部宽 4 ～ 5 cm，先端有小齿，边缘疏生刺状小齿。花葶高 60 ～ 90 cm，不分枝或稍分枝；总状花序具几十花；苞片近披针形，先端锐尖；花点垂，稀疏排列，淡黄色而有红斑；花被长约 2.5 cm，裂片先端稍外弯；雄蕊与花被近等长或较花被略长，花柱明显伸出花被外。

| 生境分布 |

广东各地均有栽培。

| 资源情况 |

栽培资源丰富。药材来源于栽培。

| 采收加工 |

全年均可采收，割取叶片，收集流出的汁液，蒸发到适当浓度，逐渐冷却硬固即得。

| **药材性状** | 本品呈不规则块状，常破裂为多角形，大小不一。表面呈暗红褐色或深褐色，无光泽。体轻，质硬，不易破碎，断面粗糙或显麻纹。富吸湿性，有特殊臭气，味极苦。

| **功能主治** | 苦，寒。泻下通便，清肝泻火，杀虫疗疳。用于热结便秘，肝火头痛，目赤惊风，虫积腹痛，疥癣，痔瘘。

| **用法用量** | 内服煎汤，2～5 g。外用适量，研末敷。

| **附　　注** | 本品为百合科植物库拉索芦荟、斑纹芦荟、好望角芦荟的叶汁经浓缩的干燥品。

百合科 Liliaceae 天门冬属 *Asparagus*

天门冬

Asparagus cochinchinensis (Lour.) Merr.

| **药 材 名** | 天门冬（药用部位：块根。别名：天冬、大当门根）。

| **形态特征** | 攀缘植物。根在中部或近末端呈纺锤状膨大，膨大部分长 3 ~ 5 cm，直径 1 ~ 2 cm。茎平滑，分枝具棱或狭翅。叶状枝通常每 3 成簇，扁平或由于中脉龙骨状而略呈锐三棱形；鳞片状叶基部延伸为长 2.5 ~ 3.5 mm 的硬刺，在分枝上的刺较短或不明显。花淡绿色；花梗长 2 ~ 6 mm；花单性；雄花花丝不贴生于花被片上；雌花大小和雄花相似。浆果成熟时红色，有 1 种子。花期 5 ~ 6 月，果期 8 ~ 10 月。

| **生境分布** | 生于海拔 1 750 m 以下的山坡、路旁、疏林下、山谷或荒地上。分布于广东乳源、丰顺、饶平、博罗、惠东、从化、增城、徐闻及深

圳（市区）等。

| **资源情况** | 野生资源较丰富。药材来源于野生。

| **采收加工** | 秋、冬季采挖，洗净，放入蒸笼内，蒸 1 小时，剥去外皮，晒干。

| **功能主治** | 苦、甘，寒。养阴润燥，清肺生津。用于肺痿咳嗽，吐涎，咽燥不渴。

| **用法用量** | 内服煎汤，6 ~ 12 g。

百合科 Liliaceae 天门冬属 *Asparagus*

羊齿天门冬

Asparagus filicinus Buch.-Ham. ex D. Don

| 药 材 名 | 羊齿天冬（药用部位：块根。别名：千锤打、百部、土百部）。

| 形 态 特 征 | 通常高 50 ~ 70 cm。根成簇，从基部开始或在距基部几厘米处呈纺锤状膨大。茎近平滑，分枝通常有棱，有时稍具软骨质齿。叶状枝每 5 ~ 8 成簇，扁平，镰状，长 3 ~ 15 mm，宽 0.8 ~ 2 mm，有中脉；鳞片状叶基部无刺。花淡绿色，有时稍带紫色；花梗纤细，长 12 ~ 20 mm；花单性；雄花花被长约 2.5 mm，花丝不贴生于花被片上；雌花和雄花近等大或较雄花略小。浆果有 2 ~ 3 种子。花期 5 ~ 7 月，果期 8 ~ 9 月。

| 生 境 分 布 | 生于海拔 1 200 ~ 1 900 m 的丛林下或山谷阴湿处。广东阳山及广州（市区）等有栽培。

| 资源情况 | 栽培资源少。药材来源于栽培。 |

| 采收加工 | 春、秋季采挖，除去茎，洗净，煮沸约 30 分钟，捞出，剥除外皮，晒干。 |

| 药材性状 | 本品呈长纺锤形，长 2.5 ~ 5 cm，直径 5 ~ 10 mm，有时成簇。表面棕黑色，有细密根毛，纵皱纹深浅不等。质坚韧，有黏性，断面角质样。中心中柱细，黄白色。有豆腥气，味淡。 |

| 功能主治 | 甘、苦，平。润肺止咳，杀虫止痒。用于阴虚肺燥，肺痨久咳，咳痰不爽，痰中带血，疥癣瘙痒。 |

| 用法用量 | 内服煎汤，6 ~ 15 g。外用适量，煎汤洗；或研末调敷。 |

| 附   注 | 本品常与天门冬混淆，有些地方作百部用，名"土百部"。 |

百合科 Liliaceae 天门冬属 Asparagus

石刁柏 *Asparagus officinalis* L.

| 药 材 名 |

石刁柏（药用部位：嫩茎。别名：芦笋、露笋、龙须菜）、小百部（药用部位：块根。别名：门冬薯、嗦罗罗、细叶百部）。

| 形态特征 |

高可达 1 m。根稍肉质。茎上部在后期常俯垂，分枝较柔弱，无毛。叶状枝每 3 ~ 6 成簇，近圆柱形，纤细，稍压扁。叶鳞片状，基部具刺状短距或近无距。花单性，雌雄异株，绿黄色；花梗长 7 ~ 14 mm；雄花花被片 6，长 5 ~ 6 mm，花丝中部以下贴生于花被片上；雌花较小，花被长约 3 mm，具 6 退化雄蕊。浆果球形，具种子 2 ~ 3。花期 5 月，果期 7 月。

| 生境分布 |

广东广州（市区）等有栽培。

| 资源情况 |

栽培资源较少。药材来源于栽培。

| 采收加工 |

石刁柏：4 ~ 5 月采收，随即采取保鲜措施，防止日晒脱水。

小百部：秋季采挖，鲜用或切片晒干。

| **功能主治** | 石刁柏：微甘，平。清热利湿，活血散结，杀疳虫。用于肺热咳嗽；外用于疥癣，寄生虫病。

小百部：苦、甘、微辛，温。润肺镇咳，祛痰杀虫。外用于疥癣，寄生虫病。

| **用法用量** | 石刁柏：内服煎汤，15 ~ 30 g。

小百部：内服煎汤，6 ~ 9 g；或入丸、散剂。外用适量，煎汤熏洗；或捣汁涂。

百合科 Liliaceae 天门冬属 Asparagus

文竹
Asparagus setaceus (Kunth) Jessop

| 药 材 名 | 文竹（药用部位：全草或块根。别名：蓬莱竹、小百部）。

| 形态特征 | 攀缘植物，高可达几米。根稍肉质，细长。茎的分枝极多，分枝近平滑。叶状枝通常每 10 ~ 13 成簇，刚毛状，略具 3 棱，长 4 ~ 5 mm；鳞片状叶基部稍具刺状距或距不明显。花通常每 1 ~ 3（~ 4）腋生，白色，有短梗；花被片长约 7 mm。浆果直径 6 ~ 7 mm，成熟时紫黑色，有 1 ~ 3 种子。

| 生境分布 | 广东各地均有栽培。

| 资源情况 | 栽培资源丰富。药材来源于栽培。

| 采收加工 | 全草，全年均可采收，鲜用或晒干。块根，秋季采收，除去泥土，用水煮或蒸至皮裂，剥去外皮，切段，干燥。

| 药材性状 | 本品根细长，稍肉质，长 15 ～ 24 cm，直径 3 ～ 4 mm。表面黄白色，有深浅不等的皱纹，并有纤细支根。质较柔韧，不易折断，断面黄白色。气微香，味苦、微辛。

| 功能主治 | 甘、微苦，寒。止咳润肺，凉血通淋。用于阴虚肺燥，咳嗽，咯血，小便淋沥。

| 用法用量 | 内服煎汤，6 ～ 30 g。

百合科 Liliaceae 蜘蛛抱蛋属 Aspidistra

蜘蛛抱蛋
Aspidistra elatior Blume

| 药 材 名 | 蜘蛛抱蛋（药用部位：根茎。别名：一帆青、飞天蜈蚣、哈萨喇）。

| 形态特征 | 根茎近圆柱形，具节和鳞片。叶单生，矩圆状披针形、披针形至近椭圆形，长 22 ～ 46 cm，宽 8 ～ 11 cm。花被钟状，长 12 ～ 18 mm，直径 10 ～ 15 mm，上部（6 ～）8 裂；裂片近三角形，内面具 4 特别肥厚的肉质脊状隆起，中间 2 隆起细而长，两侧 2 隆起粗而短，紫红色；雌蕊柱头盾状膨大，紫红色，上面具（3 ～）4 深裂，裂片先端微凹，边缘常向上反卷。

| 生境分布 | 生于林下阴处。广东广州（市区）、深圳（市区）等有栽培。

| 资源情况 | 栽培资源较少。药材来源于栽培。

| 采收加工 | 全年均可采收，除去须根及叶，洗净，鲜用或切片晒干。

| 药材性状 | 本品粗壮，稍肉质，直径 5 ～ 10 mm。表面棕色，有明显的节和鳞片。

| 功能主治 | 辛、甘，微寒。活血止痛，清肺止咳，利尿通淋。用于跌打损伤，风湿痹痛，腰痛，经闭腹痛，肺热咳嗽，石淋，小便不利。

| 用法用量 | 内服煎汤，9 ～ 15 g，鲜品 30 ～ 60 g；或作酒剂。外用适量，捣敷。

百合科 Liliaceae 蜘蛛抱蛋属 Aspidistra

九龙盘
Aspidistra lurida Ker Gawl.

| 药 材 名 | 地蜈蚣（药用部位：根。别名：青蛇莲、蛇退、俞莲）。

| 形态特征 | 根茎圆柱形，具节和鳞片。叶单生，矩圆状披针形、近椭圆形、披针形、矩圆状倒披针形或带形。花被筒长 5 ～ 8 mm，内面褐紫色，上部 6 ～ 8（～ 9）裂，裂片矩圆状三角形，先端钝，向外扩展，内面淡橙绿色或带紫色，具 2 ～ 4 不明显或明显的脊状隆起和多数小乳突；柱头盾状膨大，中部微凸，上面通常有 3 ～ 4 微凸的棱，边缘波状浅裂，裂片边缘不向上反卷。

| 生境分布 | 生于海拔 600 ～ 1 700 m 的山坡林下或沟旁。分布于广东乐昌、龙门、惠东、博罗、阳山、封开等。

李远球提供

| **资源情况** | 野生资源稀少。药材来源于野生。

| **采收加工** | 秋、冬季采收，晒干或鲜用。

| **药材性状** | 本品细长，长短不一，直径 1 ~ 2 mm。表面浅黄棕色，平滑。

| **功能主治** | 辛、微苦，平。祛风，散瘀，止痛。用于跌打损伤，腰痛，产后虚弱，咳嗽，疟疾，蛇咬伤等。

| **用法用量** | 内服煎汤，15 g。外用适量，鲜品捣敷；或配方用。孕妇慎用。

李远球提供

李远球提供

百合科 Liliaceae 蜘蛛抱蛋属 Aspidistra

小花蜘蛛抱蛋

Aspidistra minutiflora Stapf

药材名

小花蜘蛛抱蛋（药用部位：根茎）。

形态特征

根茎近圆柱状，密生节和鳞片。叶 2 ~ 3 簇生，带形或带状倒披针形，先端渐尖，基部渐狭而成不甚明显的柄。总花梗纤细，长 1 ~ 2.5 cm；花小，花被坛状，长 4.5 ~ 5 mm，直径 4 ~ 6 mm，青色带紫色，具紫色细点，上部具（4 ~）6 裂；裂片小，三角状卵形，不向外弯；花柱粗短，无关节，柱头稍膨大，圆形，直径 1.5 ~ 2.5 mm，边缘具（4 ~）6 圆齿。花期 7 ~ 10 月。

生境分布

生于路旁、山腰石上或石壁上。分布于广东仁化、龙门、博罗、封开、高要、郁南、阳春及深圳（市区）、珠海（市区）等。

资源情况

野生资源较丰富。药材来源于野生。

采收加工

秋、冬季采收，晒干。

| **功能主治** | 解热止咳，壮筋骨。用于跌打损伤。

| **用法用量** | 内服煎汤，15 ～ 30 g。外用适量，捣敷。

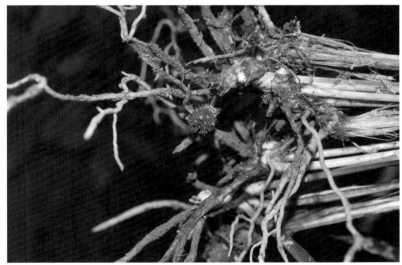

百合科 Liliaceae 绵枣儿属 Barnardia

绵枣儿
Barnardia japonica Schult. f.

| 药 材 名 |

天蒜（药用部位：全草或鳞茎。别名：地兰、石枣儿、山大蒜）。

| 形态特征 |

鳞茎卵球形，内面具绵毛。叶基生，狭线形，平滑，正面凹。花葶直立，长 30 ～ 45 cm，先于叶抽出；花序总状；花小，淡紫红色；雄蕊 6，花丝基部扁平，先端尖，边缘和背面常多少具小乳突；子房扁椭圆形，3 室，每室有一直立的胚珠。蒴果倒卵形，3 棱，成熟时 3 瓣开裂，长 2 ～ 3 cm。花期 8 ～ 9 月，果期 9 ～ 10 月。

| 生境分布 |

生于海拔 2 600 m 的丘陵、山坡、草地、路旁、林缘或田间。分布于广东乳源、乐昌、博罗、番禺及深圳（市区）、珠海（市区）等。

| 资源情况 |

野生资源较丰富。药材来源于野生。

| 采收加工 |

全草，夏、秋季采收，洗净，晒干。鳞茎，洗净，鲜用。

| **药材性状** | 本品鳞茎呈长卵形，长 2 ～ 3 cm，直径 5 ～ 15 mm，先端渐尖，残留叶基，基部鳞茎盘明显，其上残留黄白色或棕色须根或须根断痕。外部为数层鲜黄色膜质鳞叶，内部为白色叠生的肉质鳞片，富有黏性。气微，味微辣。以新鲜、饱满、不烂者为佳。

| **功能主治** | 甘、苦，寒；有小毒。强心利尿，消肿止痛，解毒。用于跌打损伤，腰腿疼痛，筋骨疼痛，牙痛，心源性水肿。

| **用法用量** | 内服煎汤，5 ～ 15 g。外用适量，捣敷。孕妇禁服。

| **附　　注** | 本品有毒，中毒症状与夹竹桃中毒症状相似，可按一般中毒急救原则处理，并对症治疗。

百合科 Liliaceae 大百合属 Cardiocrinum

荞麦大百合

Cardiocrinum cathayanum (E. H. Wilson) Stearn

| 药 材 名 | 荞麦叶大百合（药用部位：鳞茎）。

| 形态特征 | 植株高 50 ~ 100 cm。鳞茎卵形；鳞片肥厚，白色。茎直立，中空，光滑。基生叶 2 ~ 3，大型，具长柄，肥厚，叶片卵状心形；茎生叶互生，有柄。花 3 ~ 5，顶生，总状排列，侧向开放，大型，绿白色；花被片 6，呈漏斗状；雄蕊 6，比花被短；子房 3 室，柱头 3 裂。蒴果短圆形，棕黄色；种子扁平，阔肾形，具膜质狭翅。花期 5 月，果期 9 月。

| 生境分布 | 生于海拔 200 ~ 1 050 m 的较阴湿的山谷中、水沟旁或树林中。分布于广东乐昌等。

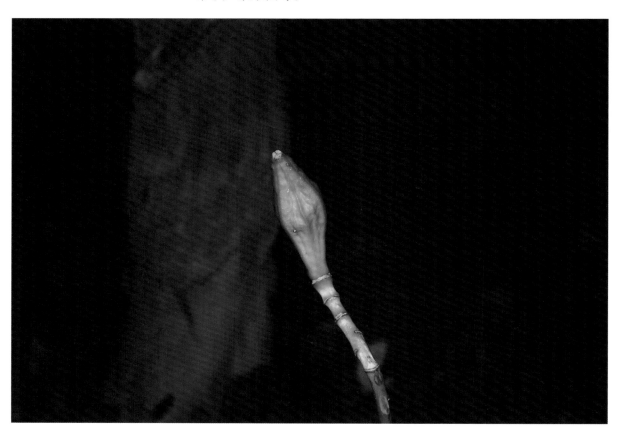

| **资源情况** | 野生资源稀少。药材来源于野生。 |

| **采收加工** | 春、夏季采挖，洗净，鲜用或晒干。 |

| **药材性状** | 本品由数片基生叶膨大的叶柄基部组成，小鳞茎无鳞茎瓣，外皮纤维质。 |

| **功能主治** | 微甘、苦，寒。清肺止咳，凉血消肿。用于鼻窦炎，中耳炎。 |

| **用法用量** | 内服煎汤，6 ~ 15 g。外用适量，捣汁滴鼻、耳；或捣敷。 |

百合科 Liliaceae 大百合属 *Cardiocrinum*

大百合 *Cardiocrinum giganteum* (Wall.) Makino

| 药 材 名 |

水百合（药用部位：鳞茎）。

| 形态特征 |

鳞茎大，暗绿色，高可达 18 cm，直径达 15 cm；鳞片少数，宽卵形，排列疏松。地上茎高大，高可达 1 m。基生叶莲座丛状，具长柄，宽卵形。花葶高大，挺直，先端有一多花的总状花序；花大，有香气，喇叭形，白色，外面有淡绿色条纹，里面有淡紫红色条纹。蒴果略似梨形，长约 7 cm；种子极多，有薄膜质三角形翅。

| 生境分布 |

生于海拔 1 450 ～ 1 900 m 的林下草丛中。分布于广东乳源、乐昌等。

| 资源情况 |

野生资源稀少。药材来源于野生。

| 采收加工 |

春、夏季采挖，洗净，鲜用或晒干。

| 药材性状 |

本品由数片基生叶膨大的叶柄组成，小鳞茎

高约 3 cm，直径约 2 cm，外具纤维质鳞茎皮。

| **功能主治** | 苦、微甘，凉。清肺止咳，解毒消肿。用于鼻窦炎，中耳炎。

| **用法用量** | 内服煎汤，6 ~ 15 g。外用适量，捣汁滴鼻、耳；或捣敷。

百合科 Liliaceae 白丝草属 Chionographis

中国白丝草

Chionographis chinensis K. Krause

| 药 材 名 |

中国白丝草（药用部位：全草）。

| 形态特征 |

叶椭圆形至矩圆状披针形，长 1 ~ 6 cm，宽 1 ~ 3.5 cm，边缘皱波状；叶柄长 1 ~ 6 cm。花葶高 14 ~ 40 cm；穗状花序长 3 ~ 14 cm，具多数花；花芳香；近轴的 3 ~ 4 花被片匙状狭条形至近丝状，淡黄色，其余 2 ~ 3 花被片很短或不存在；雄蕊长 1 ~ 1.5 mm，其中 3 雄蕊较长；花药在先端常多少汇合成 1 室。蒴果狭倒卵状，上半部开裂；种子多数，梭形，下端有尾，尾长约为种子的 1/6 ~ 1/3。花期 4 ~ 5 月，果期 6 月。

| 生境分布 |

生于海拔 650 m 以下的山坡、路旁背阴处或潮湿处。分布于广东乳源、增城、从化、连山、阳山、高要、阳春等。

| 资源情况 |

野生资源稀少。药材来源于野生。

| **采收加工** | 夏、秋季采收，鲜用。

| **功能主治** | 消炎止痛。用于烫火伤。

| **用法用量** | 外用适量，鲜品捣敷。

百合科 Liliaceae 吊兰属 Chlorophytum

吊兰

Chlorophytum comosum (Thunb.) Jacques

| 药 材 名 | 吊兰（药用部位：全草或根。别名：挂兰、葡萄兰、钓兰）。

| 形态特征 | 根茎短；根稍肥厚。叶剑形，绿色或有黄色条纹，长 10 ～ 30 cm，宽 1 ～ 2 cm。花葶比叶长，有时长可达 50 cm，常变为匍匐枝而在近顶部具叶簇或幼小植株；花白色，常 2 ～ 4 簇生，排成疏散的总状花序或圆锥花序；花被片长 7 ～ 10 mm，具 3 脉；花药矩圆形，长 1 ～ 1.5 mm，明显短于花丝，开裂后常卷曲。蒴果三棱状扁球形，每室具种子 3 ～ 5。花期 5 月，果期 8 月。

| 生境分布 | 广东各地均有栽培。

| 资源情况 | 栽培资源丰富。药材来源于栽培。

| 采收加工 | 全年均可采收，洗净，鲜用。

| 药材性状 | 本品须根呈圆柱状纺锤形，上有短根茎。完整叶片呈条形至条状披针形，长 20 ～ 30 cm，宽 1 ～ 2 cm，先端渐尖，基部抱茎，深绿色，有的具黄色纵条纹 或边缘为黄色。质较坚硬。气微，味淡。

| 功能主治 | 甘、微苦，凉。化痰止咳，散瘀消肿，清热解毒。用于小儿高热，肺热咳嗽，吐血， 跌打肿痛。

| 用法用量 | 内服煎汤，6 ～ 15 g，鲜品 15 ～ 30 g。外用适量，捣敷；或煎汤洗。

百合科 Liliaceae 吊兰属 Chlorophytum

三角草

Chlorophytum laxum R. Br.

| 药 材 名 | 小花吊兰（药用部位：全草。别名：疏花吊兰、山韭菜、土麦冬）。

| 形态特征 | 叶基生，近 2 列着生；叶片线形，常呈弧状弯曲，长 10 ~ 30 cm，宽 3 ~ 6 mm，有一明显的中脉，基部扩大，抱茎，膜质，半透明。花葶自叶腋抽出；总状花序顶生；花小，淡紫色或绿白色，有柄；花被 6 裂；雄蕊 6；子房无柄，3 室，每室有胚珠多颗。蒴果三棱状扁球形，开裂，每室通常具 1 种子；种子圆形。花果期 10 月至翌年4 月。

| 生境分布 | 生于湿润肥沃的草地、低海拔地区的山坡背阴处、岩石边。分布于广东龙门、惠东、英德、封开、信宜、雷州、徐闻及东莞、中山、

深圳（市区）、广州（市区）、肇庆（市区）、云浮（市区）、江门（市区）、阳江（市区）、茂名（市区）等。

| **资源情况** | 野生资源丰富。药材来源于野生。

| **采收加工** | 夏、秋季采收，洗净，鲜用或晾干。

| **药材性状** | 本品根细长，须根状，簇生或散生，上端具短根茎。叶 2 列着生，条形，长 8 ~ 30 cm，宽 4 ~ 6 mm。气微，味淡。

| **功能主治** | 微苦，凉；有毒。清热解毒，消肿散瘀。用于毒蛇咬伤，跌打肿痛。

| **用法用量** | 内服煎汤，9 ~ 15 g。外用适量，捣敷。本品有毒，剂量不宜过大。

百合科 Liliaceae 山菅兰属 Dianella

山菅

Dianella ensifolia (L.) Redouté

| 药 材 名 | 山菅兰（药用部位：全草或根茎）。

| 形态特征 | 植株高 1 ~ 2 m。根茎圆柱状，横走，直径 5 ~ 8 mm。叶狭条状披针形，长 30 ~ 80 cm，宽 1 ~ 2.5 cm，基部稍收狭成鞘状，套叠或抱茎，边缘和背面中脉具锯齿。先端圆锥花序长 10 ~ 40 cm，分枝疏散；花常多朵生于侧枝上端；花梗长 7 ~ 20 mm，常稍弯曲；苞片小；花被片条状披针形，长 6 ~ 7 mm，绿白色、淡黄色至青紫色，5 脉；花药条形，比花丝略长或与花丝近等长，花丝上部膨大。浆果近球形，深蓝色，直径约 6 mm，具 5 ~ 6 种子。花果期 3 ~ 8 月。

| 生境分布 | 生于海拔 1 700 m 以下的林下、山坡或草丛中。广东各地均有分布。

| 资源情况 | 野生资源丰富。药材来源于野生。

| 采收加工 | 全年均可采收，洗净，去皮，晒干。

| 功能主治 | 辛，温；有毒。拔毒消肿，散瘀止痛。用于痈疮脓肿，癣，淋巴结结核，淋巴结炎。

| 用法用量 | 外用适量，研末，以醋调敷。严禁内服。

| 附 注 | 全草有毒，家畜中毒可致死，人误食其果实可引起呃逆，甚至呼吸困难而死。可按中毒急救一般原则处理，并对症治疗。

百合科 Liliaceae 竹根七属 *Disporopsis*

散斑竹根七 *Disporopsis aspersa* (Hua) Engl. ex Diels

| 药 材 名 |

散斑假万寿竹（药用部位：根茎）。

| 形态特征 |

本种与竹根七 *Disporopsis fuscopicta* Hance 的区别在于本种根茎圆柱状，花被长 1 ~ 1.4 cm，副花冠裂片先端 2 深裂或 2 浅裂。

| 生境分布 |

生于海拔 1 100 ~ 1 900 m 的林下、背阴山谷或溪边。分布于广东仁化、乐昌等。

| 资源情况 |

野生资源稀少。药材来源于野生。

| 采收加工 |

秋、冬季采收，晒干或鲜用。

| 功能主治 |

甘、酸，平。养阴清肺，活血祛瘀。用于阴虚肺燥，咳嗽咽干，产后虚劳，干血痨，跌打损伤，骨折。

| **用法用量** | 内服煎汤，9 ~ 15 g。外用适量，鲜品捣敷；或熬膏涂擦；或研末调敷。

百合科 Liliaceae 竹根七属 Disporopsis

竹根七

Disporopsis fuscopicta Hance

| **药 材 名** | 散花竹根七（药用部位：根茎。别名：玉竹、阿青果）。

| **形态特征** | 高 25 ～ 50 cm。根茎连珠状，直径 1 ～ 1.5 cm。叶互生，具柄；叶片纸质，长 4 ～ 9 cm，宽 2.3 ～ 4.5 cm。花 1 ～ 2 生于叶腋，白色，内带紫色，稍俯垂；花梗长 7 ～ 14 mm；花被钟形，长 15 ～ 22 mm，花被筒长约为花被的 2/5；副花冠裂片膜质，与花被裂片互生，长约 5 mm，先端通常 2 ～ 3 齿或 2 浅裂；雌蕊长 8 ～ 9 mm，花柱与子房近等长。浆果近球形，具 2 ～ 8 种子。花期 4 ～ 5 月，果期 11 月。

| **生境分布** | 生于海拔 500 ～ 1 200（～ 1 900）m 的林下或山谷中。分布于广东乳源、翁源、乐昌、曲江、五华、龙门、连山、阳山、英德、信宜

及广州（市区）等。

| **资源情况** | 野生资源较丰富。药材来源于野生。

| **采收加工** | 秋、冬季采收，洗净，蒸后，晒干。

| **功能主治** | 甘、微辛，平。养阴润肺，活血祛瘀。用于阴虚肺燥，咳嗽咽干，产后虚劳，干血痨，跌打损伤，骨折。

| **用法用量** | 内服煎汤，9～15 g。外用适量，捣敷。

百合科 Liliaceae 万寿竹属 Disporum

万寿竹

Disporum cantoniense (Lour.) Merr.

药材名

竹叶参（药用部位：根。别名：白龙须、竹叶七、石竹根）。

形态特征

高可达 1 m。根茎短，簇生多数须根。叶互生；叶片质薄，卵状披针形或披针形，长 5 ~ 10 cm，宽 1.5 ~ 3 cm。伞形花序顶生或与叶对生，有花 3 ~ 10；花序梗先端有一与叶相似的苞片；花下垂，白色或淡紫色，长 1.5 ~ 2 cm；花被片 6，基部有距；雄蕊 6，内藏；子房 3 室，长球形，花柱细长，柱头 3 裂。浆果球形，黑色；种子 2 ~ 3。花期夏季。

生境分布

生于海拔 700 ~ 1 900 m 的灌丛中或林下。分布于广东乳源、乐昌、五华、阳山、连州、英德、怀集及广州（市区）、深圳（市区）、云浮（市区）等。

资源情况

野生资源较丰富。药材来源于野生。

| **采收加工** | 夏、秋季间采挖，洗净，鲜用或晒干。

| **药材性状** | 本品呈圆柱形，略扭曲，长 4 ~ 10 mm，直径 1 ~ 2 mm。表面黄棕色，具细纵纹。质硬脆，断面皮部黄白色，木部淡棕色。气微，味甘、微辛。以根粗、色黄棕者为佳。

| **功能主治** | 苦、辛，凉。祛风湿，舒筋活血，清热，祛痰止咳。用于风湿痹痛，腰腿关节疼痛，跌打损伤，骨折，虚劳，骨蒸潮热，肺痨咯血，肺热咳嗽，烫火伤。

| **用法用量** | 内服煎汤，9 ~ 15 g；或研末；或浸酒。外用适量，捣敷；或熬膏涂。

百合科　Liliaceae　万寿竹属　*Disporum*

宝铎菜
Disporum uniflorum Baker

| 药 材 名 | 竹林霄（药用部位：根茎。别名：石竹根、万花梢、百尾笋）。

| 形态特征 | 根茎肉质，横出，长 3 ～ 10 cm；根簇生，直径 2 ～ 4 mm。茎直立，上部具叉状分枝。叶薄纸质至纸质，长 4 ～ 15 cm，宽 1.5 ～ 5（～ 9）cm。花黄色、绿黄色或白色，1 ～ 3（～ 5）着生于分枝先端；花被片近直出，基部具长 1 ～ 2 mm 的短距；雄蕊内藏，花丝长约 15 mm，花药长 4 ～ 6 mm；花柱长约 15 mm，具 3 裂而外弯的柱头。浆果椭圆形或球形，具 3 种子；种子深棕色。花期 3 ～ 6 月，果期 6 ～ 11 月。

| 生境分布 | 生于海拔 600 ～ 1 900 m 的林下或灌丛中。分布于广东乳源、乐昌、曲江、龙门、博罗、从化、增城、连南、连山、德庆、高要、罗定、

阳春、信宜、化州等。

| **资源情况** | 野生资源丰富。药材来源于野生。

| **采收加工** | 夏、秋季采挖，洗净，鲜用或晒干。

| **功能主治** | 甘、淡，平。清肺化痰，止咳，健脾消食，舒筋活血。用于肺痨咳嗽，食欲不振，胸腹胀满，筋骨疼痛，腰腿疼痛；外用于烫火伤，骨折。

| **用法用量** | 内服煎汤，9 ~ 15 g。外用适量，鲜品捣敷；或熬膏涂擦；或研末调敷。

百合科 Liliaceae 萱草属 Hemerocallis

黄花菜

Hemerocallis citrina Baroni

药 材 名

金针菜（药用部位：花。别名：萱草花、川草花、宜男花）。

形态特征

具短的根茎和肉质、肥大的纺锤状块根。花葶长短不一，一般稍长于叶，有分枝；蝎尾状聚伞花序复组成圆锥状，多花，有时可达100 花；花序下部的苞片披针形，自下向上渐短；花柠檬黄色，具淡清香味；花梗很短；花被管长 3 ～ 5 cm。蒴果钝三棱状椭圆形；种子约20，黑色，有棱。花果期 5 ～ 9 月。

生境分布

生于海拔 1 900 m 以下的山坡、山谷、荒地或林缘。分布于广东乳源、始兴、阳山、英德、阳春、信宜等。

资源情况

野生资源较少。药材来源于野生。

采收加工

5 ～ 8 月花将开时采收，蒸后晒干。

| **药材性状** | 本品呈弯曲的条状，表面黄棕色或淡棕色，湿润展开后呈喇叭状；花被管较长，先端 5 瓣裂；雄蕊 6。质韧。气微香，味咸、微甜。 |

| **功能主治** | 甘，凉。清热利湿，宽胸解郁，凉血止毒。用于小便短赤，黄疸，胸闷心烦，少寐，痔疮便血，疮痈。 |

| **用法用量** | 内服煎汤，15 ～ 30 g；或煮汤、炒菜。外用适量，捣敷；或研末调蜜涂敷。 |

百合科 Liliaceae 萱草属 Hemerocallis

萱草
Hemerocallis fulva L.

| 药 材 名 | 萱草根（药用部位：根。别名：忘萱草、漏芦果、漏芦根果）、萱草嫩苗（药用部位：嫩苗）。

| 形态特征 | 根近肉质，中下部呈纺锤状膨大。叶一般较宽。花早上开晚上凋谢，无香味，橘红色至橘黄色；内花被裂片宽 2 ~ 3 cm，下部一般有"∧"形彩斑；花被管较粗短，长 2 ~ 3 cm。花果期 5 ~ 7 月。

| 生境分布 | 生于海拔 500 ~ 1 900 m 的草甸、湿草地、荒坡或灌丛下。分布于广东乳源、仁化、始兴、龙门、博罗、大埔、连南、连山、阳山、英德、罗定及肇庆（市区）、广州（市区）等。

| 资源情况 | 野生资源较丰富。药材来源于野生。

| 采收加工 | 萱草根：夏、秋季采挖，除去残茎、须根，洗净泥土，晒干。
萱草嫩苗：春季采收，鲜用。

| 药材性状 | 萱草根：本品簇生，多数已折断，完整的长 5～15 cm，上部直径 3～4 mm，中下部膨大成纺锤形块根，直径 0.5～1 cm，多干瘪抽皱，有多数纵皱及少数横纹。表面灰黄色或淡灰棕色。体轻，质松软，稍有韧性，不易折断，断面灰棕色或暗棕色，有多数放射状裂隙。气微香，味微甜。

| 功能主治 | 萱草根：甘，凉；有毒。清热利湿，凉血止血，解毒消肿。用于黄疸，水肿，淋浊，带下，衄血，便血，乳痈，乳汁不通。
萱草嫩苗：甘，凉。清热利湿。用于胸膈烦热，黄疸，小便短赤。

| 用法用量 | 萱草根：内服煎汤，10～20 g。外用适量，捣敷。
萱草嫩苗：内服煎汤，鲜品，15～30 g。外用适量，捣敷。

| 附　　注 | 萱草根具有毒性，服用过量可致瞳孔扩大，呼吸抑制，甚至失眠和死亡，因此必须加以谨慎，要在医师指导下使用，以免发生事故。

百合科 Liliaceae 玉簪属 Hosta

玉簪
Hosta plantaginea Asch.

| 药 材 名 | 玉簪（药用部位：全草或叶）、玉簪根（药用部位：根。别名：玉簪花根）、玉簪花（药用部位：花。别名：内消花、白鹤花、白鹤仙）。

| 形态特征 | 具粗根茎。叶片卵形至心状卵形，长 15 ～ 25 cm，宽 9 ～ 15.5 cm。花葶具 1 膜质苞片状叶；总状花序，基部具苞片；苞片长 2 ～ 3 cm，宽 1 ～ 1.2 cm；花白色，芳香；花被筒下部细小，长 5 ～ 6 cm，直径 2.5 ～ 3.5 cm；花被裂片 6，长椭圆形；雄蕊下部与花被筒贴生，与花被等长或稍伸出花被外。蒴果圆柱形，长 6 cm，直径 1 cm。花期 7 ～ 8 月，果期 8 ～ 9 月。

| 生境分布 | 生于海拔 1 900 m 以下的林下、草坡或岩石边。分布于广东英德等。

| 资源情况 | 野生资源丰富。药材来源于野生。

| 采收加工 | **玉簪**：夏、秋季采收，洗净，鲜用或晾干。
玉簪根：秋后采挖，鲜用或晒干。
玉簪花：夏季含苞待放时采收，阴干。

| 功能主治 | **玉簪**：苦、辛，寒；有毒。清热解毒，散结消肿。用于一切毒疮，骨鲠，痈肿，蛇虫咬伤。
玉簪根：苦、辛，寒；有毒。清热解毒，下骨鲠。用于痈肿疮疡，乳痈，咽喉肿痛，骨鲠。
玉簪花：苦、甘，凉；有小毒。清热解毒，利水，通经。用于咽喉肿痛，小便不通，疮毒，烧伤，经闭。

| 用法用量 | **玉簪**：内服煎汤，鲜品 15 ～ 30 g；或捣汁和酒。外用适量，捣敷；或捣汁涂。
玉簪根：内服煎汤，9 ～ 15 g，鲜品加倍；或捣汁。外用适量，捣敷。
玉簪花：内服煎汤，4 ～ 5 g。外用适量，捣敷。

百合科 Liliaceae 玉簪属 Hosta

紫萼
Hosta ventricosa (Salisb.) Stearn

药材名

紫玉簪（药用部位：花。别名：紫鹤、鸡骨丹、红玉簪）、紫玉簪叶（药用部位：叶）、紫玉簪根（药用部位：根。别名：红玉簪花头）。

形态特征

根茎直径 0.3 ~ 1 cm。叶卵状心形、卵形至卵圆形，长 8 ~ 19 cm，宽 4 ~ 17 cm，具 7 ~ 11 对侧脉；叶柄长 6 ~ 30 cm。花葶高 60 ~ 100 cm，具 10 ~ 30 花；苞片矩圆状披针形，长 1 ~ 2 cm，白色，膜质；花单生，长 4 ~ 5.8 cm，盛开时从花被管向上骤然呈近漏斗状扩大，紫红色；花梗长 7 ~ 10 mm；雄蕊伸出花被外，完全离生。花期 6 ~ 7 月，果期 7 ~ 9 月。

生境分布

生于海拔 500 ~ 1 900 m 的林下、草坡或路旁。分布于广东乳源、和平、阳山等。

资源情况

野生资源较少。药材来源于野生。

| 采收加工 | 紫玉簪：夏、秋季间采收，晾干。
紫玉簪叶：夏、秋季采收，洗净，鲜用。
紫玉簪根：全年均可采收，洗净，鲜用或晒干。

| 功能主治 | 紫玉簪：甘、微苦，凉。凉血止血，解毒。用于吐血，崩漏，湿热带下，咽喉肿痛。
紫玉簪叶：苦、微甘，凉。用于崩漏，湿热带下，疮肿，溃疡。
紫玉簪根：苦、微辛，凉。清热解毒，散瘀止痛，止血，下骨鲠。用于咽喉肿痛，痈肿疮疡，跌打损伤，胃痛，牙痛，吐血，崩漏，骨鲠。

| 用法用量 | 紫玉簪：内服煎汤，9～15 g。
紫玉簪叶：内服煎汤，9～15 g，鲜品加倍。外用适量，捣敷；或用沸水泡软敷。
紫玉簪根：内服煎汤，9～15 g，鲜品加倍。外用适量，捣敷。

百合科 Liliaceae 百合属 Lilium

野百合

Lilium brownii F. E. Brown ex Miellez

| 药 材 名 |

紫花野百合（药用部位：鳞茎。别名：倒挂山芝麻）。

| 形态特征 |

鳞茎球形，直径 2 ~ 4.5 cm；鳞片披针形，长 1.8 ~ 4 cm，宽 0.8 ~ 1.4 cm，无节，白色。叶散生，披针形、窄披针形至条形，两面无毛。花喇叭形，有香气，乳白色，外面稍带紫色，无斑点，向外张开或先端外弯而不卷，长 13 ~ 18 cm；蜜腺两边具小乳头状突起；雄蕊向上弯，花丝长 10 ~ 13 cm，中部以下密被柔毛，少有具稀疏的毛或无毛。蒴果具多数种子。花期 5 ~ 6 月，果期 9 ~ 10 月。

| 生境分布 |

生于 100 ~ 2 150 m 的山坡、灌木林下、路边、溪旁或石缝中。分布于广东乳源、新丰、始兴、乐昌、和平、紫金、大埔、平远、饶平、博罗、惠阳、英德及深圳（市区）、广州（市区）等。

| 资源情况 |

野生资源较丰富。药材来源于野生。

| 采收加工 | 秋季采挖，晒干或鲜用。

| 功能主治 | 甘，寒。养阴润肺，清心安神。用于痢疾，疮疖，疳积。

| 用法用量 | 内服煎汤，6 ~ 15 g。

百合科 Liliaceae 百合属 Lilium

百合

Lilium brownii Poit. var. *viridulum* Baker

药 材 名

百合（药用部位：鳞茎。别名：蟠、重迈、中庭）。

形态特征

高 70 ~ 150 cm。鳞茎球形，直径约 5 cm，鳞茎瓣广展。叶散生，具短柄；叶片倒披针形至倒卵形，有 3 ~ 5 脉。花 1 ~ 4，喇叭形，有香味；花被片 6，倒卵形，长 15 ~ 20 cm，宽 3 ~ 4.5 cm，多为白色，背面带紫褐色，无斑点，先端弯而不卷，蜜腺两边具小乳头状突起；雄蕊 6，前弯。蒴果长圆形，有棱。花果期 6 ~ 9 月。

生境分布

生于 300 ~ 920 m 的山坡草丛中、疏林下、山沟旁、地边或村旁。分布于广东乳源、乐昌、连南、连州等。

资源情况

野生资源稀少。药材来源于野生。

采收加工

移栽翌年 9 ~ 10 月茎叶枯萎后采挖，除去茎秆、须根，将小鳞茎选留做种，将大鳞茎洗净，从基部横切一刀，置沸水中烫 5 ～ 10 分钟，当鳞片边缘变软，背面有微裂时，迅速捞起，置清水中洗去黏液，晒干或炕干。

| **药材性状** | 本品呈长椭圆形，先端尖，基部较宽，微波状，向内卷曲，长 1.5 ～ 3 cm，宽 0.5 ～ 1 cm，厚约 4 mm，有脉纹 3 ～ 5，有的不明显。表面白色或淡黄色，光滑，半透明，质硬而脆，易折断，断面平坦，角质样。无臭，味微苦。

| **功能主治** | 甘，寒。养阴润肺，清心安神。用于痢疾，疮疖，疳积。

| **用法用量** | 内服煎汤，6 ～ 12 g；或入丸、散剂；或蒸食、煮粥。外用适量，捣敷。

百合科 Liliaceae 百合属 Lilium

条叶百合

Lilium callosum Siebold et Zucc.

| 药 材 名 |

条叶百合（药用部位：鳞茎）。

| 形态特征 |

鳞茎小，扁球形，高2 cm，直径1.5 ~ 2.5 cm；鳞片卵形或卵状披针形，长1.5 ~ 2 cm，宽6 ~ 12 mm，白色。叶散生，条形，无毛，边缘有小乳头状突起。花单生，稀数朵排成总状花序；苞片1 ~ 2，长1 ~ 1.2 cm，先端加厚；花被片倒披针状匙形，长3 ~ 41 cm，宽4 ~ 6 mm，中部以上反卷，红色或淡红色，几无斑点，蜜腺两边有稀疏的小乳头状突起；花柱短于子房。花期7 ~ 8月，果期8 ~ 9月。

| 生境分布 |

生于海拔182 ~ 640 m的山坡或草丛中。分布于广东乐昌、乳源、连州、和平等。

| 资源情况 |

野生资源较少。药材来源于野生。

| 功能主治 | 甘，寒。滋阴润肺，清心安神。用于阴虚久咳，痰中带血，虚烦心悸，失眠多梦，精神恍惚。

| 用法用量 | 内服煎汤，6～12 g。

百合科 Liliaceae 百合属 Lilium

卷丹

Lilium lancifolium Thunb.

| 药 材 名 | 卷丹百合（药用部位：鳞茎。别名：河花、山百合）。

| 形态特征 | 鳞茎近宽球形，高约 3.5 cm，直径 4 ~ 8 cm；鳞片宽卵形，长
2.5 ~ 3 cm，宽 1.4 ~ 2.5 cm，白色。叶散生，矩圆状披针形或披针形，
长 6.5 ~ 9 cm，宽 1 ~ 1.8 cm，上部叶腋有珠芽。花 3 ~ 6 或更多，
下垂；花被片披针形，反卷，橙红色，有紫黑色斑点，内轮花被片
稍宽，蜜腺两边有乳头状突起，尚有流苏状突起；雄蕊四面张开。
蒴果狭长卵形，长 3 ~ 4 cm。花期 7 ~ 8 月，果期 9 ~ 10 月。

| 生境分布 | 生于海拔 400 ~ 1 900 m 的山坡灌木林下、草地，路边或水旁。广
东各地均有栽培。

| 资源情况 | 栽培资源丰富。药材来源于栽培。

| 采收加工 | 移栽翌年 9 ～ 10 月茎叶枯萎后采挖，除去茎秆、须根，将小鳞茎选留做种，将大鳞茎洗净，从基部横切一刀，置沸水中烫 5 ～ 10 分钟，当鳞片边缘变软，背面有微裂时，迅速捞起，置清水中洗去黏液，晒干或炕干。

| 药材性状 | 本品长 2 ～ 3.5 cm，宽 1.5 ～ 3 cm，厚 1 ～ 3 mm。表面乳白色或淡黄棕色，有纵直脉纹 3 ～ 8。质硬而脆，易折断，断面平坦，角质样。无臭，味微苦。

| 功能主治 | 甘，平。润肺止咳，宁心安神。用于肺痨咳嗽，痰中带血，神经衰弱，心烦不安。

| 用法用量 | 内服煎汤，6 ～ 12 g；或入丸、散剂；或蒸食、煮粥。外用适量，捣敷。

百合科 Liliaceae 百合属 Lilium

麝香百合 *Lilium longiflorum* Thunb.

| 药 材 名 |

麝香百合（药用部位：鳞茎）。

| 形态特征 |

高 50 ~ 100 cm。鳞茎近球形，直径约5 cm。茎直立，基部淡红色。叶披针形或狭长椭圆形，长 10 ~ 15 cm，宽 5 ~ 15 mm，先端渐尖或锐尖。花顶生，2 ~ 3，平生或稍下弯，喇叭形，纯白色，基部染成绿色；花被片 6，倒卵形或倒披针形，上方稍反曲；雄蕊 6；雌蕊 1，花柱细长，上部弯曲，柱头头状。蒴果长椭圆形。花期初夏。

| 生境分布 |

生于山地路旁、山坡草丛中或疏林下。广东各地均有栽培。

| 资源情况 |

栽培资源丰富。药材来源于栽培。

| 采收加工 |

秋、冬季采挖，除去地上部分，洗净泥土，用沸水烫或微蒸，焙干或晒干。

| 功能主治 | 甘，凉。润肺止咳，清热安神，利尿。用于虚劳咳嗽，吐血，支气管炎，血尿。

| 用法用量 | 内服煎汤，15 ~ 50 g；或蒸食、煮粥。外用适量，捣敷。

百合科 Liliaceae 山麦冬属 Liriope

禾叶山麦冬

Liriope graminifolia (L.) Baker

| 药 材 名 |

大麦门冬（药用部位：块根。别名：麦冬）。

| 形态特征 |

根细或稍粗，分枝多，有时有纺锤形小块根；根茎短或稍长，具地下走茎。叶长20～50（～60）cm，宽2～3（～4）mm。总状花序长6～15 cm，具许多花；花通常3～5簇生于苞片腋内；花梗长约4 mm；花丝长1～1.5 mm，扁而稍宽；花药近矩圆形，长约1 mm。花期6～8月，果期9～11月。

| 生境分布 |

生于海拔几十米至1 900 m的山坡、山谷林下、灌丛中、山沟阴处、石缝间及草丛中。分布于广东乳源、蕉岭、南澳、博罗、新会及深圳（市区）等。

| 资源情况 |

野生资源较丰富。药材来源于野生。

| 采收加工 |

秋、冬季采收，晒干。

| **功能主治** | 甘，平。滋阴润肺，清心除烦，养胃生津，化痰止咳。用于消渴，吐血，衄血，齿缝出血，喉疮，泻痢，口渴。

| **用法用量** | 内服煎汤，10 ~ 15 g。

阔叶山麦冬 *Liriope muscari* (Decne.) L. H. Bailey

|药 材 名|

土麦冬（药用部位：块根。别名：麦门冬）。

|形态特征|

根多分枝，常局部膨大成纺锤形或圆矩形小块根；块根长可达 3.5 cm，无地下走茎。叶丛生，长 20 ~ 65 cm，宽 1 ~ 3.5 cm。总状花序长 25 ~ 40 cm，具多数花；花 3 ~ 8 簇生于苞片腋内；苞片小，刚毛状；花被片矩圆形或矩圆状披针形，长约 3.5 mm，紫色；花丝长约 1.5 mm；花药长 1.5 ~ 2 mm，近矩圆状披针形。花期 7 ~ 8 月，果期 9 ~ 10 月。

|生境分布|

生于 100 ~ 1 400 m 的山地、山谷林下或潮湿处。广东各地均有分布。

|资源情况|

野生资源丰富。药材来源于野生。

|采收加工|

夏初采挖，洗净，反复暴晒、堆置至近干，除去须根，干燥。

| **药材性状** | 本品呈圆柱形，略弯曲，两端略钝圆，常有中柱露出，直径 0.5 ～ 1.5 cm。表面土黄色至暗黄色，具不规则皱纹及槽纹。未干透时质柔韧，干后坚硬，易折断，断面淡黄色至黄白色，角质样，中柱细小。气微，味甜，嚼之发黏。 |

| **功能主治** | 甘、微苦，微寒。养阴生津，润肺清心。用于阴虚肺燥，咳嗽痰黏，胃阴不足，口燥咽干，肠燥便秘。 |

| **用法用量** | 内服煎汤，9 ～ 15 g。 |

百合科 Liliaceae 山麦冬属 Liriope

山麦冬
Liriope spicata (Thunb.) Lour.

| 药 材 名 | 土麦冬（药用部位：块根）。

| 形态特征 | 植株有时丛生。根稍粗，直径 1 ~ 2 mm，有时分枝多，近末端处常膨大成矩圆形、椭圆形或纺锤形的肉质小块根；根茎短，具地下走茎。叶长 25 ~ 60 cm，宽 4 ~ 6（~ 8）mm。总状花序长 6 ~ 15（~ 20）cm，具多数花；花通常（2 ~）3 ~ 5 簇生于苞片腋内；花丝长约 2 mm；花药狭矩圆形，长约 2 mm。花期 5 ~ 7 月，果期 8 ~ 10 月。

| 生境分布 | 生于海拔 50 ~ 1 400 m 的山坡、山谷林下、路旁或湿地。广东各地均有分布或栽培。

| **资源情况** | 野生资源丰富。栽培资源丰富。药材来源于野生和栽培。

| **采收加工** | 夏初采挖，洗净，反复暴晒、堆置至近干，除去须根，干燥。

| **功能主治** | 甘、微苦，微寒。养阴生津，清心润肺。用于阴虚肺燥，咳嗽痰黏，胃阴不足，口燥咽干，肠燥便秘。

| **用法用量** | 内服煎汤，9 ~ 15 g。

百合科 Liliaceae 沿阶草属 Ophiopogon

长茎沿阶草 Ophiopogon chingii F. T. Wang et Tang

| 药 材 名 | 剪刀蕉（药用部位：全草或块根。别名：铁丝草、粉叶沿阶草）。

| 形态特征 | 根一般较粗，常多少木质化而稍坚硬。茎长，直径 2 ～ 5 mm，每年延长后，老茎上的叶枯萎而残留叶鞘，常平卧地面并生根，有时具分枝。叶散生于长茎上，剑形，稍呈镰状，长 7 ～ 20 cm，宽 2.5 ～ 8 mm，基部收狭成柄；叶柄稍明显。总状花序；苞片卵形或披针形，除中脉外，薄膜质，白色，透明，先端长渐尖，最下面的苞片长约 6 mm，向上渐短；花梗长 6 ～ 9 mm；花柱细，长约 4 mm；花药卵形，长 8 ～ 12 mm。花期 5 ～ 6 月。

| 生境分布 | 生于海拔 1 000 ～ 1 900 m 的山坡灌丛下、林下或岩石缝中。分布于广东信宜、化州等。

| **资源情况** | 野生资源稀少。药材来源于野生。

| **功能主治** | 清热润肺，养阴生津。用于风湿痹痛，瘫痪，小儿麻痹症后遗症，肥大性脊椎炎。

| **用法用量** | 内服煎汤，6～15g；或入丸、散、膏剂。外用适量，研末调敷；或煎汤涂；或鲜品捣汁搽。

百合科 Liliaceae 沿阶草属 *Ophiopogon*

间型沿阶草
Ophiopogon intermedius D. Don

| 药 材 名 | 假银丝马尾（药用部位：块根）。

| 形态特征 | 植株常丛生，有粗短、块状的根茎。茎很短。叶基生成丛，禾叶状，长 15 ~ 55（ ~ 70）cm，宽 2 ~ 8 mm。总状花序；苞片钻形或披针形，最下面的苞片长可达 2 cm，有的较短；花梗长 4 ~ 6 mm；花被片矩圆形，先端钝圆，长 4 ~ 7 mm，白色或淡紫色；花丝极短，花药条状狭卵形，长 3 ~ 4 mm；花柱细，长约 3.5 mm，花柱与子房之间有明显的界线。花期 5 ~ 8 月，果期 8 ~ 10 月。

| 生境分布 | 生于海拔 1 000 ~ 1 900 m 的山谷、林下阴湿处或水沟边。分布于广东乳源、仁化、始兴、乐昌、连山、阳山、连州、怀集及东莞、深

圳（市区）、佛山（市区）、肇庆（市区）等。

| **资源情况** | 野生资源丰富。药材来源于野生。

| **采收加工** | 秋、冬季采收。

| **功能主治** | 甘、微苦，凉。滋阴生津，润肺止咳。用于心悸，风湿性心脏病，肺结核，慢性支气管炎。

| **用法用量** | 内服煎汤，6 ~ 15 g；或入丸、散、膏剂。外用适量，研末调敷；或煎汤涂；或鲜品捣汁搽。

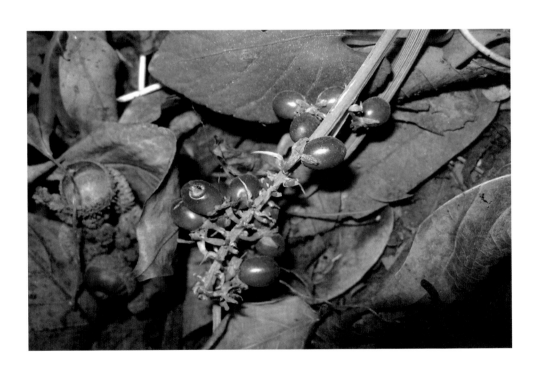

百合科 Liliaceae 沿阶草属 Ophiopogon

麦冬

Ophiopogon japonicus (L. f.) Ker Gawl.

| 药 材 名 |

麦门冬（药用部位：块根。别名：不死药、禹余粮）。

| 形态特征 |

根较粗，中间或近末端常膨大成椭圆形或纺锤形小块根；小块根长 1 ~ 1.5 cm 或更长，宽 5 ~ 10 mm，淡褐黄色；地下走茎细长。茎很短；叶基生成丛，禾叶状，长10 ~ 50 cm，少数更长，宽 1.5 ~ 3.5 mm。花葶长 6 ~ 15（~ 27）cm，通常比叶短得多；花被片常稍下垂而不展开，披针形，长约 5 mm，白色或淡紫色。种子球形，直径7 ~ 8 mm。花期 5 ~ 8 月，果期 8 ~ 9 月。

| 生境分布 |

生于海拔 1 900 m 以下的山坡阴湿处、林下或溪旁。分布于广东翁源、南雄、乐昌、乳源、新丰、大埔、五华、惠东及广州（市区）、肇庆（市区）等。

| 资源情况 |

野生资源较丰富。药材来源于野生。

| **采收加工** | 夏季采挖，洗净，反复暴晒、堆置至七八成干，除去须根。

| **药材性状** | 本品呈纺锤形，两端略尖，长 1.5 ～ 3 cm，直径 0.3 ～ 0.6 cm。表面黄白色或淡黄色，有细纵纹。质柔韧，断面黄白色，半透明，中柱细小。气微香，味甘、微苦。

| **功能主治** | 甘、微苦，微寒。滋阴生津，润肺清心。用于肺燥干咳，肺痈，阴虚劳嗽，津伤口渴，消渴，心烦失眠，咽喉疼痛，肠燥便秘，血热吐衄。

| **用法用量** | 内服煎汤，6 ～ 15 g；或入丸、散、膏剂。外用适量，研末调敷；或煎汤涂；或鲜品捣汁搽。

百合科 Liliaceae 沿阶草属 Ophiopogon

宽叶沿阶草

Ophiopogon platyphyllus Merr. et Chun

| 药 材 名 |

阔叶山麦冬（药用部位：全草或块根）。

| 形态特征 |

根粗壮，直径达 5 mm，木质化，中空。茎短，逐年延长后，老茎上的叶脱落而残留叶鞘，并生出新根，形如根茎。叶丛生，条状披针形，革质，长（24 ~）40 ~ 55 cm，宽 18 ~ 22 mm，上面绿色，背面粉绿色，基部收狭成不明显的柄；叶柄基部有时有棕红色斑污。花葶较叶短得多，较粗壮，长12 ~ 16 cm；总状花序长约 6 cm，具 20 余花；花常 2 ~ 4 成簇着生于苞片腋内；花梗长 7 ~ 9 mm，关节位于中部以下；花被片披针形或狭披针形，长约 7 mm；花药线状披针形，长约 6 mm；花柱细，长约 6 mm。花期 5 ~ 6 月。

| 生境分布 |

生于海拔 600 ~ 1 800 m 的林下、溪边或路边。分布于广东阳春及茂名（市区）等。

| 资源情况 |

野生资源稀少。药材来源于野生。

| **采收加工** | 夏、秋季采收全草，秋、冬季采收块根，晒干。

| **功能主治** | 甘、微苦，凉。滋阴生津，润肺止咳。用于风湿痹痛，瘫痪，小儿麻痹症后遗症，肥大性脊椎炎。

| **用法用量** | 内服煎汤，6 ～ 12 g。

百合科 Liliaceae 球子草属 *Peliosanthes*

大盖球子草

Peliosanthes macrostegia Hance

| 药 材 名 | 小叶球子草（药用部位：根及根茎。别名：入地蜈蚣）。

| 形态特征 | 茎短，长约 1 cm。叶 2 ～ 5，披针状狭椭圆形，长 15 ～ 25 cm，宽 5 ～ 6 cm，有 5 ～ 9 主脉。总状花序长 9 ～ 25 cm；每苞片内着生 1 花；苞片披针形或卵状披针形，长 0.6 ～ 1.5 cm；花紫色，直径 5.5 ～ 12 mm；花被筒短，长 2 mm，部分与子房合生，花被裂片三角状卵形，长为花被的 2/3；花梗长 5 ～ 6 mm；花药长 0.5 ～ 1 mm。种子近圆形，长约 1 cm，种皮肉质，蓝绿色。花期 4 ～ 6 月，果期 7 ～ 9 月。

| 生境分布 | 生于海拔 350 ～ 1 500 m 的灌丛中和竹林下。分布于广东阳春、饶平、惠东、龙门、博罗、从化及肇庆（市区）等。

| **资源情况** | 野生资源较少。药材来源于野生。 |

| **采收加工** | 秋、冬季采收。 |

| **功能主治** | 甘、辛，平。祛痰止咳，疏肝止痛。 |

| **用法用量** | 内服煎汤，鲜品 3 ～ 9 g。 |

百合科 Liliaceae 黄精属 Polygonatum

多花黄精
Polygonatum cyrtonema Hua

| 药 材 名 |

白及黄精（药用部位：根茎。别名：黄精、龙衔、白及）。

| 形态特征 |

根茎横走，肥厚，通常呈结节状或连珠状，直径 1.2 ～ 2 cm。茎高 40 ～ 100 cm，通常具叶 10 ～ 15。叶互生，上面绿色，下面灰绿色。花腋生，2 ～ 7（～ 14）集成伞形花序；总花梗长 1 ～ 6 cm；花被筒状，淡黄绿色至绿白色，全长 18 ～ 25 mm；雄蕊 6，花丝 3 ～ 4 mm，具多数小乳突或短毛。浆果球状，成熟时紫黑色。花期 4 ～ 6 月，果期 6 ～ 10 月。

| 生境分布 |

生于海拔 500 ～ 1 900 m 的林下、灌丛或山坡阴处。分布于广东乳源、乐昌、始兴、紫金、龙门、从化、连山、连南、阳山、封开、信宜等。

| 资源情况 |

野生资源较丰富。药材来源于野生。

| 采收加工 | 秋季采挖，蒸熟后晒干。

| 药材性状 | 本品呈连珠状或块状，近圆柱形，直径 1 ~ 2 cm；结节上茎痕明显，圆盘状，直径约 1 cm；圆柱形处环节明显，有众多须根痕，直径约 1 mm。表面黄棕色，有细皱纹。质坚实，稍柔韧，折断面颗粒状，有众多黄棕色维管束小点散列。气微，味微甜。

| 功能主治 | 甘，平。补气养阴，健脾，润肺，益肾。用于阴虚劳嗽，肺燥咳嗽，脾虚乏力，食少口干，消渴，肾亏腰膝酸软，阳痿遗精，耳鸣目暗，须发早白，体虚羸瘦。

| 用法用量 | 内服煎汤，9 ~ 18 g。

百合科 Liliaceae 黄精属 Polygonatum

长梗黄精

Polygonatum filipes Merr. ex C. Jeffrey et McEwan

| **药 材 名** | 细柄黄精（药用部位：根茎。别名：山黄精）。

| **形态特征** | 根茎连珠状，有时节间稍长，直径 1 ~ 1.5 cm。茎高 30 ~ 70 cm。叶互生，矩圆状披针形至椭圆形，先端尖至渐尖，长 6 ~ 12 cm，下面脉上有短毛。花序具 2 ~ 7 花；总花梗细丝状，长 3 ~ 8 cm，花梗长 0.5 ~ 1.5 cm；花被淡黄绿色，全长 15 ~ 20 mm，花被裂片长约 4 mm，筒内花丝贴生部分稍具短绵毛；花丝长约 4 mm，具短绵毛，花药长 2.5 ~ 3 mm；子房长约 4 mm，花柱长 10 ~ 14 mm。浆果直径约 8 mm，具 2 ~ 5 种子。

| **生境分布** | 生于海拔 200 ~ 600 m 的林下、灌丛或草坡。分布于广东乳源、和平等。

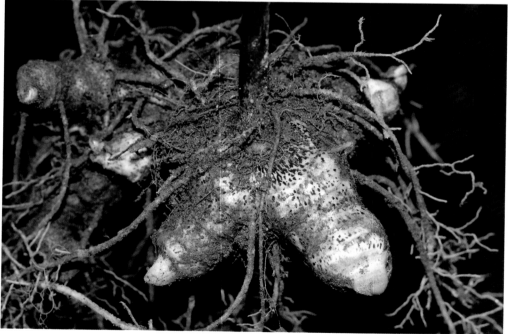

| **资源情况** | 野生资源稀少。药材来源于野生。

| **采收加工** | 秋季采挖，蒸熟后晒干或鲜用。

| **功能主治** | 甘，平。滋润心肺，生津养胃，补精益髓。用于大风癞疮，脾胃虚弱，体倦乏力。

| **用法用量** | 内服煎汤，10 ~ 15 g，鲜品 30 ~ 60 g；或入丸、散、膏剂。外用适量，煎汤洗；或熬膏涂；或浸酒搽。

百合科 Liliaceae 黄精属 Polygonatum

玉竹
Polygonatum odoratum (Mill.) Druce

| 药 材 名 | 玉参（药用部位：根茎。别名：赢利、委萎、女萎）。

| 形态特征 | 根茎圆柱形，直径 5 ～ 14 mm。茎高 20 ～ 50 cm。叶 7 ～ 12，互生，下面带灰白色，下面脉上平滑至呈乳头状粗糙。花序具 1 ～ 4 花，栽培时可多至 8 花；总花梗（单花时为花梗）长 1 ～ 1.5 cm；无苞片或有条状披针形苞片；花被黄绿色至白色，全长 13 ～ 20 mm；花丝丝状，近平滑至具乳头状突起。浆果蓝黑色，具 7 ～ 9 种子。花期 5 ～ 6 月，果期 7 ～ 9 月。

| 生境分布 | 生于海拔 500 ～ 1 900 m 的林下或山野阴坡。广东连州等有栽培。

| 资源情况 | 栽培资源较少。药材来源于栽培。

| 采收加工 | 秋季采挖。

| 药材性状 | 本品呈圆柱形，有时有分枝，长 10 ～ 20 cm，直径 5 ～ 14 mm；环节明显，节间距离 1 ～ 15 mm；根茎中间或终端有数个圆盘状茎痕，直径 0.5 ～ 1 cm，有时可见残留的鳞叶；须根痕点状。表面黄白色至土黄色，有细纵皱纹。质柔韧，有时干脆，易折断，断面黄白色，颗粒状，横断面可见维管束小点散列。气微，味甜，有黏性。

| 功能主治 | 甘，微寒。养阴润燥，生津止渴。用于燥咳，劳嗽，热病阴液耗伤之咽干口渴，内热消渴，阴虚外感，头昏眩晕，筋脉挛痛。

| 用法用量 | 内服煎汤，15 ～ 25 g。

百合科 Liliaceae 吉祥草属 Reineckea

吉祥草

Reineckea carnea (Andrews) Kunth

药材名

吉祥草（药用部位：全草。别名：小青胆、洋吉祥草、解晕草）。

形态特征

茎匍匐于地上，绿色，多节，节上生须根。叶簇生于茎顶或茎节，每簇有 3 ~ 8 叶。花葶长 5 ~ 15 cm；穗状花序长 2 ~ 6.5 cm；苞片卵状三角形，淡褐色或带紫色；花被片合生成短管状，上部 6 裂，裂片长圆形，长 5 ~ 7 mm，稍肉质，开花时反卷，粉红色，花芳香；雄蕊 6，短于花柱，子房瓶状，3 室。浆果球形，成熟时鲜红色。花果期 7 ~ 11 月。

生境分布

生于海拔 170 ~ 1 900 m 的阴湿山坡、山谷或密林下。分布于广东乐昌、仁化、乳源、龙门、怀集等。

资源情况

野生资源稀少。药材来源于野生。

采收加工

全年均可采收，洗净，鲜用或切段晒干。

药材性状	本品呈黄褐色，根茎细长，节明显，节上有残留的膜质鳞叶，并有少数弯曲卷缩的须根。叶簇生，叶片皱缩，展开后呈线形、卵状披针形或线状披针形，全缘，无柄，先端尖或长尖，基部平阔，长 7 ~ 30 cm，宽 5 ~ 28 mm，叶脉平行，中脉显著。气微，味甘。
功能主治	甘，凉。润肺止咳，解毒利咽。用于肺热咳嗽，咯血，吐血，便血，咽喉肿痛，痈肿疮疖。
用法用量	内服煎汤，10 ~ 15 g，鲜品 25 ~ 50 g；或捣汁；或浸酒。外用适量，捣敷。

百合科 Liliaceae 万年青属 Rohdea

开口箭

Rohdea chinensis (Baker) N. Tanaka

药材名

开口箭（药用部位：根茎。别名：巴林麻、心不干、岩芪）。

形态特征

根茎长圆柱形，直径 1 ～ 1.5 cm，多节，绿色至黄色。叶基生，4 ～ 8；叶片倒披针形、条状披针形、条形，长 15 ～ 65 cm，宽 1.5 ～ 9.5 cm。穗状花序侧生，直立，密生多花，长 2.5 ～ 9 cm；花被短钟状，长 5 ～ 7 mm，裂片 6，卵形，长 3 ～ 5 mm，宽 2 ～ 4 mm，黄色或黄绿色，肉质。浆果球形，直径 8 ～ 10 mm，成熟时紫红色，具 1 ～ 3 种子。花期 4 ～ 6 月，果期 9 ～ 11 月。

生境分布

生于海拔 1 000 ～ 1 900 m 的林下阴湿处、溪边或路旁。分布于广东乐昌、乳源、封开等。

资源情况

野生资源稀少。药材来源于野生。

采收加工

全年均可采收，除去叶及须根，洗净，鲜用

或切片晒干。

| **药材性状** | 本品呈扁圆柱形，略扭曲，长 10 ～ 15 cm，直径约 1 cm；节明显，略膨大，节处有芽及膜质鳞片状叶，节间短。表面黄棕色至黄绿色，有皱纹，断面淡黄白色，细颗粒状。气无，味苦、涩。

| **功能主治** | 苦、辛，寒；有毒。清热解毒，散瘀止痛，祛风除湿。用于白喉，咽喉肿痛，风湿痹痛，跌打损伤，胃痛，痈肿疮毒，蛇犬咬伤。

| **用法用量** | 内服煎汤，1.5 ～ 3 g；或研末，0.6 ～ 0.9 g。外用适量，捣敷。孕妇禁服。

万年青
Rohdea japonica (Thunb.) Roth

| 药 材 名 | 万年青（药用部位：根及根茎、叶、花。别名：斩蛇草、冬不凋草、千年润）。

| 形态特征 | 根茎直径 1.5 ～ 2.5 cm。叶 3 ～ 6，厚纸质，矩圆形、披针形或倒披针形，长 15 ～ 50 cm，宽 2.5 ～ 7 cm，绿色，纵脉明显浮凸；鞘叶披针形，长 5 ～ 12 cm。花葶短于叶，长 2.5 ～ 4 cm；穗状花序长 3 ～ 4 cm，宽 1.2 ～ 1.7 cm，具几十朵密集的花；苞片卵形，膜质，短于花，长 2.5 ～ 6 mm，宽 2 ～ 4 mm；花被长 4 ～ 5 mm，宽 6 mm，淡黄色，裂片厚；花药卵形，长 1.4 ～ 1.5 mm。浆果直径约 8 mm，成熟时红色。花期 5 ～ 6 月，果期 9 ～ 11 月。

| 生境分布 | 生于海拔 750 ～ 1 700 m 的林下潮湿处或草地上。广东各地均有栽培。

| **资源情况** | 栽培资源丰富。药材来源于栽培。

| **采收加工** | 根及根茎，全年均可采收，除去茎叶及须根，洗净。叶，全年均可采收，鲜用或晒干。花，5～6月花开时采收，阴干或烘干。

| **药材性状** | 本品根茎呈圆柱形，长5～18 cm，直径1.5～2.5 cm。表面灰黄色，皱缩，具密集的波状环节，并散有圆点状根痕，有时留有长短不等的须根，先端有时可见地上茎痕和叶痕。质韧，折断面不平坦，晒干品呈黄白色，烘干品呈浅棕色至棕红色，略带海绵性，有黄色维管束小点散在。气微，味苦、辛。以大小均匀、色白者为佳。

| **功能主治** | 根及根茎，苦、微甘，寒；有小毒。清热解毒，强心利尿，凉血止血。用于呕血，咯血，崩漏，心源性水肿，白喉。叶，苦、涩，微寒；有小毒。清热解毒，强心利尿，凉血止血。用于心力衰竭，咽喉肿痛，咯血，吐血，疮毒，蛇咬伤。花，祛瘀止痛，补肾。用于肾虚腰痛，跌打损伤。

| **用法用量** | 根及根茎，内服煎汤，5～15 g，鲜品50～100 g；或捣汁；或研末。外用适量，捣汁涂或塞鼻；或煎汤熏洗。叶，内服煎汤，3～9 g，鲜品9～15 g。外用适量，煎汤熏洗；或捣汁涂。花，内服煎汤，3～9 g；或入丸剂。

百合科 Liliaceae 万年青属 Rohdea

弯蕊开口箭

Rohdea tonkinensis (Baill.) N. Tanaka

| 药 材 名 |

柄叶开口箭（药用部位：根茎。别名：扁竹兰、白跌打、见血封口）。

| 形态特征 |

根茎长，下部多少弯曲成弧形，圆柱形，直径 0.8 ~ 1.2 cm，黄褐色。叶 3 ~ 10 生于延长的茎上；叶柄长 3 ~ 9 cm，基部扩大，抱茎；叶片纸质，长 6.5 ~ 20 cm，宽 3 ~ 7 cm。花被圆筒状，筒长 3 ~ 5 mm，上部 6 裂，裂片开展，宽卵形，长 3.5 ~ 4 mm，宽 2 ~ 4 mm，肉质，红褐色或黄绿色。浆果直径 9 ~ 11 mm，红色，具种子 1 ~ 3。花期 2 ~ 5 月，果期翌年 1 ~ 4 月。

| 生境分布 |

生于海拔 800 ~ 1 900 m 的密林下阴湿处、溪边和山谷旁。分布于广东罗定、信宜等。

| 资源情况 |

野生资源稀少。药材来源于野生。

| 采收加工 |

全年均可采挖，除去叶及须根，洗净，切片后用米泔水浸泡，再用京竹叶煮 3 小时，晒干或鲜用。

| **功能主治** | 辛、微苦，寒；有小毒。清热解毒，散瘀止血，消肿止痛。用于白喉，风湿关节痛，腰腿疼痛，跌打损伤，毒蛇咬伤；外用于痈疖肿毒。

| **用法用量** | 内服煎汤，2 ~ 6 g；或浸酒；或研末，1 ~ 2 g。外用适量，鲜品捣敷；或研末撒布。

百合科 Liliaceae 油点草属 Tricyrtis

油点草 *Tricyrtis macropoda* Miq.

| **药 材 名** |

油迹草（药用部位：全草或根。别名：白七、牛尾参、水扬罗）。

| **形态特征** |

植株高可达 1 m。根茎横走。茎上部生短糙毛。叶互生，近无柄，抱茎；叶片卵状椭圆形、长圆形至长圆状披针形，先端渐尖或急尖，基部心形或圆形。花疏生；花被片 6，离生，卵状椭圆形至披针形，长 1.5 ~ 2 cm，开放后自中下部向下反折，绿白色或白色，内面具多数紫红色斑点。种子小而扁，卵形或圆形。花果期 6 ~ 9 月。

| **生境分布** |

生于海拔 800 ~ 1 900 m 的山地林下、草丛中或岩石缝隙中。分布于广东南雄、乐昌、乳源、和平、博罗、惠阳、从化、阳山、信宜及东莞等。

| **资源情况** |

野生资源较丰富。药材来源于野生。

| **采收加工** |

夏、秋季采挖，洗净，晒干。

| **功能主治** | 甘，温。补肺止咳。用于肺痨咳嗽。

| **用法用量** | 内服煎汤，9 ~ 15 g。

郁金香 *Tulipa gesneriana* L.

| 药 材 名 |

紫述香（药用部位：花。别名：郁香、红蓝花）。

| 形态特征 |

鳞茎皮纸质，内面先端和基部有少数伏毛。叶 3 ~ 5，条状披针形至卵状披针形。花单朵顶生，大型而艳丽；花被片红色或杂有白色和黄色，有时为白色或黄色，长 5 ~ 7 cm，宽 2 ~ 4 cm。雄蕊 6，等长，花丝无毛；无花柱，柱头增大成鸡冠状。花期 4 ~ 5 月。

| 生境分布 |

广东各地均有栽培。

| 资源情况 |

栽培资源丰富。药材来源于栽培。

| 采收加工 |

春季花开时采收，鲜用或晒干。

| 功能主治 |

辛、苦，平。化湿辟秽。用于脾胃湿浊，胸脘满闷，呕逆腹痛，口臭苔腻。

| **用法用量** | 内服煎汤，3 ～ 5 g。外用适量，泡水漱口。

百合科 Liliaceae 藜芦属 Veratrum

黑紫藜芦

Veratrum japonicum (Baker) Loes. f.

| 药 材 名 | 棕榈草（药用部位：根及根茎。别名：七厘丹、人头发、藜芦）。

| 形态特征 | 植株高 30 ～ 100 cm。茎柔弱或稍粗壮，基部具带网眼的纤维网。叶多数，近基生，狭带状或狭长矩圆形，长（15 ～）20 ～ 30（～ 60）cm，宽（0.5 ～）2 ～ 4 cm 或更宽，先端锐尖，基部下延为柄，抱茎，两面无毛。圆锥花序短缩或扩展而伸长；花被片反折，黑紫色、深紫堇色或棕色；在侧生花序上的花梗长约 7 mm。蒴果直立，长 1 ～ 1.5 cm，宽约 1 cm。花果期 7 ～ 9 月。

| 生境分布 | 生于海拔 700 ～ 1 350 m 的山坡林下阴湿处。分布于广东乐昌、乳源、紫金、惠阳、博罗、龙门、连山、和平等。

| 资源情况 | 野生资源较丰富。药材来源于野生。

| 采收加工 | 秋、冬季采收，晒干。

| 药材性状 | 本品根茎略呈圆柱形，长 1 ~ 2 cm，直径 0.6 ~ 1.2 cm，先端与茎连接处有叶基残存，多枯朽，棕褐色。根簇生，细，长 3 ~ 10 cm，灰褐色，有较密的皱纹。质轻而脆，易折断。

| 功能主治 | 苦、辛，寒；有大毒。涌吐风痰，杀虫。用于中风，顽痰壅盛，喉痹，癫痫，蛊毒；外用于疥癣，恶疮等。体虚气弱者及孕妇忌用。

| 用法用量 | 内服研末，0.3 ~ 0.6 g。外用适量，研末撒布；或用温水浸润后捣敷。

百合科 Liliaceae 藜芦属 Veratrum

牯岭藜芦

Veratrum schindleri O. Loes.

药材名

七厘丹（药用部位：根及根茎。别名：天目藜芦、葱苒、葱葵）。

形态特征

植株高约 1 m，基部具棕褐色带网眼的纤维网。叶在茎下部的呈宽椭圆形，有时呈狭矩圆形，长约 30 cm，宽（2 ～）5 ～ 10（～ 13）cm，先端渐尖，基部收狭为柄；叶柄通常长 5 ～ 10 cm。圆锥花序长而扩展，具多数近等长的侧生总状花序；花被片伸展或反折，淡黄绿色、绿白色或褐色，长 6 ～ 8 mm，宽 2 ～ 3 mm；侧生花序上的花梗长 6 ～ 8（～ 14）mm。蒴果直立，长 1.5 ～ 2 cm，宽约 1 cm。花果期 6 ～ 10 月。

生境分布

生于海拔 700 ～ 1 350 m 的山坡林下阴湿处。分布于广东乐昌、乳源、紫金、和平、龙门、阳山、连山及东莞等。

资源情况

野生资源较丰富。药材来源于野生。

| **采收加工** | 秋、冬季采挖，晒干。

| **药材性状** | 本品根茎呈圆柱形，长 1 ～ 1.7 cm；表面棕黄色，先端残留叶柄残基及黑色纤维，下部着生 10 ～ 20 细圆柱形根。根长短不等，直径约 0.2 cm，微弯曲；表面暗褐色，具皱缩条纹。质坚脆，断面黄白色。味苦、涩。

| **功能主治** | 辛、苦，寒；有毒。涌吐风痰，杀虫。用于中风，癫狂痰涎壅盛，跌打瘀肿，疥癣。

| **用法用量** | 内服入丸、散剂，0.3 ～ 0.6 g。外用适量，研末，以油或水调涂。

百合科 Liliaceae 丫蕊花属 Ypsilandra

小果丫蕊花 *Ypsilandra cavaleriei* H. Lévl. et Vaniot

| **药 材 名** | 小果丫蕊花（药用部位：全草）。 |

| **形态特征** | 植株大小变化较大。花较小，红色或白色；花梗与花被片各长 4～6 mm；雄蕊与花柱较短，稍伸出花被外，只在果期明显伸长；子房上部 3 浅裂，长为全长的 1/5～1/4。蒴果长约为花被片的 2/3；种子长约 4 mm。花期 3～4 月，果期 4～5 月。 |

| **生境分布** | 生于 1 000～1 400 m 的山坡或溪旁。分布于广东乐昌、乳源、阳山等。 |

| **资源情况** | 野生资源较少。药材来源于野生。 |

| **采收加工** | 夏、秋季采收，切段，晒干。 |

| **功能主治** | 清热解毒。用于淋巴结结核。

| **用法用量** | 内服煎汤，1.5 ~ 3 g；或研末，0.6 ~ 0.9 g。外用适量，捣敷。

延龄草科 Trilliaceae 重楼属 Paris

七叶一枝花
Paris polyphylla Smith

| 药 材 名 | 七叶一枝花（药用部位：根茎。别名：蚤休）。

| 形态特征 | 根茎粗厚，直径 1 ～ 2.5 cm，密生环节和须根。茎基部具膜质鞘。叶 7 ～ 10 轮生，矩圆形或倒卵状披针形，长 7 ～ 15 cm，宽 2.5 ～ 5 cm，先端尖，基部圆形或宽楔形，具短柄或长柄。外轮花被片狭卵状披针形，长 4.5 ～ 7 cm，内轮花被片狭条形，比外轮长；雄蕊 8 ～ 12，与花丝近等长，药隔突出物长 0.5 ～ 1 mm；子房具盘状花柱基。蒴果紫色，3 ～ 6 瓣开裂。花期 4 ～ 7 月，果期 8 ～ 11 月。

| 生境分布 | 生于海拔约 1 500 m 的林下。分布于广东乳源、乐昌、龙川、连平、梅县、蕉岭、信宜、英德及广州（市区）等。

| **资源情况** | 野生资源丰富。栽培资源丰富。药材来源于野生和栽培。 |

| **采收加工** | 移栽 3 ～ 5 年后，于 9 ～ 10 月采挖，晒干或炕干，除去粗皮与须根。 |

| **功能主治** | 苦，微寒；有小毒。清热解毒，消肿止痛，凉肝定惊。用于流行性乙型脑炎，阑尾炎，扁桃体炎，腮腺炎，乳腺炎，蛇虫咬伤，疮疡肿毒。 |

| **用法用量** | 内服煎汤，5 ～ 10 g。外用适量，磨水；或研末，以醋调敷。 |

华重楼

Paris polyphylla Smith var. *chinensis* (Franch.) Hara

| 药 材 名 | 华重楼（药用部位：根茎。别名：海南重楼）。

| 形态特征 | 根茎粗厚，直径 1 ~ 2.5 cm，密生环节和须根。茎基部具膜质鞘。叶 5 ~ 8 轮生，呈矩圆状或倒卵状披针形，基部常呈楔形。外轮花被片狭卵状披针形；内轮花被片狭条形，中部以上变宽，长约为外轮花被片的 1/3；雄蕊 8 ~ 10，长为花丝的 3 ~ 4 倍，药隔突出部分长 1 ~ 1.5 mm。蒴果紫色，3 ~ 6 瓣开裂。花期 5 ~ 7 月，果期 8 ~ 10 月。

| 生境分布 | 生于海拔 600 ~ 1 350 m 的林下阴处或沟谷边草丛中。分布于广东曲江、乳源、乐昌、蕉岭、连山、英德、信宜等。

| **资源情况** | 野生资源较丰富。药材来源于野生。

| **采收加工** | 秋季采挖，除去须根，洗净，晒干。

| **功能主治** | 苦，微寒；有小毒。清热解毒，消肿止痛，息风定惊，平喘止咳。用于蛇虫咬伤，疔疮痈肿。

| **用法用量** | 外用研末调敷，3 ~ 9 g。

雨久花科 Pontederiaceae 凤眼蓝属 Eichhornia

凤眼蓝 *Eichhornia crassipes* (Mart.) Solms

| 药 材 名 | 凤眼蓝（药用部位：全草。别名：水葫芦、水浮莲、凤眼莲）。

| 形态特征 | 浮水草本。茎具长匍匐枝。叶5～10，圆形或卵形，长4.5～14.5 cm，宽5～14 cm，基部宽楔形；叶柄中部膨大成囊状或纺锤形，基部具鞘状苞片。花葶长34～46 cm；穗状花序具9～12花；花无梗；花被裂片6，两侧对称，基部合生，后方裂片具异色斑点；雄蕊6，3长3短，长雄蕊的花丝具毛；子房上位，梨形。蒴果卵形。花期7～10月，果期8～11月。

| 生境分布 | 生于海拔200～1 500 m的水塘、沟渠及水稻田中。分布于广东仁化、翁源及深圳（市区）、广州（市区）等。

| **资源情况** | 野生资源一般。药材来源于野生。

| **采收加工** | 春、夏季采收，洗净，晒干或鲜用。

| **功能主治** | 辛、淡，寒。疏散风热，利水通淋，清热解毒。用于感冒发热，风湿病。

| **用法用量** | 内服煎汤，15 ~ 30 g。外用适量，捣敷。

雨久花科 Pontederiaceae 雨久花属 Monochoria

箭叶雨久花 *Monochoria hastata* (L.) Solms

| **植物别名** | 戟叶雨久花。

| **药 材 名** | 箭叶雨久花（药用部位：全草）。

| **形态特征** | 水生草本，高 30 ～ 70 cm。根茎长，具纤维根。基生叶三角状卵形或箭形，长 5 ～ 15 cm，宽 3 ～ 9 cm，先端渐尖，基部箭形或戟形；叶柄下部具开裂的鞘，鞘先端具舌状体。总状花序腋生，具10 ～ 40 花；花被片卵形，长 10 ～ 14 mm，淡蓝色，具绿色中脉及红色斑点；雄蕊 6，其中大的 1 雄蕊为蓝色，其余雄蕊为黄色；子房表面具白点。蒴果长圆形。花期 8 月至翌年 3 月。

| **生境分布** | 生于海拔 150 ～ 700 m 的水塘、沟边、水稻田等水湿处。分布于广

东广州（市区）等。

| **资源情况** | 野生资源丰富。药材来源于野生。

| **采收加工** | 春、夏季采收，鲜用或切段晒干。

| **功能主治** | 苦，寒。清热利湿，解毒，消肿。用于痢疾，泄泻，咽喉肿痛，痈肿疮疖，毒蛇咬伤。

| **用法用量** | 内服煎汤，15 ~ 30 g；或捣汁。外用适量，捣敷。

鸭舌草

Monochoria vaginalis (Burm. f.) Presl ex Kunth

| 药 材 名 | 鸭舌草（药用部位：全草。别名：鸭仔菜）。

| 形态特征 | 水生草本，高 12 ~ 35 cm，全体无毛。根茎短，具柔软须根。叶基生和茎生，长卵形至披针形，长 2 ~ 7 cm，宽 0.8 ~ 5 cm，先端短尖，基部钝圆或浅心形；叶柄基部扩大成开裂的鞘，先端有 1 舌状体。总状花序自叶鞘抽出；花序梗短，基部具披针形苞片；花 3 ~ 15，蓝色；花被片长圆形；雄蕊 6，1 雄蕊较大，其余 5 雄蕊较小。蒴果长圆形。花期 8 ~ 9 月，果期 9 ~ 10 月。

| 生境分布 | 生于平原至海拔 1 500 m 的水稻田、沟旁、浅水池塘等水湿处。分布于广东仁化、翁源、乳源、南雄、连平、蕉岭、五华、龙门、连山、英德、恩平、信宜、徐闻及深圳（市区）、广州（市区）、阳江（市

区）等。

| **资源情况** | 野生资源丰富。栽培资源较少。药材来源于野生。

| **采收加工** | 夏、秋季采收，鲜用或切段晒干。

| **功能主治** | 苦，凉。清热解毒，凉血利尿。用于痢疾，肠炎，急性扁桃体炎，丹毒，疔疮。

| **用法用量** | 内服煎汤，15 ~ 30 g，鲜品 30 ~ 60 g；或捣汁。外用适量，捣敷。

菝葜科 Smilacaceae 肖菝葜属 Heterosmilax

合丝肖菝葜

Heterosmilax gaudichaudiana (Kunth) Maximowicz

| 药 材 名 | 合丝肖菝葜根（药用部位：根茎。别名：肖菝葜）。

| 形态特征 | 攀缘灌木。茎无毛。叶宽卵形，长 4 ~ 14 cm，宽 2 ~ 13 cm，先端渐尖，基部近心形。伞形花序；花 5 ~ 50；总花梗长 1 ~ 3.5 cm，花梗长 0.5 ~ 1.5 cm；雄花花被片红色，卵形，4 ~ 4.5 mm，先端具钝齿；雄蕊 3，花丝几全部合生成柱状，花药长为花丝的 1/4 ~ 1/3；雌花花被片卵状椭圆形，具退化雄蕊 5 ~ 6。浆果球形，成熟时黑色。花期 5 ~ 6 月，果期 7 ~ 12 月。

| 生境分布 | 生于海拔约 680 m 的路旁、山旁、山谷、山坡阳处或丛林下。广东各地均有分布。

| **资源情况** | 野生资源丰富。药材来源于野生。

| **采收加工** | 全年均可采收，洗净，切片，晒干。

| **功能主治** | 甘、淡，平。清热利湿，解毒消肿。用于腹泻，月经不调，腰膝痹痛，淋浊，带下。

| **用法用量** | 内服煎汤，10 ~ 30 g。

菝葜科 Smilacaceae 肖菝葜属 Heterosmilax

肖菝葜 *Heterosmilax japonica* Kunth

| 药 材 名 | 肖菝葜根（药用部位：根茎。别名：白土茯苓）。

| 形态特征 | 攀缘灌木，植株无短硬毛。叶卵形，长 6 ~ 20 cm，宽 2.5 ~ 12 cm，先端渐尖，基部近心形。伞形花序；花 20 ~ 50，生于叶腋或苞片内；总花梗长 1 ~ 3 cm；花序托球形；花梗长 2 ~ 7 mm；雄花花被筒矩圆形，先端有 3 钝齿，雄蕊 3，花丝约一半合生成柱，花药长为花丝的 1/2；雌花花被筒卵形，具退化雄蕊 3。浆果球形，成熟时黑色。花期 6 ~ 8 月，果期 7 ~ 11 月。

| 生境分布 | 生于海拔 500 ~ 1 800 m 的山坡密林中或路边杂木林下。广东各地均有分布。

| **资源情况** | 野生资源丰富。栽培资源丰富。药材来源于野生和栽培。

| **采收加工** | 春、秋季采挖，洗净，切片，晒干。

| **功能主治** | 甘、淡，平。清热利湿，解毒消肿。用于腹泻，月经不调，腰膝痹痛，淋浊，带下。

| **用法用量** | 内服煎汤，15 ～ 30 g。

菝葜科 Smilacaceae 菝葜属 Smilax

菝葜 *Smilax china* L.

| 药 材 名 |

菝葜根（药用部位：根茎。别名：金刚藤、铁菱角）、菝葜叶（药用部位：叶）。

| 形态特征 |

攀缘灌木。根茎坚硬，呈不规则块状。叶圆形或卵形，长 3 ~ 10 cm，宽 1.5 ~ 6 cm；叶柄上的鞘较狭，宽 0.5 ~ 1 mm（一侧），与叶柄近等宽；卷须较粗长。伞形花序具 10 朵以上小花；总花梗长 1 ~ 2 cm；花序托近球形，具小苞片；花绿黄色；外花被片长 3.5 ~ 4 cm，宽 1.5 ~ 2 mm，内花被片稍狭；雄花花药比花丝稍宽，常弯曲；雌花与雄花近等大，具退化雄蕊 6。浆果成熟时红色。花期 2 ~ 5 月，果期 9 ~ 11 月。

| 生境分布 |

生于海拔 50 ~ 1 800 m 的林下、灌丛中、路旁、河谷或山坡上。广东各地均有分布。

| 资源情况 |

野生资源丰富。栽培资源丰富。药材来源于野生和栽培。

| 采收加工 | **菝葜根**：春、秋季采挖，洗净，切片，晒干。

| 功能主治 | **菝葜根**：祛风利湿，解毒消肿。用于风湿关节痛，跌打损伤，胃肠炎，痢疾，消化不良，糖尿病，乳糜尿，带下，恶性肿瘤。

菝葜叶：祛风，利湿，解毒。用于痈疖疔疮，烫伤。

| 用法用量 | **菝葜根**：内服煎汤，15 ~ 30 g；或浸酒；或入丸、散剂。

菝葜叶：内服煎汤，15 ~ 30 g；或浸酒。外用适量，捣敷；或研末调敷；或煎汤洗。

菝葜科 Smilacaceae 菝葜属 Smilax

筐条菝葜

Smilax corbularia Kunth

| 药材名 | 筐条菝葜根（药用部位：根茎。别名：粉背菝葜、粉叶菝葜、金刚藤头）、筐条菝葜叶（药用部位：嫩叶）。

| 形态特征 | 攀缘灌木。茎无刺。叶卵状矩圆形，长 5 ~ 14 cm，宽 2 ~ 4.5 cm，先端短渐尖，基部近圆形；叶柄有卷须；叶鞘占叶柄全长的一半，并向前延伸成 1 对耳；耳披针形。伞形花序腋生，具 10 ~ 20 花；总花梗长 4 ~ 15 mm，通常为叶柄长度的 2/3 或与叶柄近等长；花序托具宿存小苞片；花绿黄色；雄花外花被片舟状，花丝短，靠合成柱；雌花具退化雄蕊 3。浆果成熟时暗红色。花期 5 ~ 7 月，果期 12 月。

| 生境分布 | 生于海拔 1 540 m 以下的林下或灌丛中。分布于广东连山、封开、徐闻等。

| 资源情况 | 野生资源一般。栽培资源丰富。药材来源于栽培。

| 采收加工 | **筐条菝葜根**：全年均可采收。
筐条菝葜叶：春季采收，晒干。

| 功能主治 | **筐条菝葜根、筐条菝葜叶**：甘，平。祛风清热，利湿解毒。用于跌打损伤，风湿痹痛，恶疮，毒疮，毒虫咬伤。

| 用法用量 | **筐条菝葜根、筐条菝葜叶**：内服煎汤，15 ~ 30 g；或浸酒。外用适量，捣敷。

菝葜科 Smilacaceae 菝葜属 Smilax

小果菝葜

Smilax davidiana A. DC.

| 药 材 名 | 小果菝葜（药用部位：根茎）。

| 形态特征 | 攀缘灌木。茎具疏刺。叶椭圆形，长 3 ～ 7 cm，宽 2 ～ 4.5 cm；叶柄上的鞘耳状，宽 2 ～ 4 mm（一侧），明显比叶柄宽；卷须较纤细而短。伞形花序具几朵至十几朵花；总花梗长 5 ～ 14 mm；花序托近球形，具宿存小苞片；花绿黄色；雄花外花被片长 3.5 ～ 4 mm，宽约 2 mm，内花被片宽约 1 mm，花药比花丝宽 2 ～ 3 倍；雌花比雄花小，具退化雄蕊 3。浆果成熟时暗红色。花期 3 ～ 4 月，果期 10 ～ 11 月。

| 生境分布 | 生于海拔 800 m 以下的林下、灌丛中或山坡、路边阴处。分布于广东始兴、乳源、南雄、蕉岭、平远、大埔、龙门、博罗、连山、封

开及河源（市区）等。

| **资源情况** | 野生资源丰富。栽培资源较少。药材来源于野生。

| **采收加工** | 秋、冬季采挖，切段，晒干。

| **功能主治** | 甘、淡，平。祛风除湿，消肿止痛。用于风湿痹痛，关节痛，跌打损伤。

| **用法用量** | 内服煎汤，15 ～ 30 g。

菝葜科 Smilacaceae 菝葜属 Smilax

长托菝葜 *Smilax ferox* Wall. ex Kunth

| 药 材 名 |

长托菝葜（药用部位：根茎。别名：刺萆解）。

| 形态特征 |

攀缘灌木。茎疏生刺。叶椭圆形至矩圆形，长 3 ~ 16 cm，宽 1.5 ~ 9 cm，干后绿黄色或暗灰色；通常仅少数叶柄具卷须。伞形花序生于枝上，具几朵至十几朵花；总花梗长 1 ~ 2.5 cm；花序托多少延长，不呈球形，果期尤其明显，具多枚宿存小苞片；花黄绿色或白色；雄花外花被片长 4 ~ 8 mm，宽 2 ~ 3 mm；雌花比雄花小，具退化雄蕊 6。浆果成熟时红色。花期 3 ~ 4 月，果期 10 ~ 11 月。

| 生境分布 |

生于海拔 150 ~ 1 800 m 的林下、灌丛中或山坡背阴处。分布于广东乳源、仁化、信宜及云浮（市区）等。

| 资源情况 |

野生资源一般。栽培资源较少。药材来源于野生。

| **采收加工** | 春、秋、冬季采挖，除去茎叶及须根，洗净，切片，晒干。 |

| **功能主治** | 辛、苦，凉。祛风湿，解疮毒。用于风湿筋骨疼痛，淋浊，臁疮，皮肤过敏，湿疹。 |

| **用法用量** | 内服煎汤，9 ~ 15 g。外用适量，煎汤洗。 |

菝葜科 Smilacaceae 菝葜属 Smilax

土茯苓 *Smilax glabra* Roxb.

| 药 材 名 | 土茯苓（药用部位：根茎。别名：冷饭团、光叶菝葜）。

| 形态特征 | 攀缘灌木。根茎块状。枝条光滑。叶狭椭圆状披针形至狭卵状披针形，长 6 ~ 12 cm，宽 1 ~ 4 cm，下面通常淡绿色，稀苍白色；叶柄和总花梗均较粗壮，宽 2 ~ 3 mm，二者之间有 1 芽；伞形花序，花序托连同小苞片呈莲座状；花绿白色，明显呈六棱状球形，直径约 3 mm；雄花外花被片兜状，背面中央具纵槽，内花被片近圆形；雌花具退化雄蕊 3。浆果成熟时紫黑色。花期 7 ~ 11 月，果期 11 月至翌年 4 月。

| 生境分布 | 生于海拔 1 800 m 以下的林中、灌丛下、河岸或山谷中，也见于林缘与疏林中。广东各地均有分布。

| **资源情况** | 野生资源丰富。栽培资源丰富。药材来源于野生和栽培。

| **采收加工** | 全年均可采挖，洗净，浸漂，或置沸水中煮数分钟，切片，晒干。

| **功能主治** | 甘、淡，平。解毒，利湿，通利关节。用于水肿尿少，痰饮眩悸，脾虚食少，便溏泄泻，心神不安，惊悸失眠。

| **用法用量** | 内服煎汤，10 ~ 60 g。外用适量，研末调敷。

菝葜科 Smilacaceae 菝葜属 Smilax

黑果菝葜

Smilax glaucochina Warb.

| 药 材 名 | 黑果菝葜根（药用部位：根。别名：金刚藤头）、黑果菝葜叶（药用部位：嫩叶）。

| 形态特征 | 攀缘灌木。茎疏生刺。叶椭圆形，长 5 ~ 8 cm，宽 2.5 ~ 5 cm，先端微凸，基部圆形或宽楔形；叶鞘约占叶柄全长的 1/2，有卷须。伞形花序生于枝上，具几朵至十几朵花；总花梗长 1 ~ 3 cm；花序托稍膨大，具小苞片；花绿黄色；雄花花被片长 5 ~ 6 cm，宽 2.5 ~ 3 mm，内花被片宽 1 ~ 1.5 mm；雌花与雄花近等大，具退化雄蕊 3。浆果成熟时黑色。花期 3 ~ 5 月，果期 10 ~ 11 月。

| 生境分布 | 生于海拔 1 600 m 以下的林下、灌丛中或山坡上。分布于广东乳源、博罗等。

| **资源情况** | 野生资源较少。栽培资源较少。药材来源于野生。

| **采收加工** | **黑果菝葜根：**全年均可采收，洗净，切片，晒干。
黑果菝葜叶：春、夏季采收，鲜用。

| **功能主治** | **黑果菝葜根、黑果菝葜叶：**甘，平。祛风清热，利湿解毒。用于风湿痹痛，腰腿疼痛，跌打损伤，小便淋涩，瘰疬，臁疮，痈肿疮毒。

| **用法用量** | **黑果菝葜根、黑果菝葜叶：**内服煎汤，25 ～ 50 g；或浸酒。外用适量，捣敷。

菝葜科 Smilacaceae 菝葜属 Smilax

粉背菝葜
Smilax hypoglauca Benth.

| 药 材 名 | 粉背菝葜（药用部位：根茎。别名：金刚藤）。

| 形态特征 | 攀缘灌木。茎无刺。叶卵状长圆形，长 5 ~ 12 cm，宽 2 ~ 5 cm，先端短渐尖，基部近圆形；叶柄长 0.7 ~ 1.3 cm，有卷须，翅约为其长的一半。伞形花序腋生，具 10 ~ 20 花；总花梗短，长 1 ~ 5 mm，通常不及叶柄长度的一半；花序托膨大，具宿存小苞片；花绿黄色；雄花外花被片舟状，花丝短，靠合成柱；雌花具退化雄蕊 3。浆果成熟时暗红色。花期 7 ~ 8 月，果期 12 月。

| 生境分布 | 生于海拔 1 300 m 以下的疏林中或灌丛边缘。分布于广东蕉岭、平远、大埔、梅县、惠东、海丰、阳山、信宜及河源（市区）、深圳（市区）等。

| 资源情况 | 野生资源较丰富。栽培资源较少。药材来源于野生。

| 采收加工 | 全年均可采收，洗净，切片，晒干。

| 功能主治 | 甘，平。祛风清热，利湿解毒。用于跌打损伤，风湿痹痛，恶疮，毒疮，毒虫咬伤。

| 用法用量 | 内服煎汤，3 ~ 10 g。

菝葜科 Smilacaceae 菝葜属 Smilax

白背牛尾菜 *Smilax nipponica* Miq.

| 药 材 名 | 白背牛尾菜（药用部位：根茎。别名：大伸筋）。

| 形态特征 | 多年生草本。茎中空，具少量髓。叶卵形至矩圆形，长 4 ~ 20 cm，宽 2 ~ 14 cm，先端渐尖，基部浅心形至近圆形，下面苍白色，通常有粉尘状微柔毛，稀无毛；叶柄长 1.5 ~ 4.5 cm，中部以下有卷须。伞形花序腋生，具几十花；总花梗长 3 ~ 9 cm，粗壮，果期尤甚；小苞片早落；花绿黄色；雌花具退化雄蕊 6；花药狭椭圆形，长不及 1 mm。浆果成熟时黑色。花期 4 ~ 5 月，果期 8 ~ 9 月。

| 生境分布 | 生于海拔 200 ~ 1 400 m 的林下、水旁或山坡草丛中。分布于广东乳源等。

| 资源情况 | 野生资源稀少，栽培资源无。药材来源于野生。

| 采收加工 | 6～8月采挖，洗净，晾干。

| 功能主治 | 苦，平。壮筋骨，利关节，活血止痛。用于腰腿疼痛，屈伸不利，月经不调，跌打损伤。

| 用法用量 | 内服煎汤，6～12 g；或浸酒。

菝葜科 Smilacaceae 菝葜属 Smilax

穿鞘菝葜
Smilax perfoliata Lour.

| 药 材 名 | 穿鞘菝葜（药用部位：根茎。别名：翅柄菝葜、大托叶菝葜）。

| 形态特征 | 攀缘灌木。叶卵形或椭圆形，长 5 ～ 12 cm，宽 4.5 ～ 15 cm，先端短渐尖，基部宽楔形；叶柄基部两侧具耳状鞘；叶鞘作穿茎状抱茎。圆锥花序具 10 ～ 30 伞形花序，伞形花序每 2 ～ 3 簇生或近轮生于轴上；总花梗长 5 ～ 17 cm；花黄绿色；雄花外花被片条形，内花被片披针形，基部比上部宽的多；雄蕊完全离生，花药长约为花丝的 1/3 ～ 1/2；雌花具退化雄蕊 3。浆果球形。花期 4 月，果期 10 月。

| 生境分布 | 生于海拔 1 500 m 以下的林中或灌丛下。分布于广东乳源、乐昌、曲江、连南、英德、阳山、徐闻及阳江（市区）等。

| **资源情况** | 野生资源较丰富。栽培资源较少。药材来源于野生。

| **采收加工** | 秋、冬季采挖，洗净，切片，晾干。

| **功能主治** | 甘、淡，平。健脾胃，强筋骨。用于脾虚食少，耳鸣，乏力，腰膝酸软。

| **用法用量** | 内服煎汤，9～15 g。

菝葜科 Smilacaceae 菝葜属 Smilax

牛尾菜
Smilax riparia A. DC.

| 药 材 名 | 牛尾菜（药用部位：根茎。别名：牛尾结、草菝葜）。

| 形态特征 | 多年生草质藤本。茎中空，有少量髓。叶卵形，长 7 ~ 15 cm，宽 2.5 ~ 11 cm，下面绿色，无毛或具乳突状微柔毛；叶柄长 7 ~ 20 mm，中部以下有卷须。伞形花序腋生；总花梗长 3 ~ 5 cm，纤细；小苞片在花期不落；花被片 6，离生，淡绿色；雄蕊 6，花药条形，多少弯曲，长约 1.5 mm；雌花比雄花略小，不具或具钻形退化雄蕊。浆果球形，成熟时黑色。花期 6 ~ 7 月，果期 10 月。

| 生境分布 | 生于海拔 1 600 m 以下的林下、灌丛、山沟或山坡草丛中。广东各地均有分布。

| **资源情况** | 野生资源丰富。栽培资源较少。药材来源于野生。

| **采收加工** | 夏、秋季采挖，洗净，晾干。

| **功能主治** | 甘、微苦，平。祛风活络，祛痰止咳。用于风湿性关节炎，筋骨疼痛，跌打损伤，腰肌劳损，支气管炎，肺痨咯血。

| **用法用量** | 内服煎汤，9 ~ 15 g，大剂量可用 30 ~ 60 g；或浸酒；或炖肉。外用适量，捣敷。

菖蒲 *Acorus calamus* L.

| 药 材 名 |

菖蒲（药用部位：根茎。别名：水菖蒲、
白菖）。

| 形态特征 |

多年生草本。根茎横走，芳香；根肉质，具
毛发状须根。叶基生，基部两侧膜质叶鞘宽
4 ~ 5 mm，向上渐狭，至叶 1/3 处渐行消失；
具中肋；叶片剑状线形，长 90 ~ 100 cm，
中部宽 1 ~ 2 cm，中部以上渐狭。花序梗三
棱形，长 40 ~ 50 cm；叶状佛焰苞剑状线形，
长 30 ~ 40 cm；肉穗花序斜向上，狭锥状
圆柱形；花黄绿色；子房长圆柱形。浆果长
圆形，红色。花期 6 ~ 9 月。

| 生境分布 |

生于海拔约 250 m 的水边、沼泽湿地或湖泊
浮岛上。广东各地均有分布。

| 资源情况 |

野生资源丰富。栽培资源丰富。药材来源于
野生和栽培。

| 采收加工 |

栽种 2 年后即可采收。全年均可采收，以 8 ~ 9

月采收者为佳，洗净泥沙，除去须根，晒干。

| **功能主治** | 辛、苦，温。开窍化痰，杀虫止痒，除湿健脾。用于痰厥昏迷，中风，癫痫，惊悸健忘，耳鸣耳聋，食积腹痛，痢疾泄泻，风湿疼痛，湿疹，疥疮。

| **用法用量** | 内服煎汤，3 ~ 6 g；或入丸、散剂。外用适量，煎汤洗；或研末调敷。

天南星科 Araceae 菖蒲属 Acorus

金钱蒲 *Acorus gramineus* Sol.

| 药 材 名 | 金钱蒲（药用部位：根茎。别名：钱蒲、随手香）。

| 形态特征 | 多年生草本。根茎横走，芳香，上部多分枝，呈丛生状；根肉质，具须根。叶基对折，两侧膜质叶鞘棕色，下部宽 2 ～ 3 mm，上延至叶片中部以下，渐狭，脱落；叶线形，长 20 ～ 30 cm，宽不及 6 mm，先端长渐尖。花序梗长 2.5 ～ 9 cm。叶状佛焰苞短，长 3 ～ 9 cm，长为肉穗花序的 1 ～ 2 倍；肉穗花序黄绿色，圆柱形，长 3 ～ 9.5 cm。果实黄绿色。花期 5 ～ 6 月，果期 7 ～ 8 月。

| 生境分布 | 生于海拔 1 800 m 以下的水旁湿地或石上。广东各地均有分布。

| 资源情况 | 野生资源丰富。栽培资源较少。药材来源于野生。

| **采收加工** | 秋、冬季采挖，晒干。

| **功能主治** | 辛、苦，温。开窍豁痰，醒神益智，化湿开胃。用于痰涎壅闭，慢性支气管炎，痢疾，肠炎，腹胀腹痛，食欲不振，风寒湿痹。

| **用法用量** | 内服煎汤，3 ~ 10 g。外用适量，捣敷。

天南星科 Araceae 菖蒲属 *Acorus*

石菖蒲
Acorus tatarinowii Schott

| 药 材 名 | 石菖蒲（药用部位：根茎。别名：钱蒲）。

| 形态特征 | 多年生草本。根茎芳香，上部分枝甚密，分枝常被宿存叶基。叶无柄，叶基两侧膜质叶鞘宽可达 5 mm，上延至近叶片中部；叶片线形，长 20 ～ 30 cm，基部对折，中部以上平展。花序梗腋生，长 4 ～ 15 cm，三棱形。叶状佛焰苞长 13 ～ 25 cm，长为肉穗花序的 2 ～ 5 倍；肉穗花序圆柱状，长 4 ～ 6.5 cm，直径 4 ～ 7 mm，直立；花白色。果实成熟时黄绿色或黄白色。花果期 2 ～ 6 月。

| 生境分布 | 生于海拔 250 ～ 700 m 的密林下、湿地或溪旁石上。广东各地均有分布。

| **资源情况** | 野生资源丰富。栽培资源丰富。药材来源于野生和栽培。

| **采收加工** | 栽后 3 ~ 4 年的早春或冬末采挖，剪去叶片和须根，洗净，晒干，撞去毛须。

| **功能主治** | 辛，温。开窍，益智，宽胸，豁痰，祛湿，解毒。用于神志不清，健忘，多梦，癫痫，耳聋，胸腹胀闷；外用于痈疖。

| **用法用量** | 内服煎汤，3 ~ 6 g，鲜品加倍；或入丸、散剂。外用适量，煎汤洗；或研末调敷。

广东万年青 *Aglaonema modestum* Schott ex Engl.

| 药 材 名 |

广东万年青根（药用部位：根。别名：大叶万年青）、广东万年青茎（药用部位：茎）、广东万年青叶（药用部位：叶）。

| 形态特征 |

多年生草本。茎上部短缩。鳞叶披针形，基部抱茎。叶柄长 20 cm，1/2 以上具鞘；叶卵形或卵状披针形，长 15 ~ 25 cm，宽 10 ~ 13 cm，先端渐尖，基部宽楔形。佛焰苞长圆状披针形；肉穗花序圆柱形，长为佛焰苞的 2/3；雄花序圆柱形，细长，长 2 ~ 3 cm，直径 3 ~ 4 mm，雄蕊先端四方形；雌蕊近球形，柱头盘状。浆果绿色至黄红色，长圆形。花期 5 月，果期 10 ~ 11 月。

| 生境分布 |

生于海拔 500 ~ 1 700 m 的密林下。分布于广东新兴及广州（市区）、肇庆（市区）等。

| 资源情况 |

野生资源一般。栽培资源较少。药材来源于野生。

| 采收加工 | **广东万年青根：**秋后采收，鲜用或切段晒干。
广东万年青茎、广东万年青叶：夏末采收，鲜用或切段晒干

| 功能主治 | **广东万年青根、广东万年青茎、广东万年青叶：**清热凉血，消肿止痛。用于咽喉肿痛，尿道炎，肠炎，肺热咳嗽；外用于疮痈肿毒，小儿脱肛。

| 用法用量 | **广东万年青根、广东万年青茎、广东万年青叶：**内服煎汤，6 ~ 15 g。外用适量，捣汁含漱；或捣敷；或煎汤洗。

天南星科 Araceae 海芋属 Alocasia

尖尾芋

Alocasia cucullata (Lour.) Schott

| 药材名 |

尖尾芋（药用部位：根茎。别名：假海芋）。

| 形态特征 |

直立草本。地上茎具环形叶痕。叶柄长25～30 cm，自中部至基部扩大成宽鞘；叶片宽卵状心形，先端骤狭，具凸尖，长10～16 cm，宽7～18 cm；前裂片最下2对侧脉基出，下倾，然后弧曲上升。佛焰苞管部长圆状卵形，檐部狭舟状，先端具狭长凸尖；雌花序圆柱形，基部斜截形；能育雄花序近纺锤形，黄色；附属器黄绿色，狭圆锥形，长3.5 cm。浆果近球形，具1种子。花期5月。

| 生境分布 |

生于海拔2 000 m以下的溪谷湿地或田边。广东各地均有分布。

| 资源情况 |

野生资源丰富。栽培资源丰富。药材来源于野生和栽培。

| 采收加工 |

全年均可采收，洗净，鲜用或切片晒干。

| **功能主治** | 清热凉血，消肿止痛。用于流行性感冒，肺结核，高热，胃溃疡，急性胃炎，慢性胃病，伤寒。

| **用法用量** | 内服煎汤，3 ~ 9 g，鲜品 30 ~ 60 g，久煎 2 小时以上，需炮制后用。外用适量，捣敷。

天南星科 Araceae 海芋属 Alocasia

海芋

Alocasia odora (Roxb.) K. Koch

| 药 材 名 | 海芋（药用部位：根茎。别名：野芋头、痕芋头、广东狼毒）。

| 形态特征 | 大型草本。叶柄粗壮，抱茎，长超过 1 m；叶片箭状卵形，长 50 ～ 90 cm，宽 40 ～ 90 cm，后裂片 1/10 ～ 1/5 连合，前裂片三角状卵形，后裂片圆形。佛焰苞卵形，檐部黄绿色，舟状，长圆形，略下弯，先端喙状；肉穗花序芳香；雌花序白色；不育雄花序绿白色，能育雄花序淡黄色；附属器淡绿色至乳黄色，圆锥状，长 3 ～ 6 cm，直径 1 ～ 2 cm。浆果红色，卵状。花期全年。

| 生境分布 | 生于海拔 1 700 m 以下的热带雨林林缘或河谷野芭蕉林下。广东各地均有分布。

| **资源情况** | 野生资源丰富。栽培资源丰富。药材来源于野生和栽培。

| **采收加工** | 全年均可采收，除去外皮，切片，清水浸漂 5 ~ 7 天，勤换水，取出后鲜用或晒干。

| **功能主治** | 清热解毒，行气止痛，消肿散结。用于流行性感冒，腹痛，肺结核，风湿骨痛，疔疮，痈疽肿毒，瘰疬，附骨疽，斑秃，疥癣，蛇虫咬伤。

| **用法用量** | 内服煎汤，3 ~ 9 g，鲜品 15 ~ 30 g，需与大米同炒至米焦后加水煮至米烂，去渣用，或久煎 2 小时以上。外用适量，捣敷，不可敷健康皮肤；或焙贴；或煨热擦。

天南星科 Araceae 魔芋属 Amorphophallus

南蛇棒

Amorphophallus dunnii Tutcher

| 药 材 名 |

南蛇棒（药用部位：块茎。别名：蛇蒜头、蛇春头、七角莲）。

| 形态特征 |

块茎扁球形，顶部扁平，密生具分枝的肉质根。鳞叶线形，膜质。叶柄具暗绿色斑点；叶片 3 全裂，小裂片互生，基生裂片椭圆形，顶生裂片披针形。佛焰苞绿色，椭圆形，下部卷，上部舟状；雌花序长 1.5 ~ 3 cm，直径 1 ~ 3 cm，子房倒卵形，柱头盘状；雄花序与雌花序近等大；附属器长圆锥形，长 4.5 ~ 14 cm，中下部直径 1.5 ~ 6 cm，绿色或黄白色。浆果蓝色。花期 3 ~ 4 月，果实 7 ~ 8 月成熟。

| 生境分布 |

生于海拔 220 ~ 800 m 的林下。分布于广东始兴、紫金、连南、英德、高要等。

| 资源情况 |

野生资源较丰富。栽培资源较少。药材来源于野生。

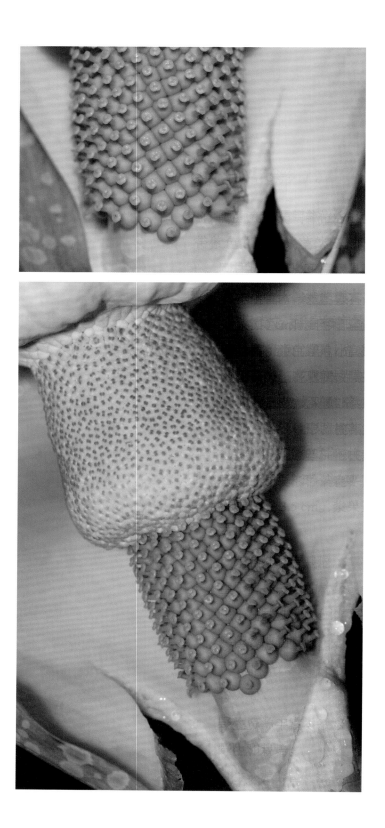

| **采收加工** | 夏、秋季采挖，除去地上茎叶及须根，洗净，置阴凉处风干。

| **功能主治** | 消肿散结，解毒止痛。用于肿瘤，颈淋巴结结核，痈疖肿毒，毒蛇咬伤。

| **用法用量** | 内服煎汤，3 ~ 5 g，久煎 3 小时以上。外用适量，捣敷。

天南星科 Araceae 魔芋属 Amorphophallus

魔芋

Amorphophallus rivieri Durieu ex Rivière

| 药 材 名 |

魔芋（药用部位：块茎。别名：蒟蒻）。

| 形态特征 |

块茎扁球形，颈部生肉质根。叶柄基部具鳞叶，披针形。叶片 3 裂，一次裂片具柄，二次裂片 2 回羽状分裂，长圆状椭圆形，基部楔形，外侧下延成翅。佛焰苞漏斗形，浅绿色，具暗绿色斑块，边缘内面紫红色；雌花序紫色，花柱与子房等长，长约 2 mm，子房紫红色，柱头 3 裂；雄花序与雌花序近等大；附属器圆锥形，具不育花遗垫。浆果球形，成熟时黄绿色。花期 4 ~ 6 月，果期 8 ~ 9 月。

| 生境分布 |

生于疏林下、林缘或溪谷两旁湿润地。栽培于房前屋后、田边地角。分布于广东乳源、乐昌、连州等。

| 资源情况 |

野生资源一般。栽培资源丰富。药材来源于栽培。

| **采收加工** | 10 ～ 11 月采收，洗净，鲜用或切片晒干。

| **功能主治** | 活血降脂，解毒消肿。用于预防动脉硬化，降低胆固醇，防治心脑血管疾病。

| **用法用量** | 内服煎汤，9 ～ 15 g，久煎 2 小时以上。外用适量，捣敷；或磨醋涂。

天南星科 Araceae 天南星属 Arisaema

一把伞南星

Arisaema erubescens (Wall.) Schott

| **植物别名** | 洱海南星、短柄南星。

| **药材名** | 一把伞南星（药用部位：块茎）。

| **形态特征** | 块茎扁球形。叶 1；叶柄长 40 ～ 80 cm，中部以下具鞘；叶片放射状分裂，裂片多至 20，披针形至椭圆形，长 8 ～ 24 mm，宽 6 ～ 35 mm。佛焰苞绿色，管部圆筒形，喉部稍外卷，檐部卵形，先端渐狭；肉穗花序单性；雄花序长 2 ～ 2.5 cm，雄花具短柄，雄蕊 2 ～ 4；雌花序长约 2 cm，子房卵圆形；附属器棒状，先端钝，基部渐狭。浆果红色。花期 5 ～ 7 月，果期 9 月。

| **生境分布** | 生于海拔 600 ～ 1 550 m 的林下、灌丛、草坡、荒地。分布于广东

乐昌及广州（市区）等。

| **资源情况** | 野生资源较少。栽培资源较少。药材来源于野生。

| **采收加工** | 秋、冬季采收，切片，晒干。

| **功能主治** | 祛风化痰，散结燥湿。用于面神经麻痹，惊风，破伤风，癫痫，疮痈肿毒，毒蛇咬伤。

| **用法用量** | 外用适量，研末，以醋调敷。

天南星

Arisaema heterophyllum Blume

| 植物别名 |

羽叶南星、异叶天南星。

| 药材名 |

天南星（药用部位：块茎）。

| 形态特征 |

块茎扁球形。叶1；叶柄圆柱形，下部3/4呈鞘筒状；叶片鸟足状分裂，裂片倒披针形，基部楔形，先端渐尖，侧裂片排列成蝎尾状。佛焰苞管部圆柱形，喉部截形，檐部卵形；肉穗花序两性，雄花疏，雌花球形，花柱明显，柱头小；雄花序单性，长3～5 cm；各种附属器至佛焰苞喉部呈"之"字形上升。浆果红色，圆柱形。花期4～5月，果期7～9月。

| 生境分布 |

生于海拔150～600 m的林下、灌丛或草地。分布于广东乳源、乐昌、兴宁、饶平、博罗、连南、阳山、高州等。

| 资源情况 |

野生资源较丰富。栽培资源丰富。药材来源于野生和栽培。

| **采收加工** | 秋季采挖，切片，晒干。

| **功能主治** | 辛、苦，温；有毒。燥湿化痰，祛风止痉，散结消肿。用于痈肿，蛇虫咬伤，顽痰咳嗽，风痰眩晕，中风痰壅，口眼㖞斜，半身不遂，癫痫，惊风，破伤风。

| **用法用量** | 外用适量，研末，以醋调敷。

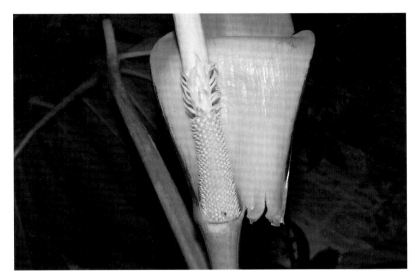

天南星科 Araceae 天南星属 Arisaema

灯台莲

Arisaema sikokianum Franch. et Sav. var. *serratum* (Makino) Hand.-Mazz.

| **植物别名** | 大叶天南星、蛇芋头。

| **药 材 名** | 灯台莲（药用部位：块茎）。

| **形态特征** | 块茎扁球形。鳞叶 2，内面的披针形，膜质。叶 2；叶柄长 20 ～ 30 cm，下面 1/2 呈鞘筒状；叶 5 裂，裂片卵形，中裂片锐尖，侧裂片与中裂片近等大，外裂片较小。佛焰苞暗紫色，管部漏斗状，喉部近截形，檐部卵状披针形；肉穗花序单性；雄花序圆柱形，花疏；雌花序圆锥形，花密，子房卵形；各附属器上部呈棒状。浆果黄色，长圆锥状。花期 5 月，果期 8 ～ 9 月。

| **生境分布** | 生于海拔 650 ～ 1 500 m 的山坡林下或沟谷岩石上。分布于广东乳

源、乐昌、连山、怀集等。

| **资源情况** | 野生资源一般。栽培资源较少。药材来源于野生。

| **采收加工** | 夏、秋季采挖，除去茎叶及须根，洗净，鲜用或切片晒干。

| **功能主治** | 辛、苦，温；有毒。燥湿化痰，息风止痉，消肿定痛。用于痰湿咳嗽，风痰眩晕，癫痫，中风，口眼㖞斜，破伤风，痈肿，毒蛇咬伤。

| **用法用量** | 内服煎汤，3～6g，需炮制后用。外用适量，捣敷；或研末，以醋调敷。

天南星科 Araceae 五彩芋属 Caladium

五彩芋
Caladium bicolor (Aiton) Vent.

| 药 材 名 | 五彩芋（药用部位：块茎。别名：花叶芋）。

| 形态特征 | 块茎扁球形。叶柄长 15 ～ 25 cm；叶卵状三角形，先端骤狭，后裂片长约为前裂片的 1/2，长圆状卵形，1/5 ～ 1/3 连合。佛焰苞管部卵圆形，檐部凸尖，白色；肉穗花序；雄花序纺锤形，长 3 cm，向两头渐狭，雄花具合生雄蕊柱，六角形；雌花序与雄花序近等长，长约 1.5 cm，圆锥形，花密集，雌花仅具雌蕊，无花柱；花单性，无花被。浆果白色。花期 4 月。

| 生境分布 | 生于村前、屋后及林下阴湿处。广东珠江三角洲等有栽培。

| 资源情况 | 野生资源一般。栽培资源丰富。药材来源于栽培。

| **采收加工** | 秋季采挖，切片，晒干。

| **功能主治** | 苦、辛，温；有毒。祛风燥湿，散瘀止痛，解毒消肿。用于风湿痹痛，跌打肿痛，胃痛，牙痛，疟腮，痈疮疖肿，湿疹，全身瘙痒，蛇虫咬伤，金疮。

| **用法用量** | 内服煎汤，3 ~ 6 g，需炮制后用。外用适量，捣敷；或煎汤洗。

天南星科 Araceae 芋属 Colocasia

野芋

Colocasia antiquorum Schott

| 药 材 名 | 野芋（药用部位：块茎。别名：老芋、野芋艿、野芋头）。

| 形态特征 | 湿生草本。块茎球形，具匍匐茎。叶基生；叶柄常紫色，长可达 1.2 m；叶片盾状卵形，基部心形，长达 50 cm，前裂片宽卵形，后裂片卵形，长约为前裂片的 1/2，基部弯缺。佛焰苞苍黄色，长 15 ～ 25 cm，管部淡绿色，长圆形，檐部线状披针形，先端渐尖；肉穗花序短于佛焰苞；雌花序与不育雄花序等长，花柱极短；附属器延长，长 4 ～ 8 cm，与雄花序近等长。花期 8 月。

| 生境分布 | 生于林下阴湿处。分布于广东新丰、翁源、和平、连平、兴宁、饶平、龙门、博罗、阳春及肇庆（市区）等。

| **资源情况** | 野生资源丰富。栽培资源较少。药材来源于野生。 |

| **采收加工** | 春、夏季采收，鲜用或晒干。用于痈疖肿毒，急性颈淋巴结炎，指疗，创伤出血，蛇虫咬伤。 |

| **功能主治** | 辛，寒；有毒。清热解毒，消肿散瘀。 |

| **用法用量** | 外用适量，捣敷；或磨汁涂。 |

天南星科 Araceae 芋属 Colocasia

芋

Colocasia esculenta (L.) Schott

| 药 材 名 | 芋茎（药用部位：根茎。别名：芋头）、芋叶（药用部位：叶）、芋叶柄（药用部位：叶柄）、芋花（药用部位：花）。

| 形态特征 | 湿生草本。块茎卵形，常生小球茎，富含淀粉。叶基生，常 2 ~ 3；叶柄绿色，长 20 ~ 90 cm；叶片卵状，长 20 ~ 50 cm，先端短尖，后裂片浑圆，合生长度达 1/3 ~ 1/2。佛焰苞长约 20 cm，长卵形，展开呈舟状，边缘内卷；肉穗花序长约 10 cm；雌花序长圆锥状，长 3 ~ 3.5 cm；中性花序细圆柱状，长 3 ~ 3.3 cm；雄花序圆柱形，长 4 ~ 4.5 cm；附属器短，钻形，长约为雄花序的一半。花期 2 ~ 9 月。

| 生境分布 | 生于村前、屋后及林下阴湿处。广东各地均有栽培。

| **资源情况** | 野生资源丰富。栽培资源丰富。药材来源于野生和栽培。

| **采收加工** | 芋茎：秋季采挖，除去须根和地上部分，洗净，鲜用或晒干。
芋叶：7～8月采收，鲜用或晒干。
芋叶柄：8～9月采收，除去叶片，洗净，鲜用或切段晒干。
芋花：花开时采收，鲜用或晒干。

| **功能主治** | 芋茎：甘、辛，平。健脾补虚，散结解毒。用于胸闷气短，腹泻。
芋叶：辛、甘，平。止泻，敛汗，消肿解毒。用于腹泻，自汗，盗汗，痈疽肿毒，黄水疮，蛇虫咬伤。
芋叶柄：辛，平。祛风，利湿，解毒，化瘀。用于筋骨疼痛，无名肿毒，蛇头疔，蛇虫咬伤。
芋花：辛，平；有毒。理气止痛，散瘀止血。用于气滞胃痛，噎膈，吐血，子宫脱垂，小儿脱肛，内、外痔，鹤膝风

| **用法用量** | 芋茎：内服煎汤，60～120 g；或入丸、散剂。外用适量，捣敷；或磨醋涂。
芋叶、芋叶柄、芋花：内服煎汤，15～30 g。外用适量，捣敷；或捣汁涂。

天南星科 Araceae 芋属 Colocasia

大野芋

Colocasia gigantea (Blume) Hook. f.

药 材 名	大野芋（药用部位：块茎。别名：山野芋、水芋、象耳芋）。
形态特征	多年生草本。根茎倒圆锥形。叶柄长可达 1.5 m，下部 1/2 呈鞘状；叶片卵状心形，长可达 1.3 m。每花序梗围以 1 膜质鳞叶；佛焰苞长 12 ~ 24 cm，椭圆状，基部兜状，纯白色；肉穗花序长 9 ~ 20 cm；雌花序圆锥状，奶黄色，基部斜截形；不育雄花序长圆锥状，雄花棱柱状，雄蕊 4；附属器短小，锥状，长 1 ~ 5 mm，无皱纹。浆果圆柱形。花期 4 ~ 6 月，果期 9 月。
生境分布	生于海拔 100 ~ 700 m 的沟谷地带、林下湿地或石缝中。分布于广东广州（市区）、深圳（市区）、佛山（市区）、肇庆（市区）、

河源（市区）、江门（市区）、湛江（市区）等。

| **资源情况** | 野生资源丰富。栽培资源较少。药材来源于野生。

| **采收加工** | 秋季采挖，除去茎叶及须根，洗净，鲜用。

| **功能主治** | 解毒，消肿止痛。用于跌打损伤，蛇虫咬伤，肿毒。

| **用法用量** | 外用适量，捣敷。

黛粉芋

Dieffenbachia seguine (Jacq.) Schott

| **植物别名** | 翠玉万年青、彩叶万年青。

| **药 材 名** | 花叶万年青（药用部位：全草）。

| **形态特征** | 茎高 1 m，直径 1.5 ~ 2.5 cm。叶片长圆形，叶面具白色或黄色斑块，叶背稍发亮，长 15 ~ 30 cm，宽 7 ~ 12 cm，基部圆形或锐尖，先端稍狭，脉间具长圆形斑块。花序梗短；佛焰苞长圆状披针形，狭长，先端骤尖；肉穗花序，下部雌花序达中部；不育中性花序占全长的 1/3，花星散。浆果黄绿色。

| **生境分布** | 生于村前、屋后及林下阴湿处。广东各地均有栽培。

| **资源情况** | 野生资源较少。栽培资源丰富。药材来源于栽培。

| 采收加工 | 夏、秋季采收，鲜用。 |

| 功能主治 | 清热解毒。用于跌打损伤，筋断骨折，金疮，闪挫扭伤，疮疖，丹毒，痈疽。 |

| 用法用量 | 外用适量，鲜品捣敷。 |

天南星科 Araceae 麒麟叶属 Epipremnum

绿萝

Epipremnum aureum (Lenden et Andre) Bunting

| **药 材 名** | 绿萝（药用部位：全草。别名：小绿）。

| **形态特征** | 高大藤本。茎攀缘，枝悬垂。幼枝鞭状，细长，节间长 15 ～ 20 cm；叶柄长 8 ～ 10 cm，两侧具鞘达顶部；叶鞘宿存，向上渐狭；叶全缘，翠绿色，饰以不规则的纯黄色斑块，下部叶片宽卵形，先端短渐尖，基部心形。成熟枝上的叶叶柄粗壮，长 30 ～ 40 cm，基部稍扩大；叶鞘长；叶片薄革质，通常具不规则的纯黄色斑块，卵形，先端短渐尖，基部深心形，长 32 ～ 45 cm，宽 24 ～ 36 cm。

| **生境分布** | 栽培种。广东各地均有栽培。

| **资源情况** | 栽培资源丰富。药材来源于栽培。

| 采收加工 | 全年均可采收，鲜用。 |

| 功能主治 | 行气活血，抗菌消炎。用于冠心病，血管炎，高热惊风，咽喉肿痛。 |

| 用法用量 | 外用适量，鲜品捣敷。 |

天南星科 Araceae 麒麟叶属 Epipremnum

麒麟叶

Epipremnum pinnatum (L.) Engl.

| 植物别名 | 麒麟尾、百宿蕉、龟背竹。

| 药 材 名 | 麒麟叶茎叶（药用部位：茎叶）、麒麟叶根（药用部位：根）。

| 形态特征 | 藤本。气生根具皮孔。叶柄长 25 ～ 40 cm，上部有膨大关节；叶鞘膜质，逐渐脱落；成熟叶片长圆形，基部心形，沿中肋有 2 行小穿孔，叶片长 40 ～ 60 cm，宽 30 ～ 40 cm，两侧羽状深裂。花序梗圆柱形，长 10 ～ 14 cm，基部有鞘状鳞叶包围；佛焰苞先端渐尖，长 10 ～ 12 cm；肉穗花序圆柱形，长约 10 cm；花两性，雌蕊具棱，先端平，柱头无柄。种子肾形，稍光滑。花期 4 ～ 5 月。

| 生境分布 | 附生于热带雨林的大树上或岩壁上。分布于广东博罗、从化、高州、

仁化、徐闻、阳春、英德及中山、深圳（市区）、肇庆（市区）等。

| 资源情况 | 野生资源丰富。栽培资源丰富。药材来源于野生和栽培。

| 采收加工 | **麒麟叶茎叶、麒麟叶根：**夏、秋季采收。

| 功能主治 | **麒麟叶茎叶、麒麟叶根：**苦、微辛，平。清热凉血，活血散瘀，解毒消肿。用于发热，咳嗽，胃痛，伤寒。

| 用法用量 | **麒麟叶茎叶、麒麟叶根：**内服煎汤，9 ~ 15 g，鲜品 30 ~ 60 g；或炖肉服。外用适量，煎汤洗；或捣敷；或研末撒。

天南星科 Araceae 千年健属 Homalomena

千年健

Homalomena occulta (Lour.) Schott

| 药 材 名 | 千年健（药用部位：根茎。别名：一包针、千颗针、假苏芋）。

| 形态特征 | 多年生草本。根茎匍匐；肉质根密被淡褐色短绒毛。鳞叶线状披针形。叶柄长 25 ～ 40 cm，下部具鞘；叶片膜质至纸质，箭状心形至心形，长 15 ～ 30 cm，宽 15 ～ 28 cm，先端骤狭渐尖。花序 1 ～ 3，长 10 ～ 15 cm；佛焰苞长 5 ～ 6.5 cm，具喙；肉穗花序长 3 ～ 5 cm；子房长圆形，3 室，具多数胚珠，基部一侧具假雄蕊 1，柱头盘状。种子褐色，长圆形。花期 7 ～ 9 月。

| 生境分布 | 生于海拔 80 ～ 1 100 m 的沟谷密林下、竹林和山坡灌丛中。分布于广东阳春及广州（市区）、肇庆（市区）等。

| **资源情况** | 野生资源一般。栽培资源稀少。药材来源于野生。 |

| **采收加工** | 秋、冬季采收，除去茎尖、须根，洗净泥土，晒干。 |

| **功能主治** | 辛、苦，温；有小毒。祛风湿，舒筋活络，止痛消肿。用于风湿痹痛，肢节酸痛，筋骨痿软，胃痛，痈疽疮肿。 |

| **用法用量** | 内服煎汤，9 ~ 15 g；或浸酒。外用适量，研末调敷。 |

天南星科 Araceae 刺芋属 Lasia

刺芋

Lasia spinosa (L.) Thwait.

药 材 名

刺芋（药用部位：全草。别名：笋慈姑、刺茨菇、天河芋）、刺芋根（药用部位：根茎）。

形态特征

多年生有刺常绿草本。茎灰白色，节间生肉质根，节膨大。叶柄长 20 ~ 50 cm；幼株叶片戟形，成年植株叶片鸟足 – 羽状深裂，长、宽均 20 ~ 60 cm，背面脉上疏生皮刺，侧裂片 2 ~ 3。花序梗长 20 ~ 35 cm；佛焰苞长 15 ~ 30 cm；肉穗花序长 2 ~ 3 cm。果序长 6 ~ 8 cm，浆果倒卵圆状，顶部四角形，长 1 cm，先端密生小疣状突起；种子长 5 mm。花期 9 月，果实翌年 2 月成熟。

生境分布

生于海拔 1 530 m 以下的田边、沟旁、阴湿草丛、竹丛中。分布于广东阳春及广州（市区）、肇庆（市区）等。

资源情况

野生资源一般。栽培资源稀少。药材来源于野生。

| 采收加工 | 刺芋：夏、秋季采收，洗净，鲜用或切碎晒干。
刺芋根：夏、秋季采挖，洗净，晒干或切碎晒干。

| 功能主治 | 刺芋、刺芋根：辛、苦，凉。清热利湿，解毒消肿，健胃消食。用于慢性胃炎，消化不良，风湿性关节炎；外用于毒蛇咬伤，淋巴结炎，淋巴结结核。

| 用法用量 | 刺芋、刺芋根：内服煎汤，9～15 g。外用适量，煎汤洗；或研末调敷。

天南星科 Araceae 半夏属 Pinellia

滴水珠

Pinellia cordata N. E. Brown

| 药 材 名 | 滴水珠（药用部位：块茎。别名：心叶半夏）。

| 形态特征 | 块茎球形、卵球形至长圆形。叶 1；叶柄长 12 ~ 25 cm，常紫色或绿色，具紫斑；幼株叶片心状长圆形，多年生植株叶片心形、心状三角形、心状长圆形或心状戟形，先端长渐尖，有时呈尾状，基部心形。花序梗短于叶柄；佛焰苞绿色、淡黄色带紫色或青紫色，檐部椭圆形；肉穗花序，附属器青绿色，长 6.5 ~ 20 cm，渐狭为线形，略呈"之"字形上升。花期 3 ~ 6 月，果期 8 ~ 9 月。

| 生境分布 | 生于海拔 800 m 以下的林下溪旁、潮湿草地、岩石边、岩隙中或岩壁上。分布于广东乳源、乐昌等。

| **资源情况** | 野生资源较少。栽培资源稀少。药材来源于野生。

| **采收加工** | 春、夏季采挖，洗净，鲜用或晒干。

| **功能主治** | 辛，温；有小毒。解毒止痛，消肿散结。用于头痛，胃痛，腹痛，腰痛，跌打损伤，乳痈，肿毒。

| **用法用量** | 内服研末，0.3～0.6 g 或 1～3 粒吞服，不可嚼服。外用适量，捣敷。

半夏 *Pinellia ternata* (Thunb.) Breit.

| 药 材 名 | 半夏（药用部位：块茎。别名：三叶半夏）。

| 形态特征 | 块茎圆球形。叶 2 ～ 5，有时 1；叶柄长 15 ～ 20 cm；幼苗叶片卵状心形至戟形，全缘，老株叶片 3 全裂，裂片长圆状椭圆形或披针形，两头锐尖；花序梗长于叶柄；佛焰苞绿色或绿白色，管部狭圆柱形，檐部长圆形；肉穗花序，附属器绿色至青紫色，长 6 ～ 10 cm，直立，有时呈 "S" 形弯曲。浆果卵圆形，黄绿色，先端渐狭为明显的花柱。花期 5 ～ 7 月，果实 8 月成熟。

| 生境分布 | 生于海拔 800 m 以下的林下溪旁、潮湿草地、岩石边、岩隙中或岩壁上。分布于广东乳源、乐昌、饶平及汕头（市区）、肇庆（市区）等。

| **资源情况** | 野生资源较丰富。栽培资源较少。药材来源于野生。

| **采收加工** | 种子繁育者 3 年后采收，珠芽繁育者翌年采收，块茎繁殖者当年 9 月下旬至 11 月采收，筛去泥土，除去外皮，洗净，晒干或烘干。

| **功能主治** | 辛，温；有毒。燥湿化痰，降逆止呕，消痞散结。用于咳嗽痰多，呕吐反胃，胸闷，眩晕。

| **用法用量** | 内服煎汤，3 ～ 9 g；或入丸、散剂。外用适量，研末调敷，或以酒、醋调敷。

天南星科 Araceae 大藻属 Pistia

大藻 *Pistia stratiotes* L.

| 药 材 名 | 大藻（药用部位：全草。别名：水浮莲、水浮萍）。

| 形态特征 | 水生漂浮草本。根多数，长而悬垂，须根羽状，密集。叶簇生，呈莲座状，叶片常因发育阶段不同而形状各异，呈倒三角形、倒卵形、扇形至倒卵状长楔形，长 1.3 ~ 10 cm，宽 1.5 ~ 6 cm，先端截头状或浑圆，基部厚，两面被毛，基部毛尤为浓密；叶脉扇状伸展，背面明显隆起，呈折皱状。佛焰苞白色，长 0.5 ~ 1.2 cm，外被茸毛。花期 5 ~ 11 月。

| 生境分布 | 生于平静的淡水池塘、沟渠中。广东各地均有分布。

| 资源情况 | 野生资源丰富。栽培资源较少。药材来源于野生。

| **采收加工** | 夏季采收，除去须根，洗净，鲜用或晒干。

| **功能主治** | 辛，寒。疏风透疹，利尿除湿，凉血活血。用于感冒，水肿，小便不利，风湿痹痛，皮肤瘙痒，荨麻疹，麻疹不透；外用于汗斑，湿疹。

| **用法用量** | 内服煎汤，9 ~ 15 g。外用适量，捣敷；或煎汤熏洗。

天南星科 Araceae 石柑属 Pothos

石柑子 Pothos chinensis (Raf.) Merr.

| 药 材 名 |

石柑子（药用部位：全草。别名：藤桔）。

| 形态特征 |

附生藤本。茎具纵条纹。枝下部常具 1 线形鳞叶。叶片椭圆形、披针状卵形至披针状长圆形，长 6 ~ 13 cm，宽 1.5 ~ 5.6 cm；叶柄倒卵状长圆形或楔形，长 1 ~ 4 cm，宽 0.5 ~ 1.2 cm，大小约为叶片的 1/6。花序基部苞片卵形；花序梗长 0.8 ~ 1.8 cm；佛焰苞绿色；肉穗花序椭圆形至近圆球形，长 7 ~ 8 mm，直径 5 ~ 6 mm，具梗。浆果黄绿色至红色，长约 1 cm。花果期全年。

| 生境分布 |

生于海拔 1 100 m 以下的阴湿密林中，常匍匐于岩石上或附生于树干上。广东各地均有分布。

| 资源情况 |

野生资源丰富。栽培资源较少。药材来源于野生。

| 采收加工 |

春、夏季采收，洗净，鲜用或切段晒干。

| **功能主治** | 辛、苦，平；有小毒。行气止痛，消积，祛风湿，散瘀解毒。用于跌打损伤，晚期血吸虫病肝脾肿大，风湿性关节炎，疳积，咳嗽；外用于骨折，中耳炎，鼻窦炎。

| **用法用量** | 内服煎汤，3 ~ 15 g；或浸酒。外用适量，浸酒搽；或鲜品捣敷。

天南星科 Araceae 石柑属 Pothos

百足藤
Pothos repens (Lour.) Druce

| 药 材 名 | 百足藤（药用部位：全草。别名：蜈蚣藤、倒葫芦）。

| 形态特征 | 附生藤本。营养枝具棱；花枝圆柱形，具纵条纹。叶片披针形，长3～4 cm；叶柄长楔形，长13～15 cm。总花序梗长2～3 cm；苞片3～5，披针形；花序梗细长，基部有1线形小苞片；佛焰苞绿色，线状披针形，具长尖头；肉穗花序细圆柱形，长5～6 cm，直径1.5～2 mm，具梗。花密，花被片6，黄绿色。浆果成熟时艳红色，卵形。花期3～4月，果期5～7月。

| 生境分布 | 生于海拔900 m以下的林内石上，常附生于树干上。分布于广东恩平、高州、徐闻及广州（市区）、肇庆（市区）、云浮（市区）、阳江（市区）等。

| **资源情况** | 野生资源较丰富。栽培资源较少。药材来源于野生。

| **采收加工** | 全年均可采收，洗净，鲜用或切段晒干。

| **功能主治** | 辛，温。散瘀接骨，消肿止痛。用于跌打肿痛，骨折，疮毒。

| **用法用量** | 内服煎汤，15 ~ 30 g；或浸酒。外用适量，捣敷；或酒炒敷。

天南星科 Araceae 崖角藤属 Rhaphidophora

狮子尾

Rhaphidophora hongkongensis Schott

药材名

狮子尾（药用部位：全株。别名：岩角藤、水底蜈蚣、大蛇翁）。

形态特征

附生藤本。茎稍肉质，圆柱形。叶柄长 5 ～ 10 cm，腹面具槽，两侧叶鞘达关节；叶片通常镰状椭圆形，有时为长圆状披针形或倒披针形，长 20 ～ 35 cm，宽 5 ～ 6 cm。花序梗圆柱形；佛焰苞绿色至淡黄色，长 6 ～ 9 cm；肉穗花序圆柱形，长 5 ～ 8 cm，直径 1.5 ～ 3 cm；子房顶部近六边形，平截，柱头黑色，近头状，略凸起。浆果黄绿色。花期 4 ～ 8 月，果实翌年成熟。

生境分布

生于海拔 80 ～ 900 m 的热带沟谷雨林内的树干或石崖上。分布于广东惠东、新兴、阳春、信宜、高州及肇庆（市区）等。

资源情况

野生资源较丰富。栽培资源较少。药材来源于野生。

| **采收加工** | 全年均可采收，洗净，切段晒干或鲜用。

| **功能主治** | 辛，凉；有毒。散瘀止痛，清热止咳，凉血解毒。用于发热，咳嗽，胃痛，伤寒。

| **用法用量** | 内服煎汤，9 ~ 15 g；或浸酒。外用适量，捣敷；或酒炒热敷。

天南星科 Araceae 犁头尖属 Typhonium

犁头尖

Typhonium blumei Nicolson & Sivad.

| 药 材 名 | 犁头尖（药用部位：全草。别名：犁头七、老鼠尾）、犁头尖块茎（药用部位：块茎）。

| 形态特征 | 块茎近球形、头状或椭圆形。叶片戟状三角形。佛焰苞管部卵形，檐部卷成长角状，盛花时呈卵状长披针形；雌花序圆锥形，长 1.5 ~ 3 mm，雌花子房卵形，柱头盘状，具乳突，红色；中性花序长 1.7 ~ 4 cm，淡绿色，中性花线形，长约 4 mm，上升或下弯，两头黄色，腰部红色；附属器深紫色，具强烈的粪臭，长 10 ~ 13 cm；雄蕊 2，药室长圆状倒卵形。花期 5 ~ 7 月。

| 生境分布 | 生于海拔 1 200 m 以下的田头、草坡、石隙中。分布于广东乐昌、平远、大埔、兴宁、饶平、龙门、博罗、阳春、徐闻及深圳（市区）、珠海（市

区）、广州（市区）、肇庆（市区）、云浮（市区）等。

| **资源情况** | 野生资源丰富。栽培资源较丰富。药材来源于野生和栽培。

| **采收加工** | **犁头尖、犁头尖块茎**：秋、冬季采挖，洗净，鲜用或晒干。

| **功能主治** | **犁头尖、犁头尖块茎**：辛、苦，温；有毒。解毒消肿，散瘀止血。用于毒蛇咬伤，痈疖肿毒，血管瘤，淋巴结结核，跌打损伤，外伤出血。

| **用法用量** | **犁头尖、犁头尖块茎**：外用适量，捣敷；或磨汁涂；或研末敷。

天南星科 Araceae 犁头尖属 Typhonium

鞭檐犁头尖

Typhonium flagelliforme (Lodd.) Blume

| 药 材 名 | 鞭檐犁头尖（药用部位：块茎。别名：水半夏、疯狗薯、田三七）。

| 形态特征 | 块茎椭圆形、圆锥形或倒卵形。叶柄长 15 ～ 30 cm，具宽鞘；叶片戟状长圆形。佛焰苞管部卵圆形，檐部披针形；附属器淡黄绿色，长 16 ～ 17 cm；药室近圆球形；雌花序卵形，长 1.5 ～ 1.8 cm，中性花序长 1.7 cm，子房倒卵形或近球形；中部以下的中性花棒状，长达 4 mm，上弯，黄色，先端紫色，上部的中性花锥形，长 2 ～ 3 mm，淡黄色。浆果卵圆形，绿色。花期 4 ～ 5 月。

| 生境分布 | 生于海拔 350 m 以下的山溪中、水田或田边等水湿处。分布于广东连山及广州（市区）等。

孙观灵提供

| 资源情况 | 野生资源较少。栽培资源较丰富。药材来源于栽培。

| 采收加工 | 11 月采收，用石灰水浸泡 24 小时，除去外皮，晒干、烘干或鲜用。

| 功能主治 | 辛，温；有毒。燥湿化痰，解毒消肿，止血。用于咳嗽痰多，支气管炎；外用于痈疮疔肿，无名肿毒，毒虫咬伤。

| 用法用量 | 内服煎汤，3～9 g；或入丸、散剂。外用适量，捣敷；或研末调敷。

孙观灵提供

天南星科 Araceae 犁头尖属 Typhonium

独角莲 *Typhonium giganteum* Engl.

| 药 材 名 | 独角莲（药用部位：块茎。别名：鸡心白附、芋叶半夏、麻芋子）。

| 形态特征 | 块茎倒卵形、卵球形或卵状椭圆形，外被暗褐色小鳞片。叶柄圆柱形，长约 60 cm，密生紫色斑点，具膜质叶鞘；叶片幼时角状，后呈箭形，长 15 ～ 45 cm，宽 9 ～ 25 cm。佛焰苞管部圆筒形或长圆状卵形，檐部卵形；雌花序圆柱形，长约 3 cm，子房圆柱形，胚珠 2，柱头圆形；中性花序长 3 cm；附属器紫色，长 6 cm，无柄；药室卵圆形。花期 6 ～ 8 月，果期 7 ～ 9 月。

| 生境分布 | 生于海拔 1 500 m 以下的荒地、山坡、水沟旁。分布于广东广州（市区）等。

晃志提供

| 资源情况 | 野生资源稀少。栽培资源稀少。药材来源于野生。

| 采收加工 | 冬季倒苗后采挖，小的、不带根的作种，大的堆积发酵，使外皮萎缩易脱，置流水里踩去粗皮或切成厚 2 ~ 3 mm 的薄片，晒干。

| 功能主治 | 甘、辛，温；有毒。祛风痰，通经络，解毒镇痛。用于中风痰壅，偏头痛，破伤风，毒蛇咬伤，瘰疬结核，痈肿。

| 用法用量 | 内服煎汤，3 ~ 6 g；或研末，0.5 ~ 1 g，宜炮制后用。外用适量，捣敷；或研末调敷。

天南星科 Araceae 犁头尖属 Typhonium

马蹄犁头尖
Typhonium trilobatum (L.) Schott

| 药 材 名 |

马蹄犁头尖（药用部位：块茎。别名：裂叶犁头尖、马蹄打铁）。

| 形态特征 |

块茎近球形或长圆形，密生肉质根。叶2 ~ 4；叶柄长 25 ~ 35 cm，具宽鞘；幼叶戟形，成熟叶片宽心状卵形，3 浅裂或深裂，长 10 ~ 15 cm，宽 6 ~ 11 cm。佛焰苞管部长圆形，檐部长卵状披针形；雌花序短圆柱形，长约 7 mm，子房黄绿色，柱头紫色；中性花序长 2.8 cm，上半部无花，中性花黄色，线形，长约 7 mm，卷曲；附属器紫红色，长圆锥形。花期 5 ~ 7 月。

| 生境分布 |

生于海拔 650 m 以下的热带芭蕉林、灌丛、草地、荒地、路旁。分布于广东珠江口岛屿及广州（市区）等。

| 资源情况 |

野生资源较少。栽培资源稀少。药材来源于野生。

| **采收加工** | 夏、秋季采挖，洗净，鲜用或晒干。用于风寒湿痹，气血两虚。

| **功能主治** | 辛，温；有毒。散瘀止痛，解毒消肿。

| **用法用量** | 内服煎汤，3～6g，宜炮制后用。外用适量，捣敷。

浮萍科 Lemnaceae 浮萍属 Lemna

浮萍
Lemna minor L.

| 药 材 名 | 浮萍（药用部位：全草。别名：青萍、水浮萍）。

| 形态特征 | 漂浮植物。叶状体对称，近圆形、倒卵形或倒卵状椭圆形，全缘，长 1.5 ~ 5 mm，宽 2 ~ 3 mm，上面稍凸起或沿中线隆起，具 3 脉，背面垂生丝状根 1；根白色，长 3 ~ 4 cm，根冠钝，根鞘无翅；叶状体背面一侧具囊，新叶状体于囊内形成浮出，以极短的细柄与母体相连，随后脱落。雌花具弯生胚珠 1。果实无翅，近陀螺状；种子具凸出的胚乳及 12 ~ 15 纵肋。

| 生境分布 | 生于水田、池沼或其他静水水域。广东各地均有分布。

| 资源情况 | 野生资源丰富。栽培资源较少。药材来源于野生。

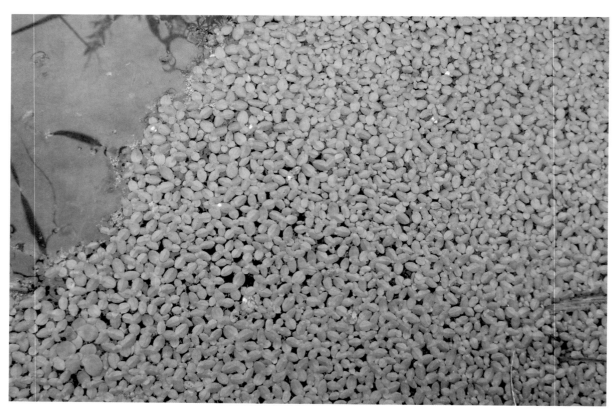

| 采收加工 | 6 ~ 9 月采收，除去杂质，洗净。

| 功能主治 | 辛，寒。发汗解表，透疹止痒，利水消肿，清热解毒。用于时行热痛，斑疹不透，风热痛疹，皮肤瘙痒，水肿，经闭，疮癣，丹毒，烫伤。

| 用法用量 | 内服煎汤，3 ~ 9 g，鲜品 15 ~ 30 g；或捣汁饮；或入丸、散剂。外用适量，煎汤熏洗；或研末敷或调敷。

浮萍科 Lemnaceae 紫萍属 *Spirodela*

紫萍

Spirodela polyrhiza (L.) Schleid.

| **药 材 名** | 紫萍（药用部位：全草。别名：红浮萍）。

| **形态特征** | 叶状体扁平，阔倒卵形，长 5 ~ 8 mm，宽 4 ~ 6 mm，先端钝圆，表面绿色，背面紫色，具掌状脉 5 ~ 11，背面中央生 5 ~ 11 根；根长 3 ~ 5 cm，白绿色，根冠尖，脱落，根基附近一侧囊内形成圆形新芽；新芽萌发后，幼小叶状体渐从囊内浮出，由一细弱的柄与母体相连。肉穗花序有 2 雄花和 1 雌花。

| **生境分布** | 生于水田、水塘、湖湾、水沟。广东各地均有分布。

| **资源情况** | 野生资源丰富。药材来源于野生。

| **采收加工** | 6 ~ 9 月采收，除去杂质，洗净。

| **功能主治** | 辛，寒。发汗解表，透疹止痒，利水消肿，清热解毒。用于风热感冒，麻疹不透，荨麻疹，水肿。

| **用法用量** | 内服煎汤，3～9g，鲜品15～30g；或捣汁饮；或入丸、散剂。外用适量，煎汤熏洗；或研末敷或调敷。

香蒲科 Typhaceae 香蒲属 Typha

水烛

Typha angustifolia L.

药 材 名

水蜡烛（药用部位：花粉。别名：蒲黄）。

形态特征

地上茎直立，粗壮，高 1.5 ~ 2.5 m。叶片背面凸起，下部横切面呈半圆形；叶鞘抱茎。雌雄花序相距 2.5 ~ 6.9 cm；雄花序轴具褐色扁柔毛，单出或分叉，花药长约 2 mm，长矩圆形；雌花具近三角形小苞片，孕性雌花柱头窄条形或披针形，与花柱近等宽，白色丝状毛着生于子房柄基部，并向上延伸，与小苞片近等长，均短于柱头。花果期 6 ~ 9 月。

生境分布

生于湖泊、河流、池塘浅水处、沼泽、沟渠中。分布于广东乳源、南雄、和平等。

资源情况

野生资源丰富。药材来源于野生。

采收加工

秋、冬季采收，晒干。

| 药材性状 | 本品为黄色粉末。质轻，放水中则漂浮水面，手捻之有滑腻感，易附着于手指上。气微，味淡。

| 功能主治 | 甘，平。行血，消瘀，止痛，止血。用于吐血，咯血，衄血，血痢，便血，崩漏，外伤出血，心腹疼痛，产后瘀痛，跌打损伤，血淋涩痛，带下，重舌，口疮，阴下湿痒。

| 用法用量 | 内服煎汤，3 ~ 10 g。外用适量，研末调敷。

香蒲科 Typhaceae 香蒲属 Typha

香蒲

Typha orientalis Presl

| 药 材 名 | 东方香蒲（药用部位：花粉）。

| 形态特征 | 地上茎粗壮，高 1.3 ~ 2 m。叶片背部凸起，横切面呈半圆形。雌雄花序紧密连接；雄花序长 2.7 ~ 9.2 cm，花序轴具白色弯曲的柔毛，花药长约 3 mm，条形，花丝很短，基部合生成短柄；雌花序长 4.5 ~ 15.2 cm，雌花无小苞片，孕性雌花柱头匙形，外弯，长 0.5 ~ 0.8 mm，花柱长 1.2 ~ 2 mm，白色丝状毛与花柱近等长或较花柱长。花果期 5 ~ 8 月。

| 生境分布 | 生于湖泊、池塘、沟渠、沼泽及河流缓冲带。分布于广东新丰、翁源、乐昌、阳山及云浮（市区）等。

陈丰林提供

| **资源情况** | 野生资源丰富。药材来源于野生。

| **采收加工** | 秋、冬季采收，晒干后碾轧，筛取花粉。

| **药材性状** | 本品为黄色粉末。质轻，放水中则漂浮水面，手捻之有滑腻感，易附着于手指上。气微，味淡。

| **功能主治** | 甘、微辛，平。止血，祛瘀，利尿。用于吐血，咯血，衄血，血痢，便血，崩漏，外伤出血，心腹疼痛，产后瘀痛，跌打损伤，血淋涩痛，带下，重舌，口疮，阴下湿痒。

| **用法用量** | 内服煎汤，3～10 g。外用适量，研末调敷。

陈丰林提供

陈丰林提供

洋葱
Allium cepa L.

| 药 材 名 |

圆葱（药用部位：鳞茎）。

| 形态特征 |

植株单生。鳞茎粗大，近球状至扁球状，外皮紫红色，纸质至薄革质，内皮肥厚，肉质。叶圆筒状，中空，比花葶短。花葶粗壮，中空；伞形花序球状，具多而密集的花；小花梗长约 2.5 cm，基部具小苞片；花粉白色；花被片具绿色中脉；花丝等长，稍长于花被片，内轮花丝基部极扩大，扩大部分每侧各具 1 齿，外轮花丝锥形。花果期 5 ~ 7 月。

| 生境分布 |

广东各地均有栽培。

| 资源情况 |

栽培资源丰富。药材来源于栽培。

| 采收加工 |

6 月采收，鲜用。

| 功能主治 |

辛，温。利尿，化痰，开胃化湿，降脂降糖，助消化。用于创伤，溃疡，滴虫性阴道炎，便秘。

| **用法用量** | 内服生食或熟食，50 ~ 100 g。外用适量，鲜品捣敷。

石蒜科 Amaryllidaceae 葱属 Allium

薤头 *Allium chinense* G. Don

| 药 材 名 | 荞头（药用部位：鳞茎。别名：薤、薤白）。

| 形态特征 | 鳞茎数枚聚生，狭卵状。叶 2 ~ 5，中空，圆柱状，具 3 ~ 5 棱，与花葶近等长。花葶侧生，圆柱状；总苞 2 裂，比伞形花序短；小花梗近等长，基部具小苞片；花淡紫色至暗紫色，两性；花丝等长，长约为花被片的 1.5 倍，仅基部合生并与花被片贴生，内轮花丝基部扩大，扩大部分每侧各具 1 齿；子房倒卵球状，每室 2 胚珠；花柱伸出花被外。花果期 10 ~ 11 月。

| 生境分布 | 广东各地均有栽培。

| 资源情况 | 栽培资源丰富。药材来源于栽培。

| **采收加工** | 夏季采挖，煮熟，晒干。

| **功能主治** | 辛、苦，温。温中通阳，理气宽胸，通阳散结，行气导滞。用于胸痛，胸闷，心绞痛，胁肋刺痛，咳嗽，慢性支气管炎，慢性胃痛，痢疾。

| **用法用量** | 内服煎汤，3 ~ 9 g。

石蒜科 Amaryllidaceae 葱属 Allium

葱
Allium fistulosum L.

| 药 材 名 |

葱白（药用部位：鳞茎）、葱花（药用部位：花）、葱须（药用部位：须根）、葱实（药用部位：种子）。

| 形态特征 |

鳞茎单生，圆柱状，直径 1 ~ 2 cm，外皮白色，稀淡红褐色，膜质。叶圆筒状，中空，与花葶近等长，直径超过 0.5 cm。花葶圆柱状，中空，粗壮，中下部膨大；小花梗纤细，比花被片长 2 ~ 3 倍，基部无小苞片；花白色；花被片长 6 ~ 8.5 mm；花丝长为花被片的 1.5 ~ 2 倍，锥形，在基部合生并与花被片贴生；子房倒卵状，腹缝线基部具不明显的蜜穴。花果期 4 ~ 7 月。

| 生境分布 |

广东各地均有栽培。

| 资源情况 |

栽培资源丰富。药材来源于栽培。

| 采收加工 |

葱白： 全年均可采挖，除去须根及叶，剥除外膜。

葱花：7 ~ 9 月花开时采收，阴干。

葱须：全年均可采收，晒干。

葱实：夏、秋季采收成熟果实，晒干，搓取种子，簸去杂质。

| **功能主治** | 葱白：辛，温。发表，通阳，解毒，杀虫。用于伤寒寒热头痛，阴寒腹痛，虫积内阻，二便不通，痢疾，痈肿。

葱花：辛，温。散寒通阳。用于脘腹冷痛，胀满。

葱须：辛，平。祛风散寒，解毒散瘀。用于风寒头痛，喉疮，痔疮，冻伤。

葱实：辛，温。温肾，明目，解毒。用于肾虚阳毒，遗精，目眩，视物昏暗，疮痈。

| **用法用量** | 葱白：内服煎汤，3 ~ 5 g；或煮酒。外用适量，捣敷；或炒熨；或煎汤洗；或塞耳、鼻。表虚多汗者忌服。

葱花：内服煎汤，6 ~ 12 g。

葱须：内服煎汤，6 ~ 9 g；或研末。外用适量，研末吹喉；或煎汤熏洗。

葱实：内服煎汤，6 ~ 12 g；或入丸、散剂；或煮粥。外用适量，熬膏贴敷；或煎汤洗。

石蒜科 Amaryllidaceae 葱属 Allium

薤白

Allium macrostemon Bunge

| 药 材 名 |

小根蒜（药用部位：鳞茎。别名：羊胡子、藠头、独头蒜）。

| 形态特征 |

鳞茎近球状，呈不规则卵圆形，高 0.5 ～ 1.5 cm，直径 0.5 ～ 1.8 cm，表面黄白色或淡黄棕色，皱缩，底部有凸起的鳞茎盘，质硬，角质样。伞形花序具多而密集的花，或间具珠芽或全为珠芽；小花梗近等长，比花被片长 3 ～ 5 倍，基部具小苞片；花淡紫色或淡红色；子房腹缝线基部具有帘的凹陷蜜穴。花果期 5 ～ 7 月。

| 生境分布 |

广东广州（市区）等有栽培。

| 资源情况 |

栽培资源一般。药材来源于栽培。

| 采收加工 |

夏、秋季采挖，洗净，除去须根，蒸透或置沸水中烫透。

| **功能主治** | 辛、苦，温。通阳散结，行气导滞。用于胸痹疼痛，痰饮咳喘，泻痢后重。 |

| **用法用量** | 内服煎汤，5 ~ 10 g，鲜品 30 ~ 60 g；或入丸、散剂；或煮粥。外用适量，捣敷；或捣汁涂。 |

石蒜科 Amaryllidaceae 葱属 Allium

蒜
Allium sativum L.

| 药 材 名 | 大蒜（药用部位：鳞茎。别名：蒜头）。

| 形态特征 | 鳞茎球状至扁球状，通常由多数肉质、瓣状的小鳞茎紧密排列而成，外面被数层白色至带紫色的膜质鳞茎外皮。叶宽条形至条状披针形，扁平。花葶实心，圆柱状；伞形花序密具珠芽，间有数花；花淡红色；花丝比花被片短，内轮花丝基部扩大，扩大部分每侧各具1齿，齿端呈长丝状，长于花被片；子房每室具2胚珠。花期7月。

| 生境分布 | 广东各地均有栽培。

| 资源情况 | 栽培资源丰富。药材来源于栽培。

| 采收加工 | 春、夏季采收，扎把，悬挂于通风处阴干。

| **功能主治** | 辛，温。温中行滞，解毒，杀虫。用于预防流行性感冒，流行性脑脊髓膜炎，肺结核，百日咳，食欲不振，消化不良，细菌性痢疾，阿米巴痢疾，肠炎，蛲虫病，钩虫病；外用于滴虫性阴道炎，急性阑尾炎。 |

| **用法用量** | 内服煎汤，1.5 ~ 3 g；或生食；或煨食；或捣泥为丸。外用适量，捣敷；或作栓剂；或切片灸。 |

| **附　　注** | 本种耐寒，喜光，喜土质肥沃、排水良好的砂壤土。 |

石蒜科 Amaryllidaceae 葱属 Allium

韭

Allium tuberosum Rottler ex Spreng.

| 药 材 名 | 韭（药用部位：叶。别名：韭菜）、韭根（药用部位：根）、韭子（药用部位：种子）。

| 形态特征 | 具倾斜的横生根茎。鳞茎簇生，近圆柱状，外皮破裂成纤维状、网状或近网状。叶条形，扁平，实心。花葶圆柱状，常具 2 纵棱，基部被叶鞘；伞形花序具多但较稀疏的花；小花梗近等长，比花被片长 2 ~ 4 倍，基部具小苞片；花白色；花被片常具绿色或黄绿色的中脉；花丝等长，短于花被片，基部合生并与花被片贴生，内轮花丝无齿。花果期 7 ~ 9 月。

| 生境分布 | 广东各地均有栽培。

| 资源情况 | 栽培资源丰富。药材来源于栽培。

| 采收加工 | 韭：4 叶心时采收第 1 刀，经养根施肥后，当植株长到 5 片叶时采收第 2 刀，根据需要也可连续采收 5 ~ 6 刀，鲜用。

韭根：全年均可采收，洗净，鲜用或晒干。

韭子：韭抽薹开花后约 30 天，种壳变黑、种子变硬时采收，剪下花葶，扎成小把，挂在通风处，或放在席上晾晒，脱粒，晒干。

| 功能主治 | 韭：辛，温。补肾，温中行气，散瘀，解毒。用于肾虚阳痿，里寒腹痛，噎膈反胃，胸痹疼痛，衄血，吐血，尿血，痢疾，痔疮，疮痈肿毒，漆疮，跌打损伤。

韭根：辛，温。温中，行气，散瘀，解毒。用于里寒腹痛，食积腹胀，胸痹疼痛，赤白带下，衄血，吐血，漆疮，疮癣，跌打损伤。

韭子：辛、甘，温。补肝益肾，壮阳固精。用于肾虚阳痿，腰膝酸软，遗精，尿频，尿浊，带下清稀。

| 用法用量 | 韭：内服捣汁，60 ~ 120 g；或煮粥、炒熟、做羹。外用适量，捣敷；或煎汤熏洗；或热熨。

韭根：内服煎汤，鲜品 30 ~ 60 g；或捣汁。外用适量，捣敷；或温熨；或研末调敷。

韭子：内服煎汤，6 ~ 12 g；或入丸、散剂。

石蒜科 Amaryllidaceae 文殊兰属 Crinum

文殊兰

Crinum asiaticum var. *sinicum* (Roxb. ex Herb.) Baker

| 植物别名 | 水蕉、朱兰叶、海蕉。

| 药 材 名 | 罗裙带（药用部位：叶、鳞茎）、文殊兰果（药用部位：果实）。

| 形态特征 | 多年生草本。鳞茎长柱形。叶 20 ~ 30，多列，带状披针形，边缘波状，暗绿色。花葶直立，与叶近等长；伞形花序，具花 10 ~ 24；佛焰苞状总苞片披针形，长 6 ~ 10 cm，膜质；小苞片狭线形；花高脚碟状，芳香；花被管纤细，伸直，长 10 cm，直径 1.5 ~ 2 mm，绿白色，花被裂片线形，宽一般不及 1 cm，先端渐狭，白色；雄蕊淡红色，花丝长 4 ~ 5 cm。花期夏季。

| 生境分布 | 生于海滨地区或河旁沙地。广东各地均有栽培。

| **资源情况** | 栽培资源丰富。药材来源于栽培。

| **采收加工** | **罗裙带**：全年均可采收，鲜用或晒干。
文殊兰果：11 ~ 12 月果实成熟时采收，鲜用。

| **功能主治** | **罗裙带**：辛、苦，凉；有毒。清热解毒，祛瘀止痛。用于热疮肿毒，淋巴结炎，咽喉炎，头痛，痹痛麻木，跌打瘀肿，骨折，毒蛇咬伤。
文殊兰果：消肿。用于闪筋肿大。

| **用法用量** | **罗裙带**：内服煎汤，3 ~ 10 g。外用适量，捣敷；或绞汁涂；或炒热敷；或煎汤洗。
文殊兰果：外用适量，鲜品捣敷。

石蒜科 Amaryllidaceae 朱顶红属 Hippeastrum

朱顶红 *Hippeastrum rutilum* (Ker-Gawl.) Herb.

药 材 名

朱顶兰（药用部位：鳞茎）。

形态特征

多年生草本。鳞茎近球形，直径 5 ~ 7.5 cm，具匍匐枝。叶 6 ~ 8，花后抽出，鲜绿色，带形。花葶中空，稍扁，具白粉；花 2 ~ 4；佛焰苞状总苞片披针形，长约 3.5 cm；花梗纤细；花被管绿色，圆筒状，花被裂片长圆形，先端尖，洋红色，略带绿色，喉部有小鳞片；雄蕊 6，长约 8 cm，花丝红色，花药线状长圆形；花柱长约 10 cm，柱头 3 裂。花期夏季。

生境分布

广东各地均有栽培。

资源情况

栽培资源丰富。药材来源于栽培。

采收加工

全年均可采收，鲜用。

功能主治

辛，温；有小毒。解毒消肿。用于疮痈肿毒。

| **用法用量** | 外用适量，捣敷。

石蒜科 Amaryllidaceae 水鬼蕉属 Hymenocallis

水鬼蕉 *Hymenocallis littoralis* (Jacq.) Salisb.

| 药 材 名 | 蜘蛛兰（药用部位：叶）。

| 形态特征 | 叶 10 ~ 12，剑形，长 45 ~ 75 cm，宽 2.5 ~ 6 cm，先端急尖，基部渐狭，深绿色，多脉，无柄。花葶扁平，高 30 ~ 80 cm；佛焰苞状总苞片长 5 ~ 8 cm，基部极阔；花 3 ~ 8，白色；花被管纤细，长短不等，花被裂片线形，通常短于花被管；杯状体（雄蕊杯）钟形或阔漏斗形，长约 2.5 cm，有齿，花丝分离部分长 3 ~ 5 cm；花柱与雄蕊近等长或较雄蕊长。花期夏末秋初。

| 生境分布 | 广东各地均有栽培。

| 资源情况 | 栽培资源丰富。药材来源于栽培。

| **采收加工** | 全年均可采收，鲜用。

| **功能主治** | 辛，温。舒筋活血，消肿止痛。用于风湿关节痛，跌打肿痛，痈疽疮肿，痔疮。

| **用法用量** | 外用适量，捣敷；或烤热缠裹。

石蒜科 Amaryllidaceae 石蒜属 Lycoris

忽地笑

Lycoris aurea (L'Hèr.) Herb.

| 药 材 名 |

黄花石蒜（药用部位：鳞茎。别名：铁色箭、大一支箭）。

| 形态特征 |

鳞茎卵形，直径约5 cm。秋季出叶，叶剑形，长约60 cm，最宽处宽达2.5 cm，先端渐尖，中间淡色带明显。花葶高约60 cm；总苞片2，披针形；伞形花序有花4～8；花黄色；花被裂片背面具淡绿色中肋，倒披针形，强度反卷和皱缩；雄蕊略伸出花被外，比花被长约1/6，花丝黄色；花柱上部玫瑰红色。蒴果具3棱，室背开裂。花期8～9月，果期10月。

| 生境分布 |

生于阴湿的岩石上或石崖下土壤肥沃处。分布于广东乳源、新丰、和平、龙门、连州、连南、阳山、高州及惠州（市区）、广州（市区）、云浮（市区）等。

| 资源情况 |

野生资源丰富。药材来源于野生。

| **采收加工** | 全年均可采收，鲜用。

| **功能主治** | 甘、辛，微寒；有毒。解毒消肿，润肺止咳。用于肺热咳嗽，咯血，阴虚劳热，小便不利，痈肿疮毒，疔疮结核，烫火伤。

| **用法用量** | 外用适量，捣敷；或捣汁涂。

石蒜科 Amaryllidaceae 石蒜属 Lycoris

石蒜 *Lycoris radiata* (L'Hèr.) Herb.

| 药 材 名 | 红花石蒜（药用部位：鳞茎）。

| 形态特征 | 鳞茎近球形，直径 1 ~ 3 cm。秋季出叶，叶狭带状，长约 15 cm，宽约 0.5 cm，先端钝，深绿色，中间有粉绿色带。花葶高约 30 cm；总苞片 2，披针形，长约 35 cm，宽约 0.5 cm；伞形花序有花 4 ~ 7；花鲜红色；花被裂片狭倒披针形，极度皱缩和反卷，花被筒绿色，长约 3 cm，宽约 0.5 cm；雄蕊明显伸出花被外，比花被长约 1 倍。花期 8 ~ 9 月，果期 10 月。

| 生境分布 | 生于阴湿山坡和溪沟边。分布于广东始兴、乐昌、翁源、仁化、阳山、连南、龙门及广州（市区）等。

| **资源情况** | 野生资源丰富。药材来源于野生。

| **采收加工** | 秋季采挖，选大者洗净，晒干。

| **功能主治** | 辛、甘，温；有毒。祛痰催吐，解毒散结。用于喉风，乳蛾，咽喉肿痛，痰涎壅塞，食物中毒，胸腹积水，恶疮肿毒，瘰疬痰核，痔瘘，跌打损伤，风湿关节痛，顽癣，烫火伤，蛇咬伤。

| **用法用量** | 内服煎汤，1.5 ~ 3 g；或捣汁。外用适量，捣敷；或绞汁涂；或煎汤熏洗。

石蒜科 Amaryllidaceae 水仙属 Narcissus

水仙

Narcissus tazetta var. *chinensis* Roem.

| 药 材 名 |

水仙根（药用部位：鳞茎）、水仙花（药用部位：花）。

| 形态特征 |

鳞茎卵球形。叶宽线形，扁平，长 20 ~ 40 cm，宽 8 ~ 15 mm，粉绿色。花葶与叶近等长；伞形花序有花 4 ~ 8；佛焰苞状总苞片膜质；花被管灰绿色，近三棱形，长约 2 cm，花被裂片 6，白色，芳香；副花冠浅杯状，淡黄色，不皱缩，长不及花被的一半；雄蕊 6，生于花被管内，花药基着；子房 3 室，每室有胚珠多数，花柱细长，柱头 3 裂。蒴果室背开裂。花期春季。

| 生境分布 |

广东各地均有栽培。

| 资源情况 |

栽培资源丰富。药材来源于栽培。

| 采收加工 |

水仙根：春、秋季采挖，洗去泥沙，用开水烫，切片，晒干或鲜用。

水仙花：春季采摘，鲜用或晒干。

| 功能主治 | **水仙根**：苦、微辛，寒；有毒。清热解毒，散结消肿。用于痈疽肿毒，乳痈，瘰疬，痄腮，鱼骨鲠喉。

水仙花：辛，凉。清心安神，理气调经，解毒避秽。用于神疲头昏，月经不调，痢疾，疮肿。

| 用法用量 | **水仙根**：外用适量，捣敷；或捣汁涂。阴疽及痈疮已溃者禁用。本品有毒，不宜内服。

水仙花：内服煎汤，9～15 g；或研末。外用适量，捣敷；或研末调涂。

石蒜科 Amaryllidaceae 晚香玉属 Polianthes

晚香玉 *Polianthes tuberosa* L.

陈又生提供

| 药 材 名 |

月下香（药用部位：根）。

| 形态特征 |

多年生草本，高达 1 m。具块状根茎。茎直立。基生叶 6 ~ 9 簇生，线形；花葶叶散生，向上渐小成苞片状。穗状花序顶生；每苞片内常有 2 花，苞片绿色；花乳白色，浓香；花被管长 2.5 ~ 4.5 cm，基部稍弯，花被裂片长圆状披针形；雄蕊 6，内藏；子房下位，3 室，花柱细长，柱头 3 裂。蒴果卵球形，先端有宿存花被；种子多数，稍扁。花期 7 ~ 9 月。

| 生境分布 |

广东珠江三角洲等有栽培。

| 资源情况 |

栽培资源一般。药材来源于栽培。

| 采收加工 |

9 ~ 10 月采挖，洗净，晒干。

| **功能主治** | 甘、淡，凉。清热解毒。用于疮痈肿毒。

| **用法用量** | 外用适量，捣敷。

石蒜科 Amaryllidaceae 网球花属 Scadoxus

网球花

Scadoxus multiflorus (Martyn) Raf.

| 药 材 名 | 虎耳兰（药用部位：鳞茎）。

| 形态特征 | 多年生草本。鳞茎球形，直径 4 ~ 7 cm。叶 3 ~ 4，长圆形，长
15 ~ 30 cm，主脉两侧各有纵脉 6 ~ 8，横行细脉排列较密而偏斜；
叶柄短，鞘状。花葶直立，实心，稍扁平，高 30 ~ 90 cm，淡绿色
或有红斑；伞形花序具多花，排列稠密，直径 7 ~ 15 cm；花红色；
花被管圆筒状，长 6 ~ 12 mm，花被裂片线形，长约为花被管的 2 倍；
花丝红色，伸出花被外，花药黄色。浆果鲜红色。花期夏季。

| 生境分布 | 广东各地均有栽培。

| 资源情况 | 栽培资源丰富。药材来源于栽培。

| 采收加工 | 夏、秋季采收，鲜用。

| 功能主治 | 解毒消肿。用于无名肿毒。

| 用法用量 | 外用适量，捣敷。

| 附　　注 | 本种的拉丁学名原为 *Haemanthus multiflorus* Martyn，后被修订为 *Scadoxus multiflorus* (Martyn) Raf.，并移入网球花属 *Scadoxus*。

石蒜科 Amaryllidaceae 葱莲属 Zephyranthes

葱莲
Zephyranthes candida (Lindl.) Herb.

| 药 材 名 | 肝风草（药用部位：全草。别名：玉帘、惊风草、白花独蒜）。

| 形态特征 | 多年生草本。鳞茎卵形，直径约2.5 cm，具明显的颈部。叶狭线形，肥厚，宽2～4 mm。花葶中空；花单生于花葶先端；佛焰苞褐红色，先端2裂；花白色，外面常带淡红色；花被管近无，花被片6，近喉部常有很小的鳞片；雄蕊6，长约为花被的1/2；花柱细长，柱头不明显3裂。蒴果近球形，3瓣开裂；种子黑色，扁平。花期秋季。

| 生境分布 | 广东各地均有栽培。

| 资源情况 | 栽培资源丰富。药材来源于栽培。

| **采收加工** | 全年均可采收，洗净，鲜用。

| **功能主治** | 甘，平。平肝息风，镇痉解痛。用于惊风，癫痫，破伤风。

| **用法用量** | 内服煎汤，3 ~ 4 株；或绞汁饮。外用适量，捣敷。

石蒜科 Amaryllidaceae 葱莲属 Zephyranthes

韭莲 *Zephyranthes carinata Her.*

| 药 材 名 | 赛番红花（药用部位：全草。别名：红花葱兰、肝风草、韭菜莲）。

| 形态特征 | 多年生草本。鳞茎卵球形。基生叶常数枚簇生，线形，扁平，宽 6 ~ 8 mm。花单生于花葶先端；佛焰苞状总苞片常带淡紫红色，下部合生成管；花玫瑰红色或粉红色；花被管长 1 ~ 2.5 cm，花被裂片 6，倒卵形；雄蕊 6，长为花被的 2/3 ~ 4/5，花药呈"丁"字形着生；子房下位，3 室，胚珠多数，花柱细长，柱头 3 深裂。蒴果近球形；种子黑色。花期夏、秋季。

| 生境分布 | 广东各地均有栽培。

| 资源情况 | 栽培资源丰富。药材来源于栽培。

| **采收加工** | 夏、秋季采收，晒干。

| **功能主治** | 苦，寒。凉血止血，解毒消肿。用于吐血，便血，崩漏，跌伤红肿，疮痈红肿，毒蛇咬伤。

| **用法用量** | 内服煎汤，15 ~ 30g。外用适量，捣敷。

鸢尾科 Iridaceae 射干属 Belamcanda

射干

Belamcanda chinensis (L.) Redouté

| 药 材 名 |

野萱花（药用部位：根茎。别名：交剪草）。

| 形态特征 |

多年生直立草本。根茎呈不规则块状。茎直立，实心。叶剑形，扁平，互生。二歧状伞房花序顶生；苞片小，膜质；花橙红色；花被管甚短，花被裂片6，2轮排列，外轮花被裂片略宽大；雄蕊3，生于外轮花被基部；花柱圆柱形，柱头3浅裂，子房下位，3室，中轴胎座，胚珠多数。蒴果倒卵形，黄绿色，成熟时3瓣裂；种子球形，黑紫色，有光泽。

| 生境分布 |

生于海拔较低的林缘或山坡草地。分布于广东乐昌、乳源、仁化、翁源、和平、梅县、龙门、信宜、阳山、高要、封开、台山及阳江（市区）、茂名（市区）、东莞、广州（市区）等。

| 资源情况 |

野生资源丰富。栽培资源一般。药材来源于野生和栽培。

| **采收加工** | 秋季采挖。

| **功能主治** | 苦，寒。清热解毒，消痰，利咽。用于咽喉肿痛，痰壅咳喘，瘰疬结核，疟母癥瘕，痈肿疮毒。

| **用法用量** | 内服煎汤，5 ～ 10 g；或入丸、散剂；或鲜品捣汁。外用适量，研末吹喉；或捣敷。

鸢尾科 Iridaceae 番红花属 Crocus

番红花 *Crocus sativus* L.

药材名

番红花（药用部位：柱头。别名：西红花、藏红花）。

形态特征

多年生草本。球茎扁圆球形，外有黄褐色膜质包被。叶基生，条形，边缘反卷；叶从基部包有膜质的鞘状叶。花葶甚短，不伸出地面；花淡蓝色或红紫色；花被管细长，花被裂片6，2轮排列；雄蕊3，着生于花被管上；花柱1，上部3分枝，柱头楔形或略膨大，子房下位，3室，中轴胎座，胚珠多数。蒴果小，卵圆形，成熟时室背开裂。

生境分布

广东广州（市区）等有栽培。

资源情况

栽培资源一般。药材来源于栽培。

采收加工

10 ～ 11 月下旬，晴天早晨日出时采摘，晒干或在 55 ～ 60 ℃下烘干。

| **功能主治** | 甘，平。活血化瘀，凉血解毒，解郁安神。用于痛经，经闭，月经不调，恶露不净，癥瘕，跌仆损伤，忧郁痞闷，惊悸，温病发斑，麻疹。

| **用法用量** | 内服煎汤，1 ~ 3 g；或冲泡；或浸酒炖。

鸢尾科 Iridaceae 红葱属 Eleutherine

红葱

Eleutherine plicata Herb.

| 药 材 名 |

小红蒜（药用部位：全草）。

| 形态特征 |

多年生草本。鳞茎卵圆形，鳞片肥厚，紫红色，无包被。叶宽披针形或宽条形，4～5纵脉平行而凸出。花葶上部具3～5分枝，分枝处有叶状苞片；聚伞花序顶生；花白色，无明显的花被管；花被片6，2轮排列，内、外轮花被片近等大，倒披针形；雄蕊3，花药呈"丁"字形着生，花丝着生于花被片基部；花柱先端3裂，子房长椭圆形，3室。花期6月。

| 生境分布 |

广东各地均有栽培。

| 资源情况 |

栽培资源丰富。药材来源于栽培。

| 采收加工 |

采收后鲜用。

| **功能主治** | 苦、辛，凉。清热解毒，凉血消肿，活血通经。用于吐血，咯血，痢疾，经闭腹痛，风湿痹痛，跌打损伤，疮疖肿毒。 |

| **用法用量** | 内服煎汤，6 ~ 15 g，鲜品 15 ~ 30 g。外用适量，捣敷；或煎汤洗。 |

香雪兰

Freesia refracta (Jacq.) Klatt

| 药 材 名 | 麦兰（药用部位：球茎。别名：菖蒲兰）。

| 形态特征 | 多年生草本。球茎卵圆形，外有薄膜质包被。叶基生，2 列；叶片剑形或条形，中脉明显。穗状花序顶生；花直立，排列于花序一侧；苞片膜质；花被管喇叭形，花被裂片 6，2 轮排列，近同形等大；雄蕊 3；子房下位，3 室，中轴胎座，花柱细长，柱头 6。蒴果近卵圆形，室背开裂。花期 4 ~ 5 月，果期 6 ~ 9 月。

| 生境分布 | 广东广州（市区）等有栽培。

| 资源情况 | 栽培资源一般。药材来源于栽培。

| 采收加工 | 秋季采挖，鲜用或晒干。

| **功能主治** | 苦，凉。清热解毒，凉血止血。用于衄血，吐血，崩漏，痢疾，疮肿，外伤出血，蛇咬伤。 |

| **用法用量** | 内服煎汤，9 ～ 15 g。外用适量，研末敷；或鲜品捣敷。 |

鸢尾科 Iridaceae 唐菖蒲属 Gladiolus

唐菖蒲

Gladiolus gandavensis Van Houtte

| 药 材 名 |

搜山黄（药用部位：球茎。别名：搜山虎）。

| 形态特征 |

多年生草本。球茎外有薄膜质包被。叶剑形或条形，2 列，互相套叠。花葶直立；花两侧对称，颜色鲜艳，直径 5 ~ 8 cm，无梗，每花基部包有草质或膜质苞片；花被管较短而弯曲，花被裂片 6，2 轮排列，上面 3 花被裂片较宽大；雄蕊 3，偏向花的一侧，花丝生于花被管上；花柱细长，先端 3 裂。蒴果室背开裂；种子扁平，边缘有翅。

| 生境分布 |

广东各地均有栽培。

| 资源情况 |

栽培资源丰富。药材来源于栽培。

| 采收加工 |

秋季采挖，晒干。

| 功能主治 |

辛、苦，凉；有毒。清热解毒，散瘀消肿。用于疮痈肿毒，咽喉肿痛，痄腮，痧证，跌打损伤。

| **用法用量** |　　内服煎汤，3 ～ 9 g。外用适量，酒磨或水磨汁涂；或捣敷。

鸢尾科 Iridaceae 鸢尾属 Iris

蝴蝶花
Iris japonica Thunb.

| 植物别名 | 扁竹、日本鸢尾。

| 药材名 | 蝴蝶花（药用部位：全草）、扁竹根（药用部位：根及根茎）。

| 形态特征 | 多年生草本。直立根茎粗，横走根茎纤细。叶基生，剑形，先端渐尖，无明显的中脉。花葶直立，高于叶片，顶生稀疏的总状聚伞花序，分枝 5 ~ 12；苞片叶状，内有 2 ~ 4 花；花淡蓝色或蓝紫色，直径 4.5 ~ 5 cm；花被管明显，外花被裂片倒卵形或椭圆形，中脉上有隆起的黄色鸡冠状附属物，内花被裂片椭圆形或狭倒卵形，边缘有细裂齿。花期 3 ~ 4 月，果期 5 ~ 6 月。

| 生境分布 | 生于山坡较阴湿的草地、疏林下或林缘草地。分布于广东乐昌、乳

源、仁化、饶平、英德及韶关（市区）等。

| **资源情况** | 野生资源丰富。药材来源于野生。

| **采收加工** | **蝴蝶花：** 春、夏季采收，切段，晒干。
扁竹根： 夏季采挖，除去叶及花葶，洗净，鲜用或切片晒干。

| **功能主治** | **蝴蝶花：** 辛，温；有小毒。消肿止痛，清热解毒。用于肝炎，肝大，肝区疼痛，胃痛，咽喉肿痛，便血。
扁竹根： 苦、辛，寒；有小毒。消食，杀虫，通便，利水，活血，止痛，解毒。用于食积腹胀，虫积腹痛，热结腹痛，热结便秘，水肿，癥瘕，久疟，牙痛，咽喉肿痛，疮肿，瘰疬，跌打损伤，子宫脱垂，蛇犬咬伤。

| **用法用量** | **蝴蝶花：** 内服煎汤，6 ~ 15 g。
扁竹根： 内服煎汤，6 ~ 9 g；或研末；或浸酒。外用适量，鲜品捣敷。

鸢尾科 Iridaceae 鸢尾属 Iris

小花鸢尾
Iris speculatrix Hance

药 材 名

小花鸢尾根（药用部位：根茎。别名：六棱麻根）。

形态特征

多年生草本。根茎直径不及 1 cm，无膨大的节。叶基生，宽 0.6 ~ 1.2 cm。花葶光滑，不分枝或偶有侧枝；花蓝紫色或淡蓝色，直径 5.6 ~ 6 cm；花被管短而粗，外花被裂片匙形，中脉上有鲜黄色的鸡冠状附属物，附属物表面平坦，内花被裂片狭倒披针形，直立。蒴果椭圆形，先端有喙，果柄于花凋谢后弯曲成 90°；种子为多面体，具小翅。花期 5 月，果期 7 ~ 8 月。

生境分布

生于山地、路旁、林缘或疏林下。分布于广东乐昌、乳源、和平、平远、蕉岭、博罗等。

资源情况

野生资源丰富。药材来源于野生。

采收加工

秋季采收，洗净，切段，晒干或鲜用。

| 功能主治 | 辛，温；有小毒。活血镇痛，祛风除湿。用于跌打损伤，风寒湿痹，狂犬咬伤，蛇咬伤。

| 用法用量 | 内服浸酒，3 ~ 6 g。外用适量，捣敷；或煎汤洗。

鸢尾科 Iridaceae 鸢尾属 Iris

鸢尾
Iris tectorum Maxim.

| 药 材 名 | 鸢尾（药用部位：全草。别名：蓝蝴蝶）。

| 形态特征 | 多年生草本。植株基部围有老叶残留的膜质叶鞘及纤维。根茎明显，直径约 1 cm；须根细而短。无明显地上茎。叶基生，宽剑形，宽 1.5 ~ 3.5 cm。花葶顶部有 1 ~ 2 短侧枝；花蓝紫色，直径约 10 cm；花被管细长，外花被裂片中脉上有不规则的鸡冠状附属物，呈不整齐的缝状；花柱狭，先端裂片不集中于花中央。蒴果具 6 肋；种子黑褐色，无附属物。花期 4 ~ 5 月，果期 6 ~ 8 月。

| 生境分布 | 生于向阳坡地、林缘及水边湿地。分布于广东乐昌、乳源、连南及云浮（市区）等。广东广州（市区）等有栽培。

| **资源情况** | 野生资源丰富。栽培资源一般。药材来源于野生和栽培。 |

| **采收加工** | 夏、秋季采收，洗净，切碎，鲜用。 |

| **功能主治** | 苦、辛，凉；有毒。清热解毒，祛风利湿，消肿止痛。用于咽喉肿痛，肝炎，肝大，膀胱炎，风湿痛，跌打肿痛，疮疖，皮肤瘙痒。 |

| **用法用量** | 内服煎汤，6 ~ 15 g；或绞汁；或研末。外用适量，捣敷；或煎汤洗。 |

| 百部科 | Stemonaceae | 百部属 | *Stemona*

百部 *Stemona japonica* (Blume) Miq.

| **药 材 名** | 百部（药用部位：块根。别名：蔓生百部、药虱药、婆妇草）。

| **形态特征** | 块根肉质，成簇，呈长圆状纺锤形。茎下部直立，上部攀缘状。叶轮生，卵形、卵状披针形或卵状长圆形，长 4 ~ 9（11）cm，宽 1.5 ~ 4.5 cm；叶柄细，长 1 ~ 4 cm。花序梗贴生于叶片中脉上；花梗纤细，长 0.5 ~ 4 cm；花被片淡绿色，具 5 ~ 9 脉；雄蕊紫红色，短于或近等长于花被；花药线形，药顶具 1 箭头状附属物，两侧各具直立或下垂的丝状体。花期 5 ~ 7 月，果期 7 ~ 10 月。

| **生境分布** | 广东西部、中部、北部等有栽培。

| **资源情况** | 栽培资源丰富。药材来源于栽培。

| **采收加工** | 移栽 2 ～ 3 年后，于冬季地上部分枯萎后或春季萌芽前采挖，除去细根、泥土，在沸水中煮透即取出，晒干、烘干或鲜用。

| **功能主治** | 甘、苦，微温。润肺止咳，杀虫灭虱。用于咳嗽，肺痨，百日咳，蛲虫病，体虱病，疥癣。

| **用法用量** | 内服煎汤，3 ～ 10 g。外用适量，煎汤洗；或研末敷；或浸酒涂擦。

百部科 Stemonaceae 百部属 Stemona

细花百部 *Stemona parviflora* C. H. Wright.

| **植物别名** | 披针叶百部。

| **药 材 名** | 小花百部（药用部位：块根）。

| **形态特征** | 块根肉质。茎长 40 ~ 70 cm，多分枝，攀缘状。叶互生，披针形，长 5 ~ 9.5 cm，宽 0.6 ~ 4.5 cm；主脉 5，近平行，在下面隆起；叶柄细，长 1 ~ 1.2 cm，有时弯曲状。总状花序腋生；总花梗长约 4 mm，具 2 ~ 6 小花；花梗纤细，长约 5 mm，中部具 1 关节；苞片小，钻状；花紫红色，花被片宽卵状披针形，长约 1 cm，宽 3 mm，先端急尖，具 7 ~ 9 脉；雄蕊较花被片稍短。花期 4 ~ 5 月。

| **生境分布** | 生于海拔约 600 m 的山地路边、溪边或石隙中。分布于广东徐闻等。

| **资源情况** | 野生资源较少。药材来源于野生。 |

| **采收加工** | 秋季采挖,晒干。 |

| **功能主治** | 甘、苦,微温。润肺下气,止咳。用于肺结核,久咳,百日咳。 |

| **用法用量** | 内服煎汤,3 ~ 9 g。外用适量,煎汤洗;或浸酒擦。 |

| **附　　注** | 本种被列入《世界自然保护联盟濒危物种红色名录》(IUCN)中,保护级别为濒危(EN)。 |

百部科 Stemonaceae 百部属 Stemona

大百部 *Stemona tuberosa* Lour.

| **药 材 名** | 对叶百部（药用部位：块根。别名：大春药）。 |

| **形态特征** | 块根纺锤状。茎具少数分枝，攀缘状。叶对生或轮生，卵状披针形、卵形或宽卵形，长 6 ~ 24 cm，宽（2）5 ~ 17 cm；叶柄长 3 ~ 10 cm。总状花序生于叶腋或贴生于叶柄上；花被片黄绿色，带紫色脉纹，长 3.5 ~ 7.5 cm，宽 7 ~ 10 mm，内轮花被片比外轮花被片稍宽，具 7 ~ 10 脉；雄蕊紫红色，短于或近等长于花被。蒴果光滑，具多数种子。花期 4 ~ 7 月，果期 5 ~ 8 月。 |

| **生境分布** | 生于海拔 370 ~ 1 900 m 的山坡丛林下、溪边、路旁、山谷和阴湿岩石中。分布于广东乐昌、乳源、平远、信宜及梅州（市区）、深圳（市区）、肇庆（市区）等。 |

| **资源情况** | 野生资源丰富。药材来源于野生。 |

| **采收加工** | 秋季采挖，晒干。 |

| **功能主治** | 甘、苦，微温；有小毒。润肺下气，止咳，杀虫灭虱。用于慢性支气管炎，肺结核，百日咳，阿米巴痢疾，钩虫病，蛔虫病，蛲虫病，皮肤瘙痒，湿疹，皮炎。 |

| **用法用量** | 内服煎汤，3～9 g。外用适量，煎汤洗；或浸酒擦；或研末调涂。 |

| 薯蓣科 | Dioscoreaceae | 薯蓣属 | Dioscorea

参薯
Dioscorea alata L.

| 药 材 名 | 毛薯（药用部位：块茎。别名：大薯、脚板薯）。

| 形态特征 | 缠绕草质藤本。地下为块茎。茎右旋，无毛，具 4 狭翅。单叶，纸质，卵形至卵圆形，长 6 ~ 15 cm，宽 4 ~ 13 cm，两面无毛；叶腋内有珠芽。雄花序穗状，2 至数个生于花序轴上，排列成圆锥花序；花序轴呈"之"字形曲折；雌花序穗状，1 ~ 3 着生于叶腋；花被片离生；退化雄蕊 6。蒴果不反折；种子着生于中轴胎座中部，种翅周生。花期 11 月至翌年 1 月，果期 12 月至翌年 1 月。

| 生境分布 | 广东各地均有栽培。

| 资源情况 | 栽培资源丰富。药材来源于栽培。

| **采收加工** | 秋冬采挖，晒干。

| **功能主治** | 甘、微涩，平。健脾止泻，益肺滋肾，解毒敛疮。用于脾虚泄泻，肾虚遗精，带下，尿频，虚劳咳嗽，消渴，疮疡溃烂，烫火伤。

| **用法用量** | 内服煎汤，9 ~ 15 g；或入丸、散剂。外用适量，研末敷。

薯蓣科 Dioscoreaceae 薯蓣属 Dioscorea

大青薯
Dioscorea benthamii Prain & Burkill

| 药 材 名 | 小叶薯莨（药用部位：块茎）。

| 形态特征 | 缠绕草质藤本。茎右旋，无翅。叶片纸质，对生，卵状披针形至长圆形或倒卵状长圆形，长 2 ~ 7（~ 9）cm，基部圆形，表面绿色，背面粉绿色。雄花序为穗状花序；苞片三角状卵形，与花被片均有紫褐色斑纹；雌花序为穗状花序，雌花外轮花被片较内轮花被片大，退化雄蕊 6。蒴果不反折，三棱状扁圆形，长约 1.5 cm，宽约 2.5（~ 3）cm，无毛。花期 5 ~ 6 月，果期 7 ~ 9 月。

| 生境分布 | 生于海拔 300 ~ 900 m 的山地、山坡、山谷、水边、路旁灌丛中。分布于广东乐昌、始兴、南雄、平远、大埔、丰顺、饶平、陆丰、惠东、英德、封开及梅州（市区）、深圳（市区）、珠海（市区）等。

| **资源情况** | 野生资源丰富。药材来源于野生。 |

| **采收加工** | 秋、冬季采挖，切片，晒干。 |

| **功能主治** | 苦、涩，寒；有小毒。用于跌打损伤，月经不调，半身麻木，外伤出血，子宫出血。 |

| **用法用量** | 内服煎汤，9 ~ 15 g。 |

薯蓣科 Dioscoreaceae 薯蓣属 *Dioscorea*

黄独
Dioscorea bulbifera L.

| **药 材 名** | 黄药子（药用部位：块茎）、黄独零余子（药用部位：珠芽）。

| **形态特征** | 缠绕草质藤本。地下为块茎。茎左旋，无毛。叶腋内具紫棕色珠芽。
单叶互生；叶片心形，长 15 ~ 26 cm，宽 2 ~ 14（~ 26）cm，两
面无毛。雄花序穗状，下垂，丛生于叶腋中，雄花单生，花被片离生；
雌花序与雄花序相似，退化雄蕊 6，长为花被片的 1/4。蒴果反折
下垂，三棱状长圆形；种子两两着生于每室中轴顶部，种翅向种子
基部延伸成长圆形。花期 7 ~ 10 月，果期 8 ~ 11 月。

| **生境分布** | 生于河谷边、山谷阴沟或杂木林缘，有时房前屋后或路旁树荫下也
能生长。分布于广东乐昌、乳源、南雄、始兴、仁化、新丰、海丰、
龙门、博罗、惠东、惠阳、阳山、英德、台山、高州及广州（市区）、

茂名（市区）等。

| 资源情况 | 野生资源丰富。药材来源于野生。

| 采收加工 | **黄药子**：秋、冬季采挖，切片。
黄独零余子：秋季采收，切片，晒干或鲜用。

| 功能主治 | **黄药子**：苦，寒；有小毒。散结消瘿，清热解毒，凉血止血。
黄独零余子：苦、辛，寒；有小毒。清热化痰，止咳平喘，散结解毒。用于痰热咳喘，百日咳，咽喉肿痛，瘿瘤，瘰疬，疮疡肿毒，蛇犬咬伤。

| 用法用量 | **黄药子**：内服煎汤，3～9 g；或浸酒；或研末，1～2 g。外用适量，鲜品捣敷；或研末调敷；或磨汁涂。
黄独零余子：内服煎汤，6～15 g；或磨汁；或浸酒。外用适量，贴敷或捣敷。

| 附　　注 | 本种适应性较大，既喜阴湿，又需阳光充足，在海拔数十米至 1 600 m 的高山地区都能生长。

薯蓣科 Dioscoreaceae 薯蓣属 Dioscorea

薯莨
Dioscorea cirrhosa Lour.

药材名

山猪薯（药用部位：块茎。别名：红孩儿）。

形态特征

粗壮藤本。块茎呈卵形、球形、长圆形至葫芦状。茎右旋，无毛。单叶，革质，长椭圆状卵形至卵圆形、卵状披针形，长 5 ~ 20 cm，宽 1 ~ 14 cm，表面深绿色，背面粉绿色。雄花序为穗状花序，排列成圆锥花序；雌花序穗状，单生于叶腋。蒴果不反折，近三棱状扁圆形，长短于宽；种子着生于每室中轴中部，四周有膜质翅。花期 4 ~ 6 月，果期 7 月至翌年 1 月。

生境分布

生于海拔 350 ~ 1 500 m 的山坡、路旁、河谷边杂木林、阔叶林、灌丛或林边。分布于广东乐昌、乳源、始兴、和平、连平、大埔、平远、龙门、博罗、惠东、连山、阳山、英德、高要、新兴、新会、阳春、遂溪及茂名（市区）、广州（市区）、河源（市区）等。

资源情况

野生资源丰富。药材来源于野生。

| **采收加工** | 秋、冬季采挖，切片，晒干。

| **功能主治** | 苦，凉；有小毒。活血止血，理气止痛，清热解毒。用于功能失调性子宫出血，产后出血，咯血，吐血，尿血，腹泻；外用于烧伤。

| **用法用量** | 内服煎汤，1.2 ~ 9 g。外用适量。

薯蓣科 Dioscoreaceae 薯蓣属 Dioscorea

叉蕊薯蓣 *Dioscorea collettii* Hook. f.

药材名

九子不离母（药用部位：根茎）。

形态特征

缠绕草质藤本。根茎横生，竹节状。茎左旋。单叶互生，三角状心形或卵状披针形，干后黑色。雄花序生于叶腋，雄花无梗，花被碟形，先端6裂，裂片新鲜时黄色，干后黑色，雄蕊3，成熟花药药隔分叉；雌花序穗状，退化雄蕊呈花丝状。蒴果三棱形，成熟后反曲下垂；种子2，着生于中轴中部，四周有薄膜状翅。花期5～8月，果期6～10月。

生境分布

生于海拔350～1900 m的河谷、山坡、沟谷的次生栎树林和灌丛中。分布于广东德庆等。

资源情况

野生资源一般。药材来源于野生。

采收加工

秋、冬季采挖，洗净，切片，晒干或鲜用。

| **功能主治** | 苦、微辛，微寒。祛风利湿，通络止痛，清热解毒。用于风湿痹痛，拘挛麻木，胃气痛，湿热黄疸，白浊，淋痛，带下，跌打损伤，风疹，毒蛇咬伤。 |

| **用法用量** | 内服煎汤，9 ~ 15 g；或浸酒；或入丸、散剂。外用适量，鲜品捣敷。 |

薯蓣科 Dioscoreaceae 薯蓣属 Dioscorea

粉背薯蓣
Dioscorea collettii Hook. f. var. *hypoglauca* (Palib.) Pei & C. T. Ting

| 药 材 名 | 粉萆薢（药用部位：根茎。别名：萆薢、麻甲头）。

| 形态特征 | 本种与叉蕊薯蓣 *Dioscorea collettii* Hook. f. 的区别在于本种叶为三角形或卵圆形，部分植株叶片边缘呈半透明干膜质；雄蕊开放后药隔宽约为花药的一半；蒴果两端平截，先端与基部通常等宽。

| 生境分布 | 生于海拔 200 ~ 1 300 m 的山腰陡坡、山谷缓坡、水沟边阴处的混交林缘或疏林下。分布于广东潮州（市区）等。

| 资源情况 | 野生资源一般。药材来源于野生。

| 采收加工 | 春、秋季采挖，洗净，除去须根，切片，晒干。

| **药材性状** | 本品呈竹节状，类圆柱形，有分枝，表面皱缩，常残留有茎枯萎的疤痕及未除尽的细长须根，多为不规则的薄片，大小不一，厚约 0.5 mm，边缘不整齐。外皮棕黑色或灰棕色，切面黄白色或淡灰棕色，平坦，细腻，有粉性及不规则的黄色筋脉花纹（维管束），对光照视时极为明显。质松，易折断。气微，味苦、微辛。以片大而薄、切面色黄白者为佳。 |

| **功能主治** | 苦，平。利湿浊，祛风湿。用于膏淋，白浊，带下，风湿痹痛，关节不利，腰膝疼痛。 |

| **用法用量** | 内服煎汤，9 ～ 15 g；或入丸、散剂。肾虚阴亏者忌服。 |

薯蓣科 Dioscoreaceae 薯蓣属 Dioscorea

甘薯
Dioscorea esculenta (Lour.) Burkill

| 药 材 名 | 甘薯（药用部位：块茎。别名：甜薯、番薯）。

| 形态特征 | 缠绕草质藤本。地下块茎先端具多个分枝，分枝末端膨大成卵球形块茎。茎左旋，被丁字毛。单叶互生，阔心脏形，被丁字毛。雄花序为穗状花序，单生，花被浅杯状，被短柔毛，外轮花被片阔披针形，内轮花被片稍短，发育雄蕊 6；雌穗状花序单生于上部叶腋，下垂，花序轴稍有棱。蒴果较少成熟，三棱形，棱翅状；种子圆形，具翅。花期初夏。

| 生境分布 | 广东广州（市区）等有栽培。

| 资源情况 | 栽培资源一般。药材来源于栽培。

| **采收加工** | 秋、冬季采挖，晒干。

| **功能主治** | 甘，平。益气健脾，养阴补肾。用于脾虚气弱，肾阴亏乏。

| **用法用量** | 内服适量，作食品。

薯蓣科 Dioscoreaceae 薯蓣属 Dioscorea

光叶薯蓣 *Dioscorea glabra* Roxb.

| 药 材 名 | 红山药（药用部位：块茎。别名：莨菇、苦山药）。

| 形态特征 | 缠绕草质藤本。块茎外皮脱落。茎右旋，无棱。叶纸质，通常卵形、长椭圆状卵形、卵状披针形或披针形，基部心形、圆形或平截，稀箭形或戟形。雌雄异株；雄花序穗状，通常排列成圆锥花序，雄蕊6，内弯；雌花序穗状。蒴果不反折，三棱状扁圆形，长短于宽；种子着生于每室中轴中部，四周有膜质翅。花期9～12月，果期12月至翌年1月。

| 生境分布 | 生于海拔250～1500 m的山坡、路边、沟旁的常绿阔叶林下或灌丛中。分布于广东乳源、博罗、龙门、郁南等。

| **资源情况** | 野生资源一般。药材来源于野生。

| **采收加工** | 秋、冬季采挖，切片，晒干。

| **功能主治** | 苦、微辛，平。解毒止痢，活血通络，止血。用于功能失调性子宫出血，月经不调，腰肌劳损，外伤出血。

| **用法用量** | 内服煎汤，6 ~ 30 g。外用适量，研末撒。

薯蓣科 Dioscoreaceae 薯蓣属 Dioscorea

白薯莨

Dioscorea hispida Dennst.

| **药 材 名** | 榜薯（药用部位：块茎）。

| **形态特征** | 缠绕草质藤本。块茎大小不一，外皮褐色，断面新鲜时白色或微带蓝色。茎粗壮，圆柱形，有三角状皮刺。掌状复叶有 3 小叶；叶柄长达 30 cm，密生柔毛。雄花序穗状，排列成圆锥状，密生绒毛，雄花密集成堆，无花梗，雄蕊 6。蒴果三棱状长椭圆形，长 3.5 ~ 7 cm;种子两两着生于每室中轴顶部，种翅向蒴果基部伸长。花期 4 ~ 5月，果期 7 ~ 9 月。

| **生境分布** | 生于海拔 1 500 m 以下的沟谷边灌丛中或林边。分布于广东惠东、高要、徐闻及广州（市区）等。

| **资源情况** | 野生资源一般。药材来源于野生。 |

| **采收加工** | 秋、冬季采挖，除去茎叶及须根，洗净，切片，晒干或鲜用。 |

| **功能主治** | 辛、苦，寒；有毒。清热解毒，消肿。用于疮痈肿毒，跌打扭伤，外伤出血。 |

| **用法用量** | 外用适量，捣敷；或煎汤洗；或研末调涂；或熬膏贴。 |

薯蓣科 Dioscoreaceae 薯蓣属 *Dioscorea*

日本薯蓣 *Dioscorea japonica* Thunb.

| 药 材 名 | 野山药（药用部位：根茎）。

| 形态特征 | 缠绕草质藤本。块茎长圆柱形，棕黄色。茎右旋，无翅。叶片纸质，三角状披针形、长椭圆状狭三角形至长卵形，基部心形至箭形或戟形，有时近截形或圆形；雄穗状花序通常 2 至数个或单生于叶腋，雄花绿白色或淡黄色，花被片有紫色斑纹，雄蕊 6。蒴果不反折，三棱状扁圆形，长短于宽；每室种子着生于果轴中部，种子四周有膜质翅。花期 5 ~ 10 月，果期 7 ~ 11 月。

| 生境分布 | 生于海拔 150 ~ 1 200 m 的向阳山坡、山谷、溪沟边、路旁杂木林下或草丛中。分布于广东乐昌、乳源、南雄、始兴、仁化、新丰、连平、和平、龙门、阳山、连州、连南、英德、封开等。

| **资源情况** | 野生资源丰富。药材来源于野生。 |

| **采收加工** | 秋、冬季采挖，切片，晒干。 |

| **功能主治** | 甘，平。健脾补肺，益胃补肾，固肾益精，助五脏，强筋骨，清热解毒，补脾健胃。用于脾胃亏损，气虚衰弱，消化不良，慢性腹泻，遗精，遗尿等。 |

| **用法用量** | 内服煎汤，9 ~ 18 g。 |

薯蓣科 Dioscoreaceae 薯蓣属 Dioscorea

薯蓣
Dioscorea opposita Thunb.

| 药 材 名 | 淮山（药用部位：根茎。别名：山药）。

| 形态特征 | 缠绕草质藤本。块茎长圆柱形，断面干时白色。茎右旋，无翅。单叶，纸质；叶片形状变异大，卵状三角形至宽卵形或戟形，长 3 ~ 9（~ 16）cm，宽 2 ~ 7（~ 14）cm，边缘常 3 浅裂至 3 深裂。雌雄异株；雄花序为穗状花序，苞片和花被片有紫褐色斑点，雄蕊 6。蒴果不反折，三棱状扁圆形或三棱状圆形，外面有白粉；种子着生于每室中轴中部，四周有膜质翅。花期 6 ~ 9 月，果期 7 ~ 11 月。

| 生境分布 | 生于山谷林缘或灌丛中。分布于广东乐昌、乳源等。

| 资源情况 | 野生资源一般。药材来源于野生。

| 采收加工 | 拣去杂质，用水浸泡至中心部软化，捞出后稍晾，切片，晒干或烘干。

| 功能主治 | 甘、平。健脾养胃，生津益肺，补肾涩精。用于脾虚久泻，慢性肠炎，肺虚喘咳，慢性肾小球肾炎，糖尿病，遗精，遗尿，带下。

| 用法用量 | 内服煎汤，9～18 g。

| 附　　注 | 在 FOC 中，本种的拉丁学名被修订为 *Dioscorea polystachya* Turcz.。为避免名称变动引起不便，本书沿用旧名称。

薯蓣科 Dioscoreaceae 薯蓣属 Dioscorea

五叶薯蓣
Dioscorea pentaphylla L.

| 药 材 名 | 血参（药用部位：块茎。别名：朱砂莲）。

| 形态特征 | 缠绕草质藤本。地下块茎单一，长卵圆形。茎有皮刺。掌状复叶有 3 ～ 7 小叶，表面疏生贴伏短柔毛至近无毛，背面疏生短柔毛。叶腋内有珠芽。雄花序穗状，排列成圆锥状，发育雄蕊 3；雌花序穗状；雌雄花序轴密生棕褐色短柔毛。蒴果小，长 2 ～ 2.5 cm，成熟时黑色；种子着生于每室中轴顶部，种翅向蒴果基部延伸。花期 8 ～ 10 月，果期 11 月至翌年 2 月。

| 生境分布 | 生于海拔 40 ～ 500 m 的山坡、疏林、路旁。分布于广东封开、德庆、高要、英德及云浮（市区）、广州（市区）、阳江（市区）等。

| **资源情况** | 野生资源丰富。药材来源于野生。

| **采收加工** | 夏、秋季采挖，除去茎叶及须根，洗净，切片，晒干或鲜用。

| **功能主治** | 甘、涩，平。补脾止泻，补肺敛气。用于脾肾虚弱，浮肿，泄泻，产后瘦弱，缺乳，无名肿毒。

| **用法用量** | 内服煎汤，9 ~ 15 g。外用适量，捣敷。

薯蓣科 Dioscoreaceae 薯蓣属 Dioscorea

褐苞薯蓣 *Dioscorea persimilis* Prain & Burkill

| 药 材 名 |

山薯（药用部位：块茎。别名：土淮山、广山药）。

| 形态特征 |

缠绕草质藤本。块茎长圆柱形。茎右旋，干时带红褐色，具棱 4 ~ 8。单叶，纸质，干时带红褐色，卵形、三角形至长椭圆状卵形，全缘，两面网脉明显，无毛。雌雄异株；雄穗状花序通常排列成圆锥花序，苞片和花被片有褐色斑纹，雄蕊 6。蒴果不反折，三棱状扁圆形，长短于宽；种子着生于每室中轴中部，四周有膜质翅。花期 7 月至翌年 1 月，果期 9 月至翌年 1 月。

| 生境分布 |

生于海拔 100 ~ 1 900 m 的山坡、路旁、山谷杂木林中或灌丛中。分布于广东翁源、乳源、乐昌、阳山、英德、连州、阳春、徐闻及深圳（市区）、广州（市区）、云浮（市区）、阳江（市区）、惠州（市区）等。

| 资源情况 |

野生资源丰富。药材来源于野生。

| **采收加工** | 冬季茎叶枯萎后采挖。

| **药材性状** | 本品呈圆柱形，表面平滑，残留少量未除尽的栓皮，栓皮层较薄，深褐色或灰褐色，栓皮下方的木质斑块浅黄色或浅褐色，紧附在中柱外侧。质硬，粉性强，断面白色。气微，味淡、甜。以条粗、质坚实、粉性足、色白者为佳。

| **功能主治** | 甘、涩，平。补脾止泻，补肺敛气。用于脾虚久泻，久咳，咳声无力，干咳无痰，咳嗽气短等。

| **用法用量** | 内服煎汤，10～30 g；或入丸、散剂。外用适量，捣敷。

薯蓣科 Dioscoreaceae 薯蓣属 Dioscorea

马肠薯蓣 Dioscorea simulans Prain & Burkill

| 药 材 名 | 野山薯（药用部位：根茎）。

| 形态特征 | 缠绕草质藤本。根茎横生。茎左旋，有纵长条纹，光滑无毛。叶背面网脉明显。雄花序穗状或总状，花被紫色，基部连合成短管，先端6裂，雄蕊6，花丝短，花药3大3小，花开时花药常聚生成瓶状；雌花序与雄花序相似。蒴果三棱形，棱翅状；种子每室通常2，着生于每室中轴中部，四周有白色或带棕红色的薄膜状翅。花期5～8月，果期7～10月。

| 生境分布 | 生于海拔600 m以下的山坡稀疏灌丛或路边岩石缝中。分布于广东阳山、连州等。

| **资源情况** | 野生资源一般。药材来源于野生。

| **采收加工** | 夏、秋季采挖，除去茎叶及须根，洗净，切片，晒干或鲜用。

| **功能主治** | 苦，微寒；有毒。解毒，散瘀，消肿。用于痈疮，无名肿毒，跌打损伤。

| **用法用量** | 内服煎汤，6 ~ 12 g。外用适量，捣敷。孕妇禁用。

薯蓣科 Dioscoreaceae 薯蓣属 Dioscorea

绵萆薢 *Dioscorea spongiosa* J. Q. Xi

| 药 材 名 |

绵萆薢（药用部位：根茎）。

| 形态特征 |

缠绕草质藤本。根茎粗壮而松，直径 2 ~ 5 cm，干后呈棉絮状。茎左旋。单叶互生，上部叶三角状或卵状心形，全缘或边缘微波状，茎基部叶为掌状裂叶。雄花序穗状，腋生，雄花长约 3 mm，有短梗，花被基部连合成管，橙黄色，先端 6 裂，裂片披针形。蒴果三棱形，每棱翅状；种子着生于每室中轴中部，四周有薄膜状翅。花期 6 ~ 8 月，果期 7 ~ 10 月。

| 生境分布 |

生于海拔 450 ~ 700 m 的山坡路旁疏林下或灌丛中。分布于广东乳源等。

| 资源情况 |

野生资源一般。药材来源于野生。

| 采收加工 |

秋季采挖，洗净，除去须根，切片。

| **药材性状** | 本品多为切片，淡黄白色，有筋脉点，边缘有黄棕色外皮，周边常卷曲。质松软，棉絮状。味微苦。

| **功能主治** | 辛、苦，平。祛风湿，消肿毒，利湿浊。用于风湿痹痛，白浊，淋痛，带下，湿疮。

| **用法用量** | 内服煎汤，10 ~ 20 g。外用适量，鲜品捣敷。

薯蓣科 Dioscoreaceae 薯蓣属 Dioscorea

细柄薯蓣 *Dioscorea tenuipes* Franch. & Savat.

| 药 材 名 | 小黄连（药用部位：根茎）。

| 形态特征 | 缠绕草质藤本。根茎横生，表面有节。茎左旋，光滑无毛。单叶互生；叶片薄纸质，三角形，全缘或微波状。雄花序总状，单生，雄花有梗，花被淡黄色，基部结合成管状，先端 6 裂，雄蕊 6，3 花药呈广歧式着生，3 花药呈"个"字形着生。蒴果干膜质，三棱形，每棱翅状，近半月形；种子着生于中轴中部，四周有薄膜状翅。

| 生境分布 | 生于海拔 800 ～ 1 100 m 的海滨岩石、山谷疏林下或林缘。分布于广东南雄等。

| 资源情况 | 野生资源一般。药材来源于野生。

沈佳豪提供

| **采收加工** | 秋季采收，除去茎叶，洗净，切段，晒干或鲜用。 |

| **功能主治** | 辛、苦，平。祛风湿，舒筋活络。用于风湿痹痛，筋脉拘挛，四肢麻木，跌打损伤，劳伤无力。 |

| **用法用量** | 内服煎汤，6～15 g；或浸酒。外用适量，捣敷。 |

沈佳豪提供

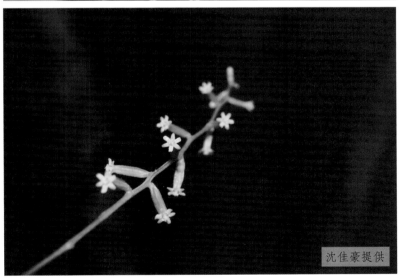

沈佳豪提供

龙舌兰科 Agavaceae 龙舌兰属 Agave

龙舌兰 *Agave americana* L.

| 药 材 名 | 番麻（药用部位：叶。别名：剑兰、剑麻）。

| 形态特征 | 多年生草本。叶莲座状排列，常 30 ~ 40，肉质，倒披针状线形，长 1 ~ 2 m，中部宽 15 ~ 20 cm，叶缘具疏刺，先端有 1 硬尖刺，刺暗褐色，长 1.5 ~ 2.5 cm。圆锥花序大型，长 6 ~ 12 m，多分枝；花黄绿色；花被管长约 1.2 cm，花被裂片 6，长 2.5 ~ 3 cm；雄蕊 6，长约为花被的 2 倍，花药呈"丁"字形着生；子房下位，3 室，柱头 3 裂。蒴果。开花后花序上生成的珠芽极少。

| 生境分布 | 广东各地均有栽培。

| 资源情况 | 栽培资源丰富。药材来源于栽培。

| **采收加工** | 全年均可采收，洗净，鲜用或沸水烫后晒干。

| **药材性状** | 本品皱缩卷曲，展平后完整者呈匙状披针形，长 30 ~ 65 cm，宽 1.7 ~ 6.2 cm。两面黄绿色或暗绿色，具密集的纵直纹理和折断痕，有的断痕处可见黄棕色颗粒状物。先端尖刺状，基部渐窄，两侧边缘微呈浅波状，突起处均具棕色硬刺。质坚韧，难折断。气微臭，味酸、涩。

| **功能主治** | 苦、酸，温。解毒拔脓，杀虫，止血。用于痈疽疮疡，疥癣，盆腔炎，子宫出血。

| **用法用量** | 内服煎汤，10 ~ 15 g。外用适量，捣敷。

金边龙舌兰

Agave americana L. var. *marginata* Trel.

| 药 材 名 |

黄边龙舌兰（药用部位：叶。别名：金边兰、割舌兰、金边假菠萝）。

| 形态特征 |

本种与龙舌兰 *Agave americana* L. 的区别在于本种易生珠芽；叶 20 ~ 30，先端具长 3 cm 的粗刺，叶面灰绿色，边缘金黄色；花黄色。

| 生境分布 |

广东各地均有栽培。

| 资源情况 |

栽培资源丰富。药材来源于栽培。

| 采收加工 |

全年均可采收，晒干或鲜用。

| 药材性状 |

本品皱缩折曲，展平后完整者呈剑形或长带状，中部最宽，长 20 ~ 40 cm，宽 1.5 ~ 5 cm，从基部到先端两面边缘金黄色，宽约为叶片的 1/3，中间暗绿色，具密集的细小纵纹及折断痕，有的断痕处可见黄棕色胶状物，先端细尖刺状，两侧边缘呈浅波状，突起处均具极细小的硬刺。

| **功能主治** | 苦、辛，凉。润肺止咳，凉血止血，清热解毒。用于肺燥咳嗽，咯血，虚喘，麻疹不透，痈肿疮毒，烫火伤。

| **用法用量** | 内服煎汤，10 ～ 15 g，鲜品30 ～ 60 g；或绞汁。外用适量，捣敷。

剑麻

Agave sisalana Perrine ex Engelm.

药材名

菠萝麻（药用部位：叶）。

形态特征

多年生草本。叶莲座状排列，常 200 ~ 250；叶片刚直，肉质，剑形，初被白霜，后脱落成深蓝绿色，长 1 ~ 1.5（~ 2）m，中部宽 10 ~ 15 cm，叶缘无刺，偶具刺，先端有 1 红褐色硬尖刺，刺长 2 ~ 3 cm。圆锥花序高 6 m；花黄绿色，气味浓；花被管长 1.5 ~ 2.5 cm，花被裂片 6，长 1.2 ~ 2 cm；花丝黄色，长 6 ~ 8 cm，花药呈"丁"字形着生；子房下位，3 室，柱头 3 裂。蒴果。花后通常不结实而产生大量珠芽。

生境分布

广东各地均有栽培。

资源情况

栽培资源丰富。药材来源于栽培。

采收加工

全年均可采收，以冬季为宜，洗净，鲜用或晒干。

| **功能主治** | 微甘、辛，凉。凉血止血，消肿解毒。用于肺痨咯血，衄血，便血，痢疾，疮痈肿毒，痔疮。

| **用法用量** | 内服煎汤，9～15 g。外用适量，鲜品捣敷。

龙舌兰科 Agavaceae 朱蕉属 Cordyline

朱蕉

Cordyline fruticosa (L.) A. Chev.

药 材 名

铁树（药用部位：根、叶。别名：红铁树、朱竹、铁莲草）。

形态特征

直立灌木状，高 1 ~ 3 m，常不分枝。叶聚生于茎或枝顶，矩圆形至矩圆状披针形，长 25 ~ 50 cm，宽 5 ~ 10 cm，绿色或带紫红色；叶柄有槽，长 10 ~ 30 cm，抱茎。圆锥花序长 30 ~ 60 cm，侧枝基部有大苞片；每花 3 苞片，花淡红色、青紫色至黄色，长约 1 cm；花梗短，稀长 3 ~ 4 mm；花被裂片 6，外轮花被片下半部紧贴内轮花被片而形成花被筒；雄蕊生于花被筒喉部，稍短于花被，花药背着；子房上位，3 室。浆果。

生境分布

广东各地均有栽培。

资源情况

栽培资源丰富。药材来源于栽培。

采收加工

全年均可采收，鲜用或晒干。

| **药材性状** | 本品叶皱缩卷曲，展平后完整者呈长条形或长披针形，长 20 ~ 48 cm，宽 3 ~ 8 cm。上面暗灰绿色，中脉稍下陷，下面黄绿色，中脉凸起，两面侧脉较细，先端短尾尖，基部渐狭，不对称下延。叶柄长 10 ~ 14 cm，腹面成槽，背面凸起，基部鞘状，基部断面毛须状。质柔韧，不易折断。气微，味淡。 |

| **功能主治** | 甘、淡，微寒。凉血止血，散瘀定痛。用于咯血，吐血，衄血，尿血，便血，崩漏，胃痛，筋骨痛，跌打肿痛。 |

| **用法用量** | 内服煎汤，15 ~ 30 g，鲜品 30 ~ 60 g；或绞汁。 |

龙舌兰科 Agavaceae 朱蕉属 Cordyline

剑叶铁树

Cordyline stricta (Sims) Endl.

| 药 材 名 |

小叶铁树（药用部位：根茎、叶。别名：剑叶万年青、细叶朱蕉）。

| 形 态 特 征 |

小乔木状。茎基部膨大。叶密生，极狭而无柄，长披针形，长 30 ~ 60 cm，宽 3 cm，稍坚挺，光亮，绿色，叶缘有不明显的齿。圆锥花序，长 20 ~ 40 cm；花梗极短，长 1.5 ~ 2.5 mm，具苞片；花被青紫色，长 6 ~ 8 mm，管钟状，有香气，内轮花被裂片长于外轮花被裂片。浆果。

| 生 境 分 布 |

广东广州（市区）等有栽培。

| 资 源 情 况 |

栽培资源较少。药材来源于栽培。

| 采 收 加 工 |

全年均可采收，洗净，切段，晒干。

| 功 能 主 治 |

甘、淡，平。散瘀消肿，凉血止血。用于跌打损伤，外伤出血，便血，尿血，鼻衄，咳

嗽吐血，哮喘，疳积，痢疾。

| **用法用量** | 内服煎汤，15 ～ 30 g。

龙舌兰科 Agavaceae 龙血树属 *Dracaena*

长花龙血树

Dracaena angustifolia (Medik.) Roxb.

| 药 材 名 |

槟榔青（药用部位：根、叶。别名：狭叶龙血树）。

| 形态特征 |

灌木状，高 1 ～ 3 m。茎灰色，具环状叶痕。叶生于茎上部或近顶部，条状倒披针形，长 20 ～ 30（～ 45）cm，宽 1.5 ～ 3（～ 5.5）cm，中脉中部以下明显；叶柄有时长 2 ～ 6 cm。圆锥花序长 30 ～ 50 cm；花 2 ～ 3，绿白色；花梗长 7 ～ 8 mm，关节位于上部或近先端；花被圆筒状，长 19 ～ 23 mm，花被裂片 6，长 11 ～ 16 mm，下部合生成筒，筒长 7 ～ 8 mm；雄蕊 6，花丝丝状，花药背着；花柱长为子房的 5 ～ 8 倍，子房上位，3 室。浆果。

| 生境分布 |

广东珠江三角洲等有栽培。

| 资源情况 |

栽培资源一般。药材来源于栽培。

| 采收加工 |

秋季采收，晒干。

| **功能主治** | 清热润肺，生津止渴，凉血。用于肝炎，百日咳，肺结核，支气管炎，咯血，慢性扁桃体炎，咽喉炎，热病后余热未清。

| **用法用量** | 内服煎汤，15 ~ 25 g。

龙舌兰科 Agavaceae 龙血树属 Dracaena

海南龙血树

Dracaena cambodiana Pierre ex Gagnep.

| 药 材 名 | 小花龙血树（药用部位：茎干树脂。别名：血竭）。

| 形态特征 | 乔木状，高超过 4 m。茎带灰褐色。叶聚生于茎、枝先端，剑形，薄革质，长 70 cm，宽 1.5 ~ 3 cm，向基部略变窄而后扩大，抱茎，无柄。圆锥花序长超过 30 cm；花 3 ~ 7 簇生，绿白色或淡黄色；花梗长 5 ~ 7 mm，关节位于上部 1/3 处；花被片 6，长 6 ~ 7 mm，下部 1/5 ~ 1/4 合生成短筒；花丝扁平，无红棕色疣点，花药背着，长约 1.2 mm；花柱稍短于子房，子房上位，3 室。浆果。

| 生境分布 | 广东鼎湖及广州（市区）等有栽培。

| 资源情况 | 栽培资源较少。药材来源于栽培。

| **采收加工** | 全年均可采收，将茎干砍破或钻孔，使树脂自然渗出，凝固而成。

| **功能主治** | 甘、淡，凉。活血散瘀，定痛止血，敛疮生肌。用于跌打肿痛，瘀血作痛，衄血，尿血，便血，痔疮出血，妇女气血凝滞，臁疮久不收口。

| **用法用量** | 内服煎汤，0.9 ~ 2.4 g。

龙舌兰科 Agavaceae 虎尾兰属 Sansevieria

虎尾兰
Sansevieria trifasciata Prain

| 药 材 名 |

老虎尾（药用部位：叶。别名：弓弦麻、花蛇草）。

| 形态特征 |

多年生草本。根茎横走。叶常 1 ~ 6 簇生于基部，革质，线状披针形至倒披针形，长 30 ~ 120 cm，宽 3 ~ 8 cm，具白绿色和深绿色相间的横纹，边缘绿色，先端对折成尖头，下部渐狭成柄，具槽。花葶连总状花序长 30 ~ 80 cm；花 3 ~ 8 成簇，基部有膜质鞘，淡绿色或白色；花梗长 5 ~ 7 mm，关节在中部；花被片 6，长 16 ~ 20 mm，花被管长 6 ~ 8 mm；雄蕊 6，与花被近等长，花药背着；子房 3 室。浆果。

| 生境分布 |

广东各地均有栽培。

| 资源情况 |

栽培资源丰富。药材来源于栽培。

| 采收加工 |

全年均可采收，洗净，鲜用或晒干。

| 药材性状 | 本品皱缩折曲，展平后完整者呈长条形或长倒披针形，长 30 ～ 60 cm，宽 2.8 ～ 5 cm，两面灰绿色或浅绿色，具相间的暗绿色横斑纹，先端刺尖，基部渐窄，全缘。质稍韧而脆，易折断，断面整齐。气微，味淡、微涩。

| 功能主治 | 酸，凉。清热解毒，活血消肿。用于感冒，肺热咳嗽，疮疡肿毒，跌打损伤，毒蛇咬伤，烫火伤。

| 用法用量 | 内服煎汤，15 ～ 30 g。外用适量，捣敷。

龙舌兰科 Agavaceae 虎尾兰属 Sansevieria

金边虎尾兰 *Sansevieria trifasciata* Prain var. *laurentii* (De Wild.) N.E. Br.

药材名

金边虎皮兰（药用部位：叶）。

形态特征

本品与虎尾兰 *Sansevieria trifasciata* Prain 的区别在于本种叶缘淡黄色。

生境分布

广东各地均有栽培。

资源情况

栽培资源丰富。药材来源于栽培。

采收加工

全年均可采收，晒干。

功能主治

辛，凉。清热解毒，去腐生肌。用于感冒咳嗽，支气管炎，跌打损伤，疮痈肿毒，毒蛇咬伤。

用法用量

内服煎汤，15～30g。外用适量，捣敷。

龙舌兰科 Agavaceae 丝兰属 Yucca

凤尾丝兰

Yucca gloriosa L.

药材名

凤尾兰（药用部位：花。别名：大丝兰、白棕、剑麻）。

形态特征

大型草本，高 4 m。茎木质化，常有分枝。叶坚硬，狭披针形至宽披针形或剑形，长 40 ~ 70 cm，宽 4 ~ 6 cm，有白粉，先端硬刺状，暗红色，边缘具少量分离的纤维。圆锥花序长 1 ~ 1.5 m，常无毛；花大，下垂，绿白色或奶油色，先端常带紫红色，直径 6 ~ 9 cm；花被片 6，卵状菱形，长 4 ~ 5.5 cm，宽 1.5 ~ 2 cm；雄蕊 6，花药背着；花柱短，柱头 3 裂。蒴果具 6 棱。

生境分布

广东广州（市区）、深圳（市区）等有栽培。

资源情况

栽培资源较少。药材来源于栽培。

采收加工

花开时采摘，鲜用或晒干。

| **功能主治** | 辛、微苦，平。止咳平喘。用于支气管哮喘，咳嗽。

| **用法用量** | 内服煎汤，3 ~ 9 g。

棕榈科 Arecaceae 假槟榔属 *Archontophoenix*

假槟榔

Archontophoenix alexandrae (F. Muell.) H. Wendl. et Drude

| 植物别名 |

亚历山大椰子。

| 药 材 名 |

假槟榔（药用部位：叶鞘纤维）。

| 形态特征 |

乔木状，高 10 ~ 25 m。茎基部略膨大。叶羽状全裂，长 2 ~ 3 m，羽片 2 列，基部外向折叠，线状披针形，长 45 cm，宽 1.2 ~ 2.5 cm，叶背具鳞秕；叶鞘光滑，边缘无纤维，冠茎明显。花序腋生，圆锥状，长 30 ~ 40 cm；佛焰苞 2，长 45 mm；雌雄同株；雄花花萼与花瓣均 3，雄蕊常 9 ~ 10；雌花小于雄花，退化雄蕊 6。果实卵球形，红色，长 12 ~ 14 mm；种子卵球形，长 8 mm，直径 7 mm，胚乳嚼烂状，胚基生。

| 生境分布 |

广东乐昌、博罗、从化及深圳（市区）、肇庆（市区）有栽培。

| 资源情况 |

栽培资源一般。药材来源于栽培。

| 采收加工 | 全年均可采收，晒干。

| 功能主治 | 收敛止血。用于外伤出血。

| 用法用量 | 内服煎汤，9 ~ 12 g。外用适量，研末撒。

棕榈科 Arecaceae 槟榔属 *Areca*

槟榔
Areca catechu L.

| 药 材 名 |

槟玉（药用部位：种子。别名：青仔、仁频、宾门）。

| 形 态 特 征 |

乔木状，高 10 ~ 30 m。环状叶痕明显。叶羽状全裂，长 1.3 ~ 2 m；羽片基部外向折叠，狭长披针形，长 30 ~ 60 cm，宽 2.5 ~ 4 cm，上部羽片合生，先端齿裂；叶鞘光滑，边缘无纤维。雌雄同株；花序圆锥状，分枝长 25 ~ 30 cm，上部着生雄花 1 ~ 2 列，基部着生雌花；雄花常单生，雄蕊 6，退化雌蕊 3；雌花较大，退化雄蕊 6。果实长圆形或卵球形，长 3 ~ 5 cm，橙黄色，中果皮厚，纤维质；种子卵形，胚乳嚼烂状，胚基生。

| 生 境 分 布 |

广东广州（市区）等有栽培。

| 资 源 情 况 |

栽培资源较少。药材来源于栽培。

| 采 收 加 工 |

11 ~ 12 月采收未成熟的果实，煮沸 4 小时，烘 12 小时即得。3 ~ 6 月采收成熟果实，

晒 3 ~ 4 天，捶破或用刀剖开，取出种子，晒干；亦可经水煮，熏烘 7 ~ 10 天，待干后剥去果皮，取出种子，烘干。

| **药材性状** | 本品呈扁球形或圆锥形，高 1.5 ~ 3.5 cm，底部直径 1.5 ~ 3 cm。表面淡黄棕色或淡红棕色，具稍凹下的网状沟纹，底部中心有圆形凹陷的珠孔，其旁有一明显的疤痕状种脐。质坚硬，不易破碎，断面可见棕色种皮与白色胚乳相间的大理石样花纹。气微，味涩、微苦。

| **功能主治** | 苦、辛，温。驱虫，消积，下气，行水，截疟。用于虫积，食滞，脘腹胀痛，泻痢后重，脚气病，水肿，疟疾。

| **用法用量** | 内服煎汤，6 ~ 15 g，单用杀虫，可用 60 ~ 120 g；或入丸、散剂。

棕榈科 Arecaceae 桄榔属 Arenga

双籽棕
Arenga caudata (Lour.) H. E. Moore

| 药 材 名 | 大幅棕（药用部位：根。别名：鸡罗、野棕、山棕）。

| 形态特征 | 小灌木状，高 0.5 ～ 2 m。叶 1 回羽状全裂，长 40 ～ 50 cm；羽片近菱形或不等边四边形，长 10 ～ 25 cm，宽 2.5 ～ 8 cm，基部楔形，无耳垂，羽片中部以上具啮蚀状小齿；叶鞘边缘纤维状。花序腋生，长 17 ～ 30 cm，常不分枝；佛焰苞数个；雌雄异株；雄花花萼 3，花瓣 3，具条纹脉，雄蕊 15 ～ 30；雌花花萼与花瓣均 3，均具条纹脉，无退化雄蕊。果实卵球形或近球形，直径 12 mm，红棕色；种子 3，钝三棱，胚乳均匀。

| 生境分布 | 广东广州（市区）等有栽培。

| 资源情况 | 栽培资源较少。药材来源于栽培。

| 采收加工 | 秋季采挖，晒干。

| 功能主治 | 酸、涩，凉。止血清热，通经收敛。用于月经过多，崩中，子宫下垂，肺痨咯血。

| 用法用量 | 内服煎汤，30 ~ 60 g。

| 附   注 | 在《全国中草药汇编》中，本种的拉丁学名为 *Didymosperma caudatum* (Lour.) H. Wendl. et Druce。

棕榈科　Arecaceae　省藤属　Calamus

白藤
Calamus tetradactylus Hance

| 药 材 名 | 多穗白藤（药用部位：全株。别名：大发汗、白花藤、大毛豆）。

| 形态特征 | 藤本。茎丛生，长超过 6 m。叶羽状全裂，长 45 ~ 55 cm；羽片 2 ~ 4
簇生，先端 4 ~ 5 簇生，披针形，长 10 ~ 26 cm，宽 2 ~ 5.5 cm；
叶轴少刺，无纤鞭；叶鞘无毛，无刺或少刺，具曲膝状突起，纤鞭
长 1 m，具刺。花序生于纤鞭上；佛焰苞管状，宿存；雄花序 2 ~ 3
回分枝，长 50 cm，每侧 4 ~ 6 花；雌花小，长 3 ~ 4 mm。果实球形，
直径 8 ~ 9 mm，淡黄色，鳞片 21 ~ 23 纵列，具中肋，萼片及花瓣
宿存；种子 1，直径 6 mm，胚乳均匀或稍嚼烂状。

| 生境分布 | 生于林中。分布于广东高州、化州、信宜、阳春、阳西、徐闻及茂
名（市区）、阳江（市区）等。

| 资源情况 | 野生资源一般。药材来源于野生。

| 采收加工 | 全年均可采收，洗净，鲜用或切段晒干。

| 功能主治 | 辛，平。活血散瘀，解毒，杀虫。用于慢性胃炎，黄疸性肝炎，跌打肿痛，骨折，
疔疮，湿疹，疥疮，蛔虫病。

| 用法用量 | 内服煎汤，12 ～ 15 g；或浸酒。外用适量，鲜品捣敷；或煎汤洗。

鱼尾葵

Caryota maxima Blume ex Mart.

| 药 材 名 |

鱼尾葵根（药用部位：根。别名：青棕）、
鱼尾葵（药用部位：叶鞘纤维）。

| 形态特征 |

乔木状，高 10 ~ 15（ ~ 20）m。茎无毛，
具环状叶痕。叶 2 回羽状全裂，长 3 ~ 4 m；
羽片长 15 ~ 60 cm，宽 3 ~ 10 cm，菱形，
内缘齿缺。花单性，雌雄同序；佛焰苞与花
序无鳞秕；花序长 3 ~ 3.5（ ~ 5）m，分枝
穗状，长 1.5 ~ 2.5 m；雄花萼片具疣状突
起，花瓣黄色，雄蕊（31 ~ ）50 ~ 111；雌
花花萼先端全缘，退化雄蕊 3，长为花冠的
1/3；子房近卵状三棱形，柱头 2 裂。果实
球形，红色，直径 1.5 ~ 2 cm；种子常 1，
胚乳嚼烂状。

| 生境分布 |

分布于广东乐昌、封开、信宜、郁南及东莞、
广州（市区）、肇庆（市区）、茂名（市区）
等。广东博罗、从化及深圳（市区）有栽培。

| 资源情况 |

栽培资源一般。药材来源于栽培。

| 采收加工 | 鱼尾葵根：全年均可采收，洗净，晒干。
鱼尾葵：全年均可采收，切碎，晒干。

| 功能主治 | 鱼尾葵根：微甘、涩，平。强筋壮骨。用于肝肾亏虚，筋骨痿软。
鱼尾葵：微甘、涩，平。收敛止血。用于咯血，吐血，便血，崩漏。

| 用法用量 | 鱼尾葵根：内服煎汤，10 ~ 15 g。
鱼尾葵：内服煅炭煎汤，10 ~ 15 g。

棕榈科 Arecaceae 鱼尾葵属 *Caryota*

短穗鱼尾葵
Caryota mitis Lour.

| 植物别名 |

酒椰子。

| 药 材 名 |

董棕粉（药材来源：髓部）。

| 形态特征 |

小乔木状，高 5 ~ 8 m。茎丛生，被毡毛。叶 2 回羽状全裂，长 3 ~ 4 m；羽片长 10 ~ 20 cm，楔形或斜楔形，内缘齿缺；叶柄被毡毛；叶鞘边缘具网状纤维。花单性，雌雄同序；佛焰苞与花序具鳞秕；花序长 25 ~ 40 cm，穗状分枝密集；雄花萼片具睫毛，花瓣淡绿色，雄蕊 15 ~ 20（~ 25），几无花丝；雌花萼片长约为花瓣的1/3，先端钝圆；退化雄蕊 3，长为花瓣的 1/3 ~ 1/2。果实球形，直径 1.2 ~ 1.5 cm，紫红色；种子 1。

| 生境分布 |

分布于广东乐昌、郁南及广州（市区）等。广东博罗、从化及深圳（市区）、肇庆（市区）等有栽培。

| 资源情况 | 栽培资源一般。药材来源于栽培。

| 采收加工 | 全年均可采收，砍下树干，取出髓部，捣碎，加水搅拌，滤除粗渣，将滤液放置沉淀，倾去上清液，取沉积物，晒干。

| 药材性状 | 本品为浅粉红色、有光泽的粉末，其中有少数红褐色粗粉。质轻，手捻之有滑腻感。无臭，味淡、微涩。

| 功能主治 | 甘、涩，平。健脾，止泻。用于消化不良，腹痛腹泻，痢疾。

| 用法用量 | 内服沸水冲，9 ~ 15 g。

棕榈科 Arecaceae 椰子属 Cocos

椰子 *Cocos nucifera* L.

| 药 材 名 | 椰子（药用部位：种子）、椰子果肉（药用部位：果肉）、椰子油（药材来源：胚乳蒸榨取得的油）、椰子浆（药用部位：胚乳中的浆液）。

| 形 态 特 征 | 乔木，高 15 ～ 30 m。茎基部增粗。叶羽状全裂，长 3 ～ 4 m；羽片 2 列，同面排列，基部外向折叠，线状披针形，长 65 ～ 100 cm，宽 3 ～ 4 cm；叶鞘粗糙，边缘具纤维。花序腋生，长 1.5 ～ 2 m，多分枝；佛焰苞舟形，厚木质；雄花萼片和花瓣均 3，雄蕊 6；雌花小苞片数枚，花瓣与萼片相似。果实卵球形或近球形，长 15 ～ 25 cm，外果皮薄，中果皮厚纤维质，内果皮木质，基部 3 孔。

| 生 境 分 布 | 广东雷州半岛等有栽培。

| 资源情况 | 栽培资源一般。药材来源于栽培。

| 采收加工 | **椰子：**秋季采收成熟果实，剖开果壳，除去果肉内的浆液，微晾，置阴凉干燥处。

椰子果肉：果实成熟时采收，剥开，取出果肉，鲜用或粉碎晒干。

椰子油：采收成熟果实，取出胚乳，碾碎，烘、蒸后榨取其油。

椰子浆：采收成熟果实，除去外果皮及中果皮，通开正眼，倒出胚乳空腔内的浆液，鲜用。

| 功能主治 | **椰子：**微甘、辛，平。补脾益肾，催乳。用于脾虚水肿，腰膝酸软，缺乳。

椰子果肉：甘，平。补益气健脾，杀虫，消疳。用于疳积，姜片虫病。

椰子油：辛，微温。补杀虫止痒，敛疮。用于疮癣，湿疹，冻疮。

椰子浆：甘，凉。生津，利尿，止血。用于口干烦渴，水肿，吐血。

| 用法用量 | **椰子：**内服煎汤，6 ~ 15 g。

椰子果肉：内服食果肉，75 ~ 100 g；或过滤取汁。

椰子油：外用适量，涂擦。

椰子浆：内服煎汤，75 ~ 100 g。

棕榈科 Arecaceae 黄藤属 *Daemonorops*

黄藤
Daemonorops jenkinsiana (Griff.) Mart.

| 药 材 名 | 赤藤（药用部位：茎。别名：红藤）。

| 形态特征 | 藤本。茎丛生，长可达 20 m。叶羽状全裂，长 1.5 ~ 3 m；羽片线形或线状披针形，中间羽片长 30 ~ 45 cm，宽 1.5 ~ 2 cm；叶轴具纤鞭，长可达 2 m，具刺；叶鞘被毛和尖刺；托叶鞘不明显。花序长 25 ~ 30 cm，分枝密集；佛焰苞舟状，脱落，具刺或少刺，苞片无；雄花花萼 3 浅裂，花瓣 3；雌花序每侧 4 ~ 7 花。果实球形，直径 1.7 ~ 2 cm，棕黄色，鳞片 18 ~ 20 纵列，具中肋，边缘稍黑，宿存萼片和花瓣；种子 1，近球形，胚乳嚼烂状。

| 生境分布 | 生于山地树林中。分布于广东博罗、龙门、徐闻、增城及东莞、深

圳（市区）、肇庆（市区）等。

| 资源情况 | 野生资源一般。药材来源于野生。

| 采收加工 | 全年均可采收，切片，晒干。

| 功能主治 | 苦，平。驱虫，利尿，祛风镇痛。用于蛔虫病，蛲虫病，绦虫病，热淋涩痛，齿痛。

| 用法用量 | 内服煎汤，4.5 ~ 9 g。

| 附　　注 | （1）在 FOC 中，本种的拉丁学名被修订为 *Calamus jenkinsianus* Griff.，并由黄
藤属并入省藤属。
（2）防己科天仙藤属植物天仙藤 *Fibraurea recisa* Pierre 的根茎、叶亦名为黄藤，
注意勿与本种混淆。

棕榈科 Arecaceae 马岛椰属 Dypsis

散尾葵

Dypsis lutescens (H. Wendl.) Beentje et J. Dransf.

| 植物别名 |

凤凰尾。

| 药 材 名 |

黄椰子（药用部位：叶鞘纤维）。

| 形态特征 |

丛生灌木至小乔木，高 3 ~ 8 m。茎基部略膨大。叶羽状全裂；羽片 2 列，基部外向折叠，长 40 ~ 60 cm，先端 2 浅裂，背面无鳞秕；叶轴和叶柄光滑，黄绿色，腹面常有槽；叶鞘光滑，边缘无纤维。花序分枝穗状；花单性，雌雄同株，花萼与花瓣均 3；雄花雄蕊 6；雌花子房棒状，3 室，无花柱。果实稍陀螺状，长 1.5 cm，直径 5 mm，橙黄色至紫黑色。

| 生境分布 |

广东除北部外，其余地区均有栽培。

| 资源情况 |

栽培资源较丰富。药材来源于栽培。

| 采收加工 |

全年均可采收，除去叶片，晒干。

| 功能主治 | 微苦、涩，凉。收敛止血。用于吐血，咯血，便血，崩漏。

| 用法用量 | 内服炒炭煎汤，10 ~ 15 g。

| 附　　注 | 在《中华本草》《中国植物志》中，本种的拉丁学名为 *Chrysalidocarpus lutescens* H. Wendl.。

棕榈科 Arecaceae 蒲葵属 Livistona

蒲葵 *Livistona chinensis* (Jacq.) R. Br. ex Mart.

| 药 材 名 |

蒲葵根（药用部位：根）、扇叶葵（药用部位：叶。别名：蒲扇、败扇、故蒲扇）、蒲葵种子（药用部位：种子）。

| 形态特征 |

乔木，高可达 20 m。叶圆形或近圆形，直径 1 ~ 1.8 m，掌状分裂至中部，裂片线状披针形，下垂，边缘无纤维，先端 2 深裂，分裂部分长达 50 cm；叶柄两侧中部以下具绿色刺，基部宿存。花两性；花序长 1 ~ 1.5 m，分枝 6 ~ 7，长 35 ~ 45 cm；花 4 ~ 7 簇生，淡黄色，花萼 3 深裂，花瓣 3 裂，雄蕊 6，心皮 3。果实椭圆形，长 1.8 cm，宽 1.2 cm，蓝黑色或黑色；种子 1，椭圆形，长 1.5 cm，宽 0.9 cm，胚乳均匀。

| 生境分布 |

广东各地均有栽培。

| 资源情况 |

栽培资源丰富。药材来源于栽培。

| 采收加工 |

蒲葵根：全年均可采挖，洗净，晒干。

扇叶葵：全年均可采收，切碎，晒干。

蒲葵种子：春季采收，除去杂质，晒干。

| 药材性状 | 扇叶葵：本品完整干燥叶大，形如扇，直径可超过 1 m，掌状深裂至中部，裂片条状披针形，宽约 2 cm，先端渐尖，2 深裂，分裂部分长达 50 cm，下弯；叶柄长超过 1 m，平凸状，下部边缘有 2 列倒钩刺。气微，味淡。

| 功能主治 | 蒲葵根：甘、苦，凉。止痛，平喘。用于各种疼痛，哮喘。

扇叶葵：甘、涩，平。收敛止血，止汗。用于咯血，吐血，衄血，崩漏，外伤出血，自汗，盗汗。

蒲葵种子：甘、苦，平。活血化瘀，软坚散结。用于慢性肝炎，癥瘕，积聚。

| 用法用量 | 蒲葵根：内服煎汤，6 ~ 9 g；或制成片剂、注射剂。

扇叶葵：内服煎汤，6 ~ 9 g；或煅存性，研末，3 ~ 6 g。外用适量，煅存性，研末撒。

蒲葵种子：内服煎汤，15 ~ 30 g。

棕榈科 Arecaceae 棕竹属 *Rhapis*

棕竹

Rhapis excelsa (Thunb.) Henry ex Rehd.

| 药 材 名 | 棕竹根（药用部位：根）、棕竹叶（药用部位：叶）。

| 形态特征 | 灌木，高 2 ～ 3 m。具地下茎；茎丛生，光滑，节明显。叶掌状深裂，裂片 5 ～ 12，每裂片 2 ～ 5 棱，长 20 ～ 32 cm，宽 1.5 ～ 4 cm，边缘具小齿；叶鞘纤维粗糙，宿存；叶柄纤细，边缘平滑，无刺，横切面椭圆形。雌雄异株；花序 2 ～ 3 分枝，长约 30 cm；雄花花萼杯状，3 裂，花冠 3 裂，雄蕊 6；雌花离生心皮 3，退化雄蕊 6。果实近球形，直径 8 ～ 10 mm，黄色，宿存花冠管不实心；种子 1，球形。

| 生境分布 | 生于山地疏林中。广东除北部少见外，其余地区均有分布。

| 资源情况 | 野生资源较丰富。栽培资源较丰富。药材来源于野生和栽培。

| 采收加工 | 棕竹根：全年均可采收，洗净，切段，鲜用或晒干。
棕竹叶：全年均可采收，切碎，晒干。

| 功能主治 | 棕竹根：甘、涩，平。祛风除湿，收敛止血。用于风湿痹痛，鼻衄，咯血，跌打劳伤。
棕竹叶：甘、涩，平。收敛止血。用于鼻衄，咯血，吐血，产后出血过多。

| 用法用量 | 棕竹根：内服煎汤，9 ~ 20 g，鲜品可用至 90 g。
棕竹叶：内服煅炭，研末冲，3 ~ 6 g。

棕榈科 Arecaceae 棕榈属 *Trachycarpus*

棕榈

Trachycarpus fortunei (Hook.) H. Wendl.

| 药 材 名 |

棕树根（药用部位：根。别名：拼榈木）、棕树叶（药用部位：叶。别名：拼榈木）、棕榈皮（药用部位：叶鞘纤维。别名：棕毛、棕皮）、棕树果（药用部位：果实。别名：败棕子）。

| 形态特征 |

乔木，高 3 ~ 10 m。茎粗糙，节不明显。叶，近圆形，掌状深裂，裂片线状剑形，长 60 ~ 70 cm，宽 2.5 ~ 4 cm，全缘，先端 2 齿；叶柄两侧具细齿。雌雄异株；雄花序长约 40 cm，分枝 2 ~ 3，雄花黄绿色，花冠长约为花萼的 2 倍，雄蕊 6；雌花序长 80 ~ 90 cm，分枝 4 ~ 5，雌花淡绿色，花瓣长于萼片 1/3，退化雄蕊 6。果实阔肾形，宽 11 ~ 12 mm，高 7 ~ 9 mm，淡蓝色，有白粉；种子胚乳均匀，角质，胚侧生。

| 生境分布 |

生于山地疏林或灌丛中。栽培于低山丘陵、村边屋旁。分布于广东中部。广东南雄及广州（市区）、深圳（市区）等有栽培。

| 资源情况 | 野生资源较丰富。栽培资源一般。药材来源于野生和栽培。

| 采收加工 | 棕树根：全年均可采挖，洗净，切段，晒干或鲜用。

棕树叶：全年均可采收，晒干或鲜用。

棕榈皮：全年均可采收，多于 9 ~ 10 月采收，除去残皮，晒干。

棕树果：霜降前后果皮呈青黑色时采收，晒干。

| 功能主治 | 棕树根：甘、涩，凉。收敛止血，涩肠止痢，除湿，消肿，解毒。用于吐血，便血，崩漏，带下，痢疾，淋浊，水肿，关节疼痛，瘰疬，流注，跌打肿痛。

棕树叶：苦、涩，平。收敛止血，降血压。用于吐血，劳伤，高血压。

棕榈皮：苦、涩，平。收涩止血。用于吐血，衄血，便血，血淋，尿血，泻痢，崩中，带下，金疮，疥癣。

棕树果：苦、甘、涩，平。止血，涩肠，固精。用于肠风，崩漏，带下，泻痢，遗精。

| 用法用量 | 棕树根：内服煎汤，15 ~ 30 g。外用适量，煎汤洗；或捣敷。

棕树叶：内服煎汤，6 ~ 12 g；或代茶饮。

棕榈皮：内服煎汤，15 g；或研末，5 ~ 10 g。外用适量，研末撒。

棕树果：内服煎汤，10 ~ 15 g。

露兜树科 Pandanaceae 露兜树属 Pandanus

小露兜
Pandanus fibrosus Gagnep.

| 药 材 名 | 露兜簕（药用部位：果实。别名：猪姆锯、假菠萝、林投）。

| 形态特征 | 多年生草本，具分枝。叶狭条形，长 62 cm，宽 1.5 cm，叶缘和背面中脉具锐刺。雌雄异株；花序均具佛焰苞；雄花序穗状，分枝，长 2～5 cm，雄蕊 10～16，着生于长 7 mm 的花丝束上，花药基着，具小尖头；雌花序头状，长椭圆形，长 3 cm，宽 1.2 cm，柱头不分叉，心皮 1，子房上位，1 室，1 胚珠。聚花果椭圆形或圆球形，长 6 cm，宽 3 cm；核果束倒圆锥形，成熟后离散，长 1.2 cm，宽 2～3 cm；宿存柱头尖刺状。

| 生境分布 | 生于林中、溪旁、水边。分布于广东陆丰、徐闻等。

| 资源情况 | 野生资源稀少。药材来源于野生。

| 采收加工 | 秋季采收，晒干。

| 功能主治 | 温寒止痛。用于小肠疝气。

| 用法用量 | 内服煎汤，3 ~ 9 g。

| 附　注 | 本种拉丁学名的异名为 *Pandanus gressittii* B. C. Stone。

露兜树科 Pandanaceae 露兜树属 Pandanus

露兜树

Pandanus tectorius Parkinson

| 药 材 名 | 露兜根（药用部位：根）、露兜簕（药用部位：嫩叶。别名：老锯头、簕古、水拖髻）、露兜花（药用部位：花）、簕菠萝（药用部位：果实。别名：山菠萝、假菠萝）。

| 形态特征 | 灌木或小乔木。具气根。叶簇生于枝顶，3 列，条形，长 80 cm，宽 4 cm，叶缘和背面中脉有锐刺。雌雄异株；花序均具佛焰苞；雄花序穗状，分枝，每穗状花序长约 5 cm，雄蕊 10 ~ 15（~ 25），着生于花丝束上，花药基着，具小尖头；雌花序头状，单生，心皮 5 ~ 12 合生成束，子房上位，5 ~ 12 室，每室 1 胚珠。聚花果圆球形或长圆形，长 17 mm，宽 5 mm；核果束倒圆锥形，长 5 cm，宽 3 cm；宿存柱头乳头状、耳状或马蹄状。

| **生境分布** | 生于海边沙地。分布于广东大部分沿海地区。

| **资源情况** | 野生资源较丰富。药材来源于野生。

| **采收加工** | 露兜根：全年均可采收。

露兜簕：春季采收，晒干。

露兜花：夏季采收，晒干。

簕菠萝：冬季采收，鲜用或晒干。

| **功能主治** | 露兜根：淡、辛，凉。发汗解表，清热解毒，利水化痰。用于感冒发热，肾炎性水肿，尿路感染，尿路结石，肝炎，肝硬化腹水，小儿夏季热，角膜炎。

露兜簕：甘，寒。清热，凉血，解毒。用于感冒发热，中暑，麻疹，发癍，丹毒，心烦尿赤，牙龈出血，阴囊湿疹，疮疡。

露兜花：甘，寒。清热利水，祛湿热。用于热泻，淋浊，对口疮，疝气，小便不通。

簕菠萝：辛、淡，凉。发汗解表，清热解毒，利水化痰。用于痢疾，咳嗽。

| **用法用量** | 露兜根：内服煎汤，25 ~ 50 g。

露兜簕：内服煎汤，10 ~ 18 g。外用适量，捣敷；或煎汤洗。

露兜花：内服煎汤，15 ~ 50 g。外用适量，研末调敷。

簕菠萝：内服煎汤，50 ~ 150 g。

露兜树科 Pandanaceae　露兜树属 Pandanus

分叉露兜
Pandanus urophyllus Hance

| 药 材 名 | 山菠萝（药用部位：根、茎）。

| 形态特征 | 乔木，高 7 ~ 12 m。茎常二叉分枝，具气根。叶聚生于茎端，带状，长 1 ~ 4 m，宽 3 ~ 10 cm，叶缘和背面中脉有锐刺。雌雄异株；花序均具佛焰苞；雄花序穗状，金黄色，分枝，每穗状花序长10 ~ 15 cm，雄蕊常 3 ~ 5 着生于花丝束上，花药基着，具小尖头，长且弯；雌花序头状，心皮 1（~ 2），柱头二歧刺状且弯曲。聚花果椭圆形，红棕色，外果皮肉质且香甜；小核果骨质，先端常呈金字塔形；宿存柱头二歧刺状。

| 生境分布 | 生于水边、林中沟边。分布于广东南澳、增城、台山及深圳（市区）、汕头（市区）等。

| 资源情况 | 野生资源较少。药材来源于野生。

| 采收加工 | 全年均可采收，切片，晒干。

| 功能主治 | 清热解毒，利尿消肿。用于肾结石，尿路感染，肾炎性水肿，感冒高热，咳嗽，肝炎，睾丸炎，风湿疼痛，痢疾，胃痛。

| 用法用量 | 内服煎汤，15 ～ 60 g。

| 附　　注 | 本种拉丁学名的异名为 *Pandanus furcatus* Roxb.。

仙茅科 Hypoxidaceae 仙茅属 Curculigo

大叶仙茅
Curculigo capitulata (Lour.) Kuntze

| 植物别名 | 大地棕、猴子背巾、竹灵芝。

| 药 材 名 | 野棕（药用部位：根茎）。

| 形态特征 | 草本，高可超过 1 m。具根茎和走茎。叶常 4 ~ 7，长圆状披针形或近长圆形，长 40 ~ 90 cm，宽 5 ~ 14 cm，具折扇状脉；叶柄长 30 ~ 80 cm，有槽。花葶长（10 ~）15 ~ 30 cm，被毛；总状花序短缩成头状，俯垂，长 2.5 ~ 5 cm；花黄色；花被裂片卵状长圆形，长约 8 mm，宽 3.5 ~ 4 mm，先端钝；雄蕊长约为花被裂片的 2/3，花丝长不超过 1 mm；柱头极浅的 3 裂，子房长圆形或近球形，被毛。浆果近球形，白色，直径 4 ~ 5 mm；种子黑色，表面具纵凸纹。

| 生境分布 | 生于林下或阴湿处。广东各地均有分布。

| 资源情况 | 野生资源较丰富。药材来源于野生。

| 采收加工 | 全年均可采收，洗净，晒干或鲜用。

| 功能主治 | 苦、涩，平。润肺化痰，止咳平喘，镇静健脾，补肾固精。用于肾虚喘咳，腰膝酸痛，带下，遗精。

| 用法用量 | 内服煎汤，15 ~ 30 g。

仙茅科 Hypoxidaceae 仙茅属 Curculigo

仙茅

Curculigo orchioides Gaertn.

| 药 材 名 |

地棕（药用部位：根茎。别名：独茅根、茅爪子、婆罗门参）。

| 形态特征 |

草本。具根茎。叶线形、线状披针形或披针形，长 10 ~ 45（~ 90）cm，宽 5 ~ 25 mm，短柄或近无柄。花葶长 6 ~ 7 cm，被毛；苞片披针形，长 2.5 ~ 5 cm，具缘毛；总状花序多少呈伞房状，常 4 ~ 6 花；花黄色；花被裂片长圆状披针形，长 8 ~ 12 mm，宽 2.5 ~ 3 mm；雄蕊长约为花被裂片的 1/2，花丝长 1.5 ~ 2.5 mm，柱头 3 裂；子房狭长，先端具长喙，连喙长 7.5 mm（喙约占 1/3）。浆果近纺锤状，长 1.2 ~ 1.5 cm，宽约 6 mm，先端有长喙；种子表面具纵凸纹。

| 生境分布 |

生于林下草地或荒坡上。广东各地均有分布。

| 资源情况 |

野生资源较丰富。药材来源于野生。

| 采收加工 |

全年均可采收，抖净泥土，除尽残叶及须根，

晒干。

| 药材性状 | 本品呈圆柱形，略弯曲，长3～10 cm，直径0.4～0.8 cm。表面黑褐色或棕褐色，粗糙，有细孔状须根痕及纵横皱纹。质硬而脆，易折断，断面不平坦，淡褐色或棕褐色，近中心处色较深。气微香，味微苦、辛。

| 功能主治 | 辛，温。温肾壮阳，祛除寒湿。用于阳痿精冷，小便失禁，脘腹冷痛，腰膝酸痛，筋骨软弱，下肢拘挛，更年期综合征。

| 用法用量 | 内服煎汤，3～10 g；或入丸、散剂；或浸酒。外用适量，捣敷。

仙茅科 Hypoxidaceae 小金梅草属 *Hypoxis*

小金梅草 *Hypoxis aurea* Lour.

| 药 材 名 |

野鸡草（药用部位：全草。别名：小金锁梅、龙肾子、山韭菜）。

| 形态特征 |

小草本。具根茎。叶基生，4~12，狭线形，长7~30 cm，宽2~6 mm。花葶长2.5~10 cm；花序有花1~2，具毛；苞片2，小，刚毛状；花黄色；花被管无，花被片6，长圆形，长6~8 mm，宿存，具毛；雄蕊6，生于花被片基部，花丝短；子房下位，3室，长3~6 mm，有疏长毛，花柱短，柱头3裂，直立。蒴果棒状，长6~12 mm，成熟时3瓣开裂；种子多数，近球形，表面具瘤状突起。

| 生境分布 |

生于山野荒地。广东各地均有分布。

| 资源情况 |

野生资源较丰富。药材来源于野生。

| 采收加工 |

夏、秋季采收，晒干。

| 功能主治 | 甘、微辛，温。温肾壮阳，补气。用于肾虚腰痛，疝气痛。

| 用法用量 | 内服煎汤，15 ~ 25 g。

蒟蒻薯科 Taccaceae 裂果薯属 Schizocapsa

裂果薯
Schizocapsa plantaginea Hance

| 药 材 名 | 水田七（药用部位：块茎。别名：水三七、水鸡头、山大黄）。

| 形态特征 | 多年生草本，高 20 ~ 30 cm。具根茎。叶片狭椭圆形或狭椭圆状披针形，长 10 ~ 15（~ 25）cm，宽 4 ~ 6（~ 8）cm，下延至叶柄成狭翅；叶柄具鞘。总苞片 4，2 列；伞形花序，具花 8 ~ 15（~ 20）；花被裂片 6，2 轮，内轮花被裂片先端具小尖头；雄蕊 6，花丝极短，先端兜状，基部耳状；柱头 3 裂，每裂又 2 浅裂，子房与花被管合生，1 室，下位。蒴果近倒卵形，3 瓣裂，长 0.6 ~ 0.8 cm；种子半月形、长圆形或不规则长圆形，长约 2 mm，有条纹。

| 生境分布 | 生于山溪水边湿润处。分布于广东乳源、新丰、乐昌、和平、阳山等。

| 资源情况 | 野生资源较少。药材来源于野生。

| 采收加工 | 春、夏季采挖，洗净，鲜用或切片晒干。

| 药材性状 | 本品呈球形或长圆形，有时略带连珠状，长 2 ~ 4 cm，直径 1.5 cm，先端下陷，叶着生处常倒曲，有残存的膜质叶基。表面浅灰棕色，有粗皱纹，须根痕多数。质稍硬，折断面较平，颗粒性，横切面暗褐黄色，微有虹样光泽，散布有点状纤维管束，内皮层环明显。

| 功能主治 | 苦，寒。清热解毒，止咳祛痰，理气止痛，散瘀止血。用于感冒发热，痰热咳嗽，百日咳，脘腹胀痛，泻痢腹痛，消化不良，疳积，肝炎，咽喉肿痛，牙痛，疟腮，瘰疬，疮肿，烫火伤，带状疱疹，跌打损伤，外伤出血。

| 用法用量 | 内服煎汤，9 ~ 15 g；或研末，1 ~ 2 g。外用适量，捣敷；或研末调敷。

蒟蒻薯科 Taccaceae 蒟蒻薯属 Tacca

箭根薯 *Tacca chantrieri* Andre

| 植物别名 | 水狗仔、老虎须、山大黄。

| 药 材 名 | 蒟蒻薯（药用部位：根茎）。

| 形态特征 | 多年生草本。具根茎。叶片长圆形或长圆状椭圆形，长 20 ~ 50（~ 60）cm，宽 7 ~ 14（~ 24）cm，基部楔形或圆楔形，不下沿；叶柄具鞘。花葶较长；总苞片 4，2 轮；小苞片线形；伞形花序，花 5 ~ 7（~ 18）；花被裂片 6，2 轮，内轮花被裂片先端具小尖头；雄蕊 6，花丝顶部兜状，柱头弯曲成伞形，3 裂，每裂片又 2 浅裂。浆果椭圆形，6 棱，紫褐色，长约 3 cm，先端有宿存花被裂片；种子肾形，有条纹，长约 3 mm。

| 生境分布 | 生于水边、林下阴湿处。分布于广东乳源等。 |

| 资源情况 | 野生资源稀少。药材来源于野生。 |

| 采收加工 | 春、夏季采挖，洗净，鲜用或切片晒干。 |

| 功能主治 | 苦、辛，寒。清热解毒，理气止痛。用于胃肠炎，胃及十二指肠溃疡，消化不良，痢疾，肝炎，疮疖，咽喉肿痛，烫火伤。 |

| 用法用量 | 内服煎汤，9 ~ 15 g。外用适量，捣敷。 |

田葱

Philydrum lanuginosum Banks et Sol. ex Gaertn.

| 药 材 名 |

水铰剪（药用部位：全草。别名：中葱、扇合草、水芦荟）。

| 形 态 特 征 |

多年生草本。具纤维状须根。茎被蛛丝状毛。叶剑形，2 列，等边单面，连叶鞘长 30 ~ 80 cm。总花轴高可达 1 m，常 2 ~ 3 叶；穗状花序，有时分枝；花黄色，无梗；外轮花被片 2，边缘波状，具 2 脉，内轮花被片 2 较小，基部与花丝连合，匙形，具 3 脉；花药近球形，药室旋卷，花丝扁平；子房上位，1 室，柱头具乳突。蒴果三角状长圆形，长 8 ~ 10 mm；种子多数，花瓶状，长 0.7 ~ 0.9 mm，暗红色，种皮条纹螺旋状。

| 生 境 分 布 |

生于池塘、水田或湿地上。分布于广东南澳、海丰、陆丰、博罗、台山、阳春、徐闻及广州（市区）等。

| 资 源 情 况 |

野生资源一般。药材来源于野生。

| 采收加工 | 夏、秋季采收，鲜用或晒干。

| 功能主治 | 微咸，平。清热化湿，解毒。用于水肿，热痹，疮疡肿毒，疥癣，脚气病。

| 用法用量 | 内服煎汤，15～30g。外用适量，捣敷；或煎汤洗。

三品一枝花 *Burmannia coelestis* D. Don

| 药 材 名 | 少花水玉簪（药用部位：根及根茎。别名：米洋森、地沙）。

| 形态特征 | 一年生草本。茎常不分枝，高 10 ~ 30 cm。基生叶少，线形或披针形，长 1 ~ 1.5 cm，宽 1 ~ 3 cm；茎生叶 2 ~ 4，贴茎，线形，长 1 ~ 2 cm。花单生或少数簇生于茎顶；翅蓝色或紫色，花被裂片 6，淡黄色，外轮花被裂片卵形，先端具小尖头，基部双边，内轮花被裂片三角形；雄蕊 3，药隔具鸡冠状突起，基部有距；子房椭圆形或倒卵形，长约 5 mm；翅长 10 ~ 12 mm，宽 2 ~ 2.5 mm；花柱线形，柱头 3。蒴果倒卵形，横裂。

| 生境分布 | 生于阴湿地。分布于广东新丰、翁源、英德及广州（市区）等。

资源情况	野生资源较少。药材来源于野生。
采收加工	秋季采挖，除去茎叶，洗净，晒干。
功能主治	甘，平。健胃，消积。用于疳积。
用法用量	内服蒸猪瘦肉或鸡蛋，10 g。

水玉簪科 Burmanniaceae 水玉簪属 *Burmannia*

水玉簪
Burmannia disticha L.

| 药 材 名 | 苍山贝母（药用部位：全草。别名：青竹、草莲）。

| 形态特征 | 一年生草本。茎常不分枝，高 30 ~ 60 cm。基生叶多，莲座式，线形或披针形，长 3 ~ 8 cm，宽 6 ~ 15 mm；茎生叶少，贴茎。花序常为二歧蝎尾状聚伞花序，分枝长 2.5 ~ 8 cm，或仅成簇；花被管筒状，长 3 ~ 5 mm，翅蓝色或紫色，花被裂片 6，2 轮，淡黄色，外轮花被裂片基部双边；雄蕊 3，药隔具鸡冠状突起，基部有距；子房椭圆形或倒卵形，基部楔尖，花柱 3 裂，柱头 3；翅椭圆形，长 1 ~ 2 cm，宽 1.5 ~ 3 mm。蒴果倒卵形，不规则开裂。

| 生境分布 | 生于溪边、山坡及灌丛中湿地。分布于广东曲江、饶平、惠阳、阳春等。

| 资源情况 | 野生资源较少。药材来源于野生。

| 采收加工 | 夏、秋季采收，洗净，晒干。

| 功能主治 | 淡，寒。清热利湿，止咳。用于小便黄赤，咳嗽。

| 用法用量 | 内服煎汤，6～9g。

兰科 Orchidaceae 脆兰属 Acampe

多花脆兰

Acampe rigida (Buch.-Ham. ex J. E. Smith) P. F. Hunt

药 材 名

黑山蔗（药用部位：根、叶。别名：香蕉兰、蕉兰）。

形态特征

附生植物。茎攀缘状，长达 1 m，下部节上疏生粗壮的气生根。叶 2 列，近肉质，带形，长 17 ~ 40 cm，宽 3.5 ~ 5 cm，先端不等侧 2 圆裂，下部常呈 "V" 形对折。总状花序侧生于叶腋，长 10 ~ 30 cm，通常不分枝，多花；花肉质，黄色，带红色横纹，不甚开展，具香味；萼片离生，等大，长圆形，长约 1.2 cm，先端钝；花瓣较狭窄，倒卵形；唇瓣 3 裂，中裂片先端略下弯，侧裂片短而钝，内壁密被毛。蒴果近圆柱形，长约 6 cm。花期 8 ~ 9 月，果期 10 ~ 11 月。

生境分布

生于林中树上或林下岩石上。分布于广东惠东、博罗、惠阳、英德、台山、阳春及肇庆（市区）、云浮（市区）等。

资源情况

野生资源稀少。药材来源于野生。

| 采收加工 | 夏、秋季采收，鲜用或晒干。

| 功能主治 | 辛、微苦，平。归肝、肾经。舒经活络，活血止痛。用于跌打闪挫，骨折筋伤。

| 用法用量 | 内服煎汤，6 ~ 15 g。

兰科 Orchidaceae 无柱兰属 Amitostigma

无柱兰 *Amitostigma gracile* (Bl.) Schltr.

| 药 材 名 |

独叶一枝枪（药用部位：全草或块茎。别名：独叶一枝花、双肾草）。

| 形 态 特 征 |

地生兰，高 7 ~ 30 cm。块茎卵形或长圆状椭圆形，长 1 ~ 2.5 cm，直径约 1 cm，肉质。茎近基部具 1 大叶，在叶之上具 1 ~ 2 苞片状小叶。叶片通常狭长圆形，伸展，长 5 ~ 12 cm，宽 1 ~ 3.5 cm，基部收狭成抱茎的鞘。总状花序具 5 至 20 余花，偏向一侧；花小，粉红色或紫红色；萼片卵形，长 2.5 ~ 3 mm，凹陷成舟状，近靠合；花瓣斜卵形；唇瓣较萼片和花瓣大，倒卵形，3 裂；距圆筒状，长 2 ~ 3 mm。花期 6 ~ 7 月，果期 9 ~ 10 月。

| 生 境 分 布 |

生于沟谷边或山坡林下阴处岩石上。分布于广东乳源等。

| 资 源 情 况 |

野生资源稀少。药材来源于野生。

| 采收加工 | 夏季采收，洗净，晒干或鲜用。

| 功能主治 | 微甘，凉。归心经。解毒消肿，活血止血。用于无名肿毒，毒蛇咬伤，跌打损伤，吐血。

| 用法用量 | 内服煎汤，15 ~ 30 g，鲜品加倍。外用适量，鲜品捣敷。

兰科 Orchidaceae 开唇兰属 Anoectochilus

金线兰

Anoectochilus roxburghii (Wall.) Lindl.

| 植物别名 | 花叶开唇兰。

| 药 材 名 | 金线兰（药用部位：全草。别名：金线莲、金线风、金蚕）。

| 形态特征 | 地生兰，高 8 ~ 18 cm。根茎肉质，节上生根。茎直立，肉质，具 2 ~ 4 叶。叶卵圆形或卵形，长 2 ~ 3.5 cm，宽 1 ~ 3 cm，表面暗紫色或黑紫色，具金红色带绢丝光泽的网脉，背面淡紫红色；叶柄基部扩大成抱茎的鞘。总状花序顶生，长 3 ~ 5 cm，具 2 ~ 6 花；花白色或淡红色；中萼片卵形，凹陷，与花瓣黏合成兜状，侧萼片长圆状椭圆形，偏斜，展开；花瓣常歪斜，近镰形；唇瓣呈"丫"字形，两侧各具 6 ~ 8 流苏状细条。花期 9 ~ 11 月。

| **生境分布** | 生于常绿阔叶林下或沟谷阴湿处。分布于广东乐昌、翁源、新丰、连平、惠阳、阳山、英德、阳春等。 |

| **资源情况** | 野生资源稀少。栽培资源一般。药材来源于栽培。 |

| **采收加工** | 夏、秋季采收，鲜用或晒干。 |

| **药材性状** | 本品根茎较细，节明显，棕褐色。叶表面黑紫色，有金黄色网状脉，背面暗红色，主脉3~7。总状花序顶生，花序轴被柔毛，萼片淡紫色。气微，味淡。 |

| **功能主治** | 甘，凉。归肺、肝、肾、膀胱经。清热凉血，除湿解毒。用于肺热咳嗽，肺痨咯血，尿血，惊风，破伤风，肾炎性水肿，风湿痹痛，跌打损伤，毒蛇咬伤。 |

| **用法用量** | 内服煎汤，9~15 g。外用适量，鲜品捣敷。 |

| **附 注** | （1）本种野生种为国家二级保护野生植物，目前已实现大规模人工繁育和栽培。
（2）药理研究表明金线兰具有保肝、抗炎、镇静、镇痛等作用。 |

兰科 Orchidaceae 竹叶兰属 *Arundina*

竹叶兰
Arundina graminifolia (D. Don) Hochr.

| 药 材 名 | 长杆兰（药用部位：全草或根茎。别名：大叶寮刁竹、草姜）。

| 形态特征 | 地生兰，高 30 ～ 100 cm。根茎常在连接茎基部处呈卵球形膨大，似假鳞茎。茎直立，常簇生成片，细竹竿状。叶 2 列，禾叶状，线状披针形，长 8 ～ 20 cm，宽 3 ～ 15 mm，先端渐尖，基部呈鞘状抱茎，具关节。总状花序顶生，长 2 ～ 10 cm，具 2 ～ 12 花；花大，直径约 5 cm，粉红色或略带紫色或白色；萼片分离，中萼片稍宽；花瓣卵状长圆形；唇瓣先端 3 裂，中裂片较大，有缺刻；唇盘上具 3 ～ 5 褶片。蒴果近长圆形，长约 3 cm。花果期 5 ～ 11 月。

| 生境分布 | 生于草坡、溪谷旁、灌丛下或林中。广东各地均有分布。

| 资源情况 | 野生资源一般。药材来源于野生。

| 采收加工 | 全年均可采收，洗净，鲜用或晒干。

| 功能主治 | 苦，微寒。归肝、肾、膀胱经。清热解毒，祛风利湿，散瘀止痛。用于热淋，黄疸，水肿，脚气浮肿，疝气腹痛，风湿痹痛，毒蛇咬伤，疮痈肿毒，跌打损伤。

| 用法用量 | 内服煎汤，15 ~ 30 g。外用适量，鲜品捣敷。

兰科 Orchidaceae 白及属 *Bletilla*

白及
Bletilla striata (Thunb.) Rchb. f.

| 药 材 名 | 白及（药用部位：块茎。别名：白芨、甘根、连及草）。

| 形态特征 | 地生兰，高 18 ~ 60 cm。假鳞茎扁球形，上面具荸荠状环带，富黏性。茎粗壮，直立。叶 4 ~ 6，狭长圆形或披针形，长 8 ~ 30 cm，宽 1.5 ~ 4 cm，先端渐尖，基部收狭成鞘并抱茎。总状花序具花 3 ~ 10；花序轴常曲折成"之"字形；花大，紫红色或粉红色；萼片与花瓣相似，近等长；花瓣较萼片稍宽；唇瓣白色带紫红色，具紫色脉，中部以上 3 裂；唇盘具 5 纵褶片。蒴果长圆状纺锤形，直立。花期 2 ~ 5 月，果期 6 ~ 8 月。

| 生境分布 | 生于常绿阔叶林下、路边草丛或岩石缝中。分布于广东乳源、乐昌、连州等。广东广州（市区）等有栽培。

| 资源情况 | 野生资源稀少。栽培资源一般。药材来源于栽培。

| 采收加工 | 夏、秋季采挖，除去须根，洗净，置沸水中煮或蒸至无白心，晒至半干，除去外皮，晒干。

| 药材性状 | 本品呈不规则扁圆形，有 2 ~ 3 爪状分枝，稀具 4 ~ 5 爪状分枝，长 1.5 ~ 6 cm，厚 0.5 ~ 3 cm。表面灰白色至灰棕色或黄白色，有数圈同心环节和棕色点状须根痕，上面有下凸起的茎痕，下面有连接另一块茎的痕迹。质坚硬而脆，不易折断，断面类白色至黄白色，角质样，半透明，可见散在的点状维管束。气微，味苦，嚼之有黏性。

| 功能主治 | 苦、甘、涩，微寒。归肺、肝、胃经。收敛止血，消肿生肌。用于咯血，吐血，外伤出血，疮疡肿毒，皮肤皲裂。

| 用法用量 | 内服煎汤，6 ~ 15 g；或研末吞服，3 ~ 6 g。外用适量，研末撒或调涂。不宜与川乌、制川乌、草乌、制草乌、附子同用。

| 附　　注 | 本种野生种为国家二级保护野生植物，目前已实现大规模人工繁育和栽培。

兰科 Orchidaceae 苞叶兰属 *Brachycorythis*

短距苞叶兰

Brachycorythis galeandra (Rchb. f.) Summerh.

| 植物别名 |

拟粉蝶兰、短盔兰、宽唇角距兰。

| 药材名 |

短距苞叶兰（药用部位：块茎）。

| 形态特征 |

地生兰，植株高 8 ~ 24 cm。块茎长圆形，长 1.5 ~ 2 cm。茎直立，具 4 ~ 6 叶。叶片椭圆形或卵形，长 2 ~ 4.5 cm，宽 0.7 ~ 2 cm。总状花序具 3 ~ 10 花；苞片叶状；花粉红色、淡紫色或蓝紫色；中萼片线状披针形，侧萼片宽披针形；花瓣斜卵形；唇瓣近圆状倒卵形，先端常微缺，长 0.7 ~ 1.2 cm，宽 0.6 ~ 1 cm，基部具距；距圆锥状，末端不裂。花期 5 ~ 7 月。

| 生境分布 |

生于山坡灌丛下、山顶草丛中或沟边阴湿处。分布于广东乳源、乐昌、博罗、英德等。

| 资源情况 |

野生资源稀少。药材来源于野生。

徐隽彦提供

| 采收加工 |　　夏、秋季采挖，鲜用。

| 功能主治 |　　苦，寒。清热解毒。用于疖肿。

| 用法用量 |　　外用适量，鲜品捣敷。

兰科 Orchidaceae 石豆兰属 *Bulbophyllum*

芳香石豆兰 *Bulbophyllum ambrosia* (Hance) Schltr.

| 药 材 名 | 肥猪草（药用部位：全草。别名：芬芳石豆兰）。

| 形态特征 | 附生兰。根茎匍匐。假鳞茎长圆形，长 2 ~ 6 cm，顶生 1 叶。叶革质，长圆形，长 4 ~ 13 cm，宽 1.2 ~ 2.2 cm，先端微凹，基部收狭为短柄。花葶纤细，顶生 1 花，基部紧被 2 ~ 4 膜质鞘；花淡黄色带紫色，稍下垂；中萼片近长圆形，长约 1 cm，先端急尖，具 5 脉，侧萼片斜卵状三角形，中部以上偏斜而扭曲成喙状，具 5 脉；花瓣近三角形，长约 6 mm，具 3 脉；唇瓣肉质，不裂，近卵形。花期 2 ~ 5 月。

| 生境分布 | 生于山地林中树干上。分布于广东博罗、高要、阳春及深圳（市区）、广州（市区）等。

| **资源情况** | 野生资源稀少。药材来源于野生。

| **采收加工** | 全年均可采收，洗净，蒸后晒干或鲜用。

| **功能主治** | 甘、淡，凉。归肝经。清热解毒。用于肺热咳嗽，肝炎。

| **用法用量** | 内服煎汤，6 ~ 15 g。

兰科 Orchidaceae 石豆兰属 *Bulbophyllum*

广东石豆兰

Bulbophyllum kwangtungense Schltr.

| 药 材 名 | 广石豆兰（药用部位：全草或假鳞茎。别名：单叶岩珠、岩枣）。

| 形态特征 | 附生兰。根茎匍匐。假鳞茎近长圆形，长 1 ~ 2.5 cm，顶生 1 叶。叶革质，长圆形，长 2 ~ 6.5 cm，宽 4 ~ 14 mm，先端钝圆，微凹，基部收狭成短柄。花葶高出叶，被 3 ~ 5 鞘。总状花序缩短成伞形，具 2 ~ 4（~ 7）花；花白色至淡黄色；萼片近相同，线状披针形，中萼片长约 1 cm，宽 1 ~ 1.3 mm，侧萼片稍长，上部边缘内卷成筒状，先端尾状；花瓣狭披针形，长 4 ~ 5 mm，先端长渐尖，全缘；唇瓣比花瓣短。花期 5 ~ 8 月，果期 9 ~ 10 月。

| 生境分布 | 生于树上或岩石上。分布于广东乳源、新丰、和平、连平、紫金、大埔、龙门、博罗、惠阳、阳山、德庆、封开、高要、罗定、阳春、

信宜及河源（市区）、深圳（市区）、广州（市区）等。

| 资源情况 | 野生资源稀少。药材来源于野生。

| 采收加工 | 夏、秋季采收，鲜用或蒸后晒干。

| 药材性状 | 本品根茎纤细，直径 1 ~ 1.5 mm，每隔 1.4 ~ 2.5 cm 有 1 假鳞茎。假鳞茎卵状长圆形、类圆锥形，长 0.8 ~ 1.5 cm，直径 2 ~ 5 mm；表面具细纵棱纹，近根茎一侧具 1 凹槽，基部不收缩成柄状。气微，味淡。

| 功能主治 | 甘、淡，凉。清热，滋阴，消肿。用于风热咽痛，肺热咳嗽，阴虚内热，热病口渴，风湿痹痛，跌打损伤，乳腺炎。

| 用法用量 | 内服煎汤，6 ~ 12 g。外用适量，捣敷。

兰科 Orchidaceae 石豆兰属 *Bulbophyllum*

齿瓣石豆兰 *Bulbophyllum levinei* Schltr.

| 药 材 名 | 独叶岩珠（药用部位：全草。别名：石枣、岩豆、鸭舌兰）。

| 形态特征 | 附生兰。根茎匍匐。假鳞茎狭圆锥形或近圆柱形，长约 1 cm，顶生 1 叶。叶薄革质，倒卵状披针形或狭长圆形，长 3 ~ 4 cm，宽 5 ~ 7 mm，先端钝，基部渐狭成柄。花葶纤细，通常高出叶。总状花序缩短成伞形，具 2 ~ 6 花；花白色带淡紫红色；中萼片近椭圆形，长 3.5 ~ 4 mm，先端骤尖而增厚，边缘具细齿，侧萼片先端骤狭成尾状；花瓣卵状披针形，长约 3 mm，边缘具细齿；唇瓣肉质，弯曲，先端钻形，基部平截。蒴果椭圆形，长 6 ~ 8 mm。花期 5 ~ 8 月。

| 生境分布 | 生于海拔 800 m 的山地林中树干上或沟谷岩石上。分布于广东乳源、新丰、始兴、龙门、博罗、封开及韶关（市区）、深圳（市区）等。

| 资源情况 | 野生资源稀少。药材来源于野生。

| 采收加工 | 全年均可采收，洗净，鲜用或蒸后晒干。

| 功能主治 | 甘、淡，寒。滋阴清热，解毒消肿。用于阴虚内热，热病口渴，肺热咳喘，咽喉肿痛，口腔炎，风湿痹痛，跌打损伤，乳痈，疔肿。

| 用法用量 | 内服煎汤，6 ~ 15 g，鲜品 30 ~ 60 g。外用适量，捣敷。

兰科 Orchidaceae 石豆兰属 Bulbophyllum

密花石豆兰

Bulbophyllum odoratissimum Lindl.

| 药 材 名 | 果上叶（药用部位：全草。别名：石串莲、石橄榄仔、极香石豆兰）。

| 形态特征 | 附生兰。根茎匍匐。假鳞茎近圆柱形，长 2.5 ~ 4 cm，顶生 1 叶。叶革质，长圆形，长 4 ~ 13 cm，宽 8 ~ 25 mm，先端微凹，基部收狭。花葶通常高出叶，被 3 ~ 4 筒状鞘。总状花序缩短成伞形，密生 10 余花，有香气；萼片初时白色，后和花瓣中部以上变为橘黄色，披针形，自基部向先端收狭，中萼片长 4 ~ 7 mm，侧萼片比中萼片长；花瓣卵圆形，长 1 ~ 2 mm，先端钝；唇瓣肉质，舌形，橘红色，比花瓣稍长。蒴果卵形，长约 1 cm。花期 4 ~ 8 月。

| 生境分布 | 生于阔叶林树上或山谷岩石上。分布于广东翁源、饶平、博罗、龙门、英德、高要、阳春、信宜及深圳（市区）等。

| 资源情况 | 野生资源稀少。药材来源于野生。

| 采收加工 | 全年均可采收，洗净，鲜用或蒸后晒干。

| 功能主治 | 甘、淡，凉。归肺、肝、肾经。润肺化痰，舒筋活络，消炎。用于肺痨咯血，慢性支气管炎，慢性咽炎，疝气疼痛，月经不调，风湿痹痛，跌打损伤。

| 用法用量 | 内服煎汤，6 ~ 12 g。外用适量，捣敷。

兰科 Orchidaceae 虾脊兰属 *Calanthe*

泽泻虾脊兰 *Calanthe alismaefolia* Lindl.

| 药 材 名 | 棕叶七（药用部位：全草。别名：长青九龙盘、细点根节兰）。

| 形态特征 | 地生兰。假鳞茎细圆柱形，直径 3 ~ 5 mm，具 3 ~ 6 叶。叶椭圆形至卵状椭圆形，长 10 ~ 15 cm，形似泽泻叶，两面无毛。花葶直立，高达 30 cm，下部具几枚膜质鳞片；总状花序长 3 ~ 4 cm，具数朵花；花白色；萼片近等长，斜卵形，长约 1 cm，背面被糙伏毛；花瓣近菱形，比萼片小；唇瓣 3 深裂，中裂片扇形，比侧裂片大得多，先端 2 深裂，基部具黄色胼胝体，侧裂片条形；距圆筒形，与子房近平行，长约 1 cm；子房被短柔毛。花期 6 ~ 8 月。

| 生境分布 | 生于常绿阔叶林下。分布于广东乳源、翁源、仁化、连南、信宜及茂名（市区）等。

| 资源情况 | 野生资源稀少。药材来源于野生。

| 采收加工 | 夏、秋季采收，洗净，晒干。

| 功能主治 | 辛、微苦，凉。归肝、肾经。活血止痛。用于跌打损伤，腰痛。

| 用法用量 | 内服煎汤，6 ~ 12 g。

兰科 Orchidaceae 虾脊兰属 *Calanthe*

虾脊兰
Calanthe discolor Lindl.

| 药 材 名 | 九子连环草（药用部位：全草。别名：珠串珠、铜锤草）。

| 形态特征 | 地生兰。假鳞茎圆锥形，直径约 1 cm，具 3 ~ 4 鞘和 3 叶。叶倒卵状长圆形，长 15 ~ 25 cm，宽 4 ~ 9 cm，叶背密被短柔毛。花葶直立，高 18 ~ 30 cm；总状花序疏生 10 余花；萼片紫红色，卵状披针形，长约 1.3 cm；花瓣比萼片小，同色；唇瓣与萼片等长，玫瑰色或白色，3 深裂，中裂片倒卵状楔形，先端 2 裂；唇盘具 3 片状褶片，延伸至中裂片中部；距圆筒状，长 5 ~ 10 mm；子房被短柔毛。花期 4 ~ 5 月，果期 6 ~ 8 月。

| 生境分布 | 生于山坡林下阴湿处或溪沟边湿地。分布于广东乳源、新丰、翁源、仁化、始兴、阳山、信宜及广州（市区）等。

| 资源情况 | 野生资源稀少。药材来源于野生。

| 采收加工 | 春、夏季花开后采收，洗净，鲜用或晒干。

| 功能主治 | 辛、微苦，微寒。归肝、脾经。清热解毒，活血止痛。用于瘰疬，痈肿，咽喉肿痛，痔疮，风湿痹痛，跌打损伤。

| 用法用量 | 内服煎汤，9 ~ 15 g；或研末。外用适量，捣敷；或研末调敷。

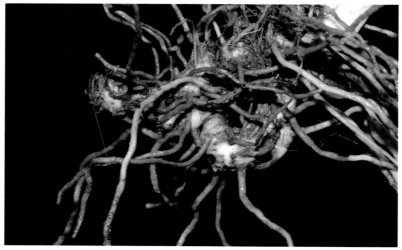

兰科 Orchidaceae 虾脊兰属 *Calanthe*

钩距虾脊兰 *Calanthe graciliflora* Hayata

| 药 材 名 |

四里麻（药用部位：全草。别名：千斤桩、
纤花根节兰、细花根节兰）。

| 形态特征 |

地生兰。假鳞茎近球形，直径约 2 cm，具
3 ～ 4 鞘和 3 ～ 4 叶。叶椭圆形或椭圆状披
针形，长 20 ～ 30 cm，宽 5 ～ 10 cm，先端
急尖，基部收狭成柄。花葶高可达 70 cm，
密被短柔毛。总状花序疏生多数花；萼片和
花瓣通常内面黄绿色，背面黄褐色；中萼片
椭圆形，长约 1.5 cm，侧萼片稍窄；花瓣倒
卵状披针形；唇瓣白色，3 裂，中裂片先端
具短尖；唇盘具 4 褐色斑点和 3 龙骨状脊；
距圆筒形，长约 1 cm，先端钩状。花期 3 ～ 5
月，果期 7 ～ 8 月。

| 生境分布 |

生于山谷溪边、林下阴湿处。分布于广东乐
昌、仁化、始兴、翁源、乳源、德庆、怀集
及韶关（市区）、广州（市区）、肇庆（市
区）等。

| 资源情况 |

野生资源稀少。药材来源于野生。

| 采收加工 | 夏、秋季采收，洗净，鲜用或晒干。

| 功能主治 | 辛、微苦，寒。归肝、肺、肾经。清热解毒，活血止痛。用于咽喉肿痛，痔疮，脱肛，风湿痹痛，跌打损伤。

| 用法用量 | 内服煎汤，6 ~ 15 g；或磨酒，1.5 g，每日 2 ~ 3 次。外用适量，捣敷。

兰科 Orchidaceae 虾脊兰属 Calanthe

镰萼虾脊兰 Calanthe puberula Lindl.

药材名

镰萼虾脊兰（药用部位：全草或假鳞茎。别名：石三七、山刀莲、柔毛虾脊兰）。

形态特征

地生兰。假鳞茎长圆柱形，直径约 1.5 cm，具 3 ~ 4 鞘和 4 ~ 5 叶。叶椭圆形或椭圆状长圆形，长约 20 cm，宽 4 ~ 7 cm，基部收狭为柄。花葶直立，高出叶面；总状花序长 6 ~ 15 cm，疏生多数花；花淡紫色；萼片和花瓣均向后反折，长约 1.5 cm；萼片卵状披针形，宽约 6 mm，先端呈尾状；花瓣狭披针形，宽约 1 mm，先端渐尖；唇瓣颜色较深，3 裂，中裂片先端边缘具齿或流苏，侧裂片镰状，内弯；无距。花期 5 ~ 8 月。

生境分布

生于常绿阔叶林下。分布于广东乳源等。

资源情况

野生资源稀少。药材来源于野生。

采收加工

夏、秋季采收，洗净，鲜用或晒干。

| 功能主治 | 辛、甘，平。润肺止咳，活血化瘀，消肿镇痛。用于支气管炎，肺痨咳嗽，瘰疬，跌打损伤，痔疮，毒蛇咬伤。

| 用法用量 | 内服煎汤，3 ~ 9 g；或浸酒。外用适量，捣敷；或研末调敷；或磨醋搽。

兰科 Orchidaceae 虾脊兰属 Calanthe

长距虾脊兰 *Calanthe masuca* (D. Don) Lindl.

| 药 材 名 |

长距虾脊兰（药用部位：全草。别名：长距
根节兰）。

| 形态特征 |

地生兰。假鳞茎狭圆锥形，长 1 ~ 2 cm。
叶 3 ~ 6，在花期全部展开，椭圆形至倒卵
形，长 20 ~ 40 cm。花葶直立，粗壮，长
40 ~ 75 cm；总状花序疏生数朵花；花淡紫
色，唇瓣常变成橘黄色；中萼片椭圆形，侧
萼片长圆形；花瓣倒卵形或宽长圆形；唇
瓣 3 裂，侧裂片镰状披针形，中裂片扇形
或肾形，先端凹缺或 2 浅裂；唇盘基部具 3
列不等长的黄色鸡冠状小瘤；距圆筒状，长
2.5 ~ 5 cm。花期 4 ~ 9 月。

| 生境分布 |

生于山坡林下或山谷河边等阴湿处。分布于
广东乳源、翁源、仁化、乐昌、龙门、博罗、
连南、连山、阳山、连州、英德、高要、阳春、
信宜及广州（市区）、茂名（市区）等。

| 资源情况 |

野生资源稀少。药材来源于野生。

王晓云提供

| **采收加工** | 夏、秋季采收。

| **功能主治** | 苦、辛，平。祛风，解毒。用于风湿性关节炎，蛇咬伤，无名肿毒。

| **用法用量** | 内服煎汤，15 ~ 20 g。外用适量，鲜品捣敷。

童毅提供

兰科 Orchidaceae 虾脊兰属 *Calanthe*

三褶虾脊兰

Calanthe triplicata (Willem.) Ames

| 药 材 名 |

石上蕉（药用部位：全草。别名：山三棱、肉连环、白花虾脊兰）。

| 形态特征 |

地生兰。假鳞茎卵状圆柱形，直径 1 ~ 2 cm，具 2 ~ 3 鞘和 3 ~ 4 叶。叶椭圆形，长 20 ~ 30 cm，宽达 10 cm，基部收狭为长柄。花葶直立，高超过 70 cm；总状花序长 5 ~ 10 cm，密生多数花；花白色；萼片和花瓣常反折；中萼片近椭圆形，长 9 ~ 12 mm，宽约 5 mm，先端急尖；花瓣倒披针形，比萼片短；唇瓣 3 深裂，基部具金黄色或橘红色附属物，中裂片 2 深裂，裂片叉开；距白色，圆筒形，长 12 ~ 15 mm。花期 4 ~ 6 月，果期 8 ~ 10 月。

| 生境分布 |

生于常绿阔叶林下或山谷溪边。分布于广东乳源、台山、信宜等。

| 资源情况 |

野生资源稀少。药材来源于野生。

| 采收加工 | 夏、秋季采收，洗净，鲜用或晒干。

| 功能主治 | 微苦，寒。归脾、肾、膀胱经。清热利湿，固脱，消肿散结。用于小便不利，脱肛，瘰疬，跌打损伤。

| 用法用量 | 内服煎汤，9 ~ 15 g。外用适量，捣敷。

兰科 Orchidaceae 头蕊兰属 Cephalanthera

银兰

Cephalanthera erecta (Thunb. ex A. Murray) Bl.

| 药 材 名 |

银兰（药用部位：全草。别名：鱼头兰花草）。

| 形态特征 |

地生兰，高 10 ～ 30 cm。茎直立，具 2 ～ 4 膜质鞘。叶 2 ～ 5；叶片椭圆形至卵状披针形，长 2 ～ 8 cm，宽 1 ～ 3 cm，先端急尖或短渐尖，基部抱茎。总状花序长 2 ～ 8 cm，具 3 ～ 10 花；花序轴有棱；花白色；萼片长圆状椭圆形，长 8 ～ 10 mm，宽 2.5 ～ 3.5 mm，具 5 脉；花瓣与萼片相似，较萼片稍短；唇瓣长 5 ～ 6 mm，3 裂，中裂片近心形或宽卵形，上面有 3 纵褶片；距圆锥形。蒴果狭椭圆形或宽筒形，长约 1.5 cm。花期 4 ～ 6 月。

| 生境分布 |

生于山地林下、灌丛中阴湿处或沟边土层厚且有一定阳光处。分布于广东乳源等。

| 资源情况 |

野生资源稀少。药材来源于野生。

| 采收加工 |

全年均可采收，洗净，鲜用。

| **功能主治** | 甘、淡，凉。归肾、膀胱经。清热利尿。用于高热，口渴，小便不利。

| **用法用量** | 内服煎汤，9 ~ 15 g。外用适量，捣敷。

兰科 Orchidaceae 头蕊兰属 Cephalanthera

金兰

Cephalanthera falcata (Thunb. ex A. Murray) Bl.

| 药 材 名 |

金兰（药用部位：全草。别名：头蕊兰、镰叶头蕊兰）。

| 形态特征 |

地生兰，高 20 ~ 45 cm。具多数细长的根。茎直立，基部具 3 ~ 5 膜质鞘。叶 4 ~ 9；叶片椭圆形、椭圆状披针形或卵状披针形，长 5 ~ 11 cm，宽 2 ~ 4 cm，先端渐尖或钝，基部抱茎。总状花序长 3 ~ 8 cm，通常具 5 ~ 10 花；花黄色，稍张开；萼片菱状椭圆形，长 1.2 ~ 1.5 cm，先端钝或急尖；花瓣与萼片相似，较萼片短；唇瓣长 8 ~ 9 mm，3 裂，基部有距，侧裂片三角形，中裂片近扁圆形。蒴果狭椭圆形，长 2 ~ 2.5 cm。花期 4 ~ 5 月，果期 8 ~ 9 月。

| 生境分布 |

生于林下、灌丛中、草地上或沟谷旁。分布于广东乳源、连山等。

| 资源情况 |

野生资源稀少。药材来源于野生。

| **采收加工** | 夏、秋季采收，洗净，晒干或鲜用。

| **功能主治** | 甘，寒。归肝经。清热泻火，解毒。用于咽喉肿痛，牙痛，毒蛇咬伤。

| **用法用量** | 内服煎汤，9 ~ 15 g，鲜品加倍。外用适量，捣敷。

兰科 Orchidaceae 隔距兰属 *Cleisostoma*

红花隔距兰

Cleisostoma williamsonii (Rchb. f.) Garay

| 药 材 名 | 龙角草（药用部位：全草。别名：马尾吊兰、长隔距兰、光棍草）。

| 形态特征 | 附生兰，通常悬垂。茎细圆柱形，长达 70 cm，直径 3 ~ 4 mm，具多数互生叶。叶肉质，圆柱形，伸直或略弧曲，长 6 ~ 10 cm，直径 2 ~ 3 mm，先端稍钝。总状花序或圆锥花序侧生，斜出，长 7 ~ 20 cm；花序轴纤细，密生多数小花；花淡紫红色；萼片和花瓣椭圆形；中萼片长约 2 mm，侧萼片稍长；花瓣与中萼片等长而较中萼片稍窄；唇瓣深紫红色，3 裂，中裂片卵状三角形，侧裂片直立；距球形，直径约 2 mm。蒴果近圆筒形，长约 1 cm。花期 4 ~ 6 月。

| 生境分布 | 生于山地林中树干上或山谷林下岩石上。分布于广东肇庆（市区）、云浮（市区）等。

| **资源情况** | 野生资源稀少。药材来源于野生。

| **采收加工** | 全年均可采收，晒干。

| **功能主治** | 微甘、酸，平。清热解毒，舒筋活络。用于扁桃体炎，咽喉炎，风湿痹痛，中风偏瘫，腰腿疼痛。

| **用法用量** | 内服煎汤，9～15g。

杜鹃兰 *Cremastra appendiculata* (D. Don) Makino

| 药 材 名 |

山慈菇（药用部位：假鳞茎。别名：毛慈菇）、山慈姑叶（药用部位：叶）。

| 形态特征 |

地生兰。假鳞茎近球形，直径 1 ~ 3 cm，顶生 1 叶。叶片通常椭圆形，长 18 ~ 35 cm，宽 5 ~ 8 cm，先端急尖，基部收窄为柄。花葶近直立，通常高出叶面；总状花序疏生多数花；花偏向一侧，多少下垂，不完全开放，有香气，淡紫褐色；萼片和花瓣相似，倒披针形，自中部向基部收狭成狭线形，长 2 ~ 3.5 cm；唇瓣近匙形，与萼片近等长，两侧边缘略向上反折，前端扩大并为 3 裂。蒴果近椭圆形，下垂，长约 3 cm。花期 5 ~ 6 月。

| 生境分布 |

生于山地林中树干上或山谷林下岩石上。分布于广东乳源、连州、高要等。

| 资源情况 |

野生资源稀少。药材来源于野生。

| 采收加工 | 山慈菇：夏、秋季采挖，除去地上部分及泥沙，分开大小，置沸水锅中蒸煮至透心，干燥。
山慈姑叶：夏、秋季采收，洗净，鲜用。

| 药材性状 | 山慈菇：本品呈不规则扁球形或圆锥形，先端渐凸起，基部有须根痕，长1.8～3 cm，膨大部分直径1～2 cm。表面黄棕色或棕褐色，有纵皱纹或纵沟，中部有2～3微凸起的环节，节上有鳞片叶干枯腐烂后留下的丝状纤维。质坚硬，难折断，断面灰白色或黄白色，略呈角质。气微，味淡，带黏性。

| 功能主治 | 山慈菇：甘、微辛，凉。归肝、脾经。清热解毒，化痰散结。用于痈肿疔毒，瘰疬痰核，蛇虫咬伤，癥瘕痞块。
山慈姑叶：甘、微辛，寒。清热解毒。用于痈肿疮毒。

| 用法用量 | 山慈菇：内服煎汤，3～9 g。外用适量。
山慈姑叶：外用适量，捣敷。

| 附   注 | 本种为国家二级保护野生植物。

硬叶兰

Cymbidium bicolor Lindl. subsp. *obtusum* Du Puy et Cribb.

| 药 材 名 | 硬叶兰（药用部位：全草或果实。别名：树荽瓜、吊兰子）。

| 形态特征 | 附生草本。假鳞茎狭卵球形，长 2.5 ～ 5 cm。叶片 4 ～ 7，带状，厚革质，坚挺，略外弯，长 22 ～ 80 cm，宽 1 ～ 1.5 cm，先端具不等的 2 裂。花葶下垂或弯曲，长 17 ～ 28 cm；总状花序具 10 ～ 20 花；花直径 3 ～ 4 cm；萼片和花瓣淡黄色至奶油黄色，中央有 1 栗褐色纵带；萼片狭长圆形；花瓣狭椭圆形；唇瓣白色或奶油黄色，具栗褐色斑纹，近卵形，3 裂；唇盘上具 2 纵褶片。蒴果椭圆形，长 3.5 ～ 5 cm。花期 4 ～ 5 月。

| 生境分布 | 生于山谷石上和树上。分布于广东信宜及肇庆（市区）等。

| 资源情况 | 野生资源稀少。药材来源于野生。

| 采收加工 | 全年均可采收，晒干。

| 功能主治 | 甘、辛，平。润肺止咳，散瘀，调经。用于肺痨咯血，支气管炎，肺炎，喘咳，咽喉炎，月经不调，带下。

| 用法用量 | 内服煎汤，15 ~ 24 g。

| 附　　注 | 在 FOC 中，本种的拉丁学名被修订为 *Cymbidium mannii* Rchb. f.。

建兰

Cymbidium ensifolium (Linn.) Sw.

| 药 材 名 |

兰花（药用部位：花。别名：建兰花）、兰花叶（药用部位：叶。别名：兰叶）、兰花根（药用部位：根。别名：幽兰根）。

| 形态特征 |

地生兰。假鳞茎卵球形，长 1.5 ～ 2.5 cm，宽 1 ～ 1.5 cm，包藏于叶基内。叶 2 ～ 6，带形，有光泽，长 20 ～ 60 cm，宽 0.8 ～ 1.5 cm。花葶直立，一般短于叶；总状花序具 3 ～ 9 花；花常有香气，色泽变化较大，通常为浅黄绿色而具紫斑；萼片狭长圆形，长 2.3 ～ 2.8 cm，侧萼片常向下斜展；花瓣近平展；唇瓣近卵形，长 1.5 ～ 2.3 cm，略 3 裂，中裂片较大，卵形，外弯；唇盘具 2 纵褶片。蒴果狭椭圆形，长 5 ～ 6 cm。花期 6 ～ 11 月，果期 8 月至翌年 5 月。

| 生境分布 |

生于山坡疏林下、灌丛中或草丛中。分布于广东乳源、翁源、开封及深圳（市区）、珠海（市区）、广州（市区）等。

| 资源情况 |

野生资源稀少。栽培资源一般。药材来源于

野生和栽培。

| 采收加工 | 兰花：6 ~ 11 月花将开时采收，鲜用或晒干。

兰花叶：全年均可采收，齐根剪下，洗净，切段，鲜用或晒干。

兰花根：全年均可采挖，除去叶，洗净，鲜用或晒干。

| 功能主治 | 兰花：辛，平。归肺、脾、肝经。调气和中，止咳，明目。用于胸闷，腹泻，久咳，青盲内障。

兰花叶：辛，微寒。归心、脾、肺经。清肺止咳，凉血止血，利湿解毒。用于肺痈，支气管炎，咳嗽，咯血，吐血，尿血，白浊，带下，尿路感染，疮毒疔肿。

兰花根：辛，微寒。润肺止咳，清热利湿，活血止血，解毒杀虫。用于肺痨咯血，百日咳，急性胃肠炎，热淋，带下，白浊，月经不调，崩漏，便血，跌打损伤，疮疖肿毒，痔疮，蛔虫腹痛，狂犬咬伤。

| 用法用量 | 兰花：内服煎汤，3 ~ 9 g；或代茶饮。

兰花叶：内服煎汤，9 ~ 15 g，鲜品 15 ~ 30 g；或研末，4 g。外用适量，捣汁涂。

兰花根：内服煎汤，鲜品 15 ~ 30 g；或捣汁。外用适量，捣汁涂。

| 附　注 | 本种野生种为国家二级保护野生植物。

兰科 Orchidaceae 兰属 *Cymbidium*

蕙兰
Cymbidium faberi Rolfe

| 药 材 名 |

兰花（药用部位：花。别名：兰花草、九节兰）、化气兰（药用部位：根皮。别名：土百部）、蕙实（药用部位：果实）。

| 形态特征 |

地生兰。假鳞茎不明显。叶 5 ~ 8，带形，长 25 ~ 80 cm，宽 4 ~ 8 mm，基部常对折而呈"V"形，叶脉透亮，边缘常有粗锯齿。花葶长 35 ~ 50 cm；总状花序具 5 ~ 11 或更多花；花常为浅黄绿色，唇瓣有紫红色斑，有香气；萼片通常披针状长圆形，长 2.5 ~ 3.5 cm，宽 6 ~ 8 mm；花瓣与萼片相似，常略短而宽；唇瓣长圆状卵形，长 2 ~ 2.5 cm，3 裂，中裂片较长，强烈外弯；唇盘具 2 纵褶片。蒴果近狭椭圆形，长 5 ~ 5.5 cm。花期 2 ~ 5 月。

| 生境分布 |

生于湿润但排水良好的透光处。广东各地均有栽培。

| 资源情况 |

野生资源稀少。栽培资源丰富。药材来源于栽培。

| 采收加工 | **兰花**：花将开时采收，鲜用或晒干。
| | **化气兰**：秋季采挖，抽去木心，晒干。
| | **蕙实**：果实成熟时采收，晒干。

| 功能主治 | **兰花**：辛，平。归肺、脾、肝经。调气和中，止咳，明目。用于胸闷，腹泻，久咳，青盲内障。
| | **化气兰**：苦、甘，凉；有小毒。归肺、大肠经。润肺止咳，清利湿热，杀虫。用于咳嗽，小便淋浊，赤白带下，鼻衄，蛔虫病，头虱病。
| | **蕙实**：辛，平。明目，补中。用于伤寒寒热，出汗，中风，面肿，消渴。

| 用法用量 | **兰花**：内服煎汤，3 ~ 9 g；或代茶饮。
| | **化气兰**：内服煎汤，3 ~ 9 g；或入散剂。外用适量，煎汤洗。
| | **蕙实**：内服煎汤，3 ~ 9 g。

| 附　注 | 本种野生种为国家二级保护野生植物。

兰科 Orchidaceae 兰属 *Cymbidium*

多花兰

Cymbidium floribundum Lindl.

| 药 材 名 | 兰花（药用部位：花。别名：红兰、九头兰、六月兰）、牛角三七（药用部位：全草或假鳞茎。别名：夏兰、羊角七、鹿角七）。

| 形态特征 | 附生兰。假鳞茎近卵球形，宽 2 ~ 3 cm。叶 3 ~ 6 丛生，带状，长 20 ~ 50 cm，宽 8 ~ 18 mm，全缘。花葶比叶短；总状花序具 10 ~ 50 花；花密集，直径 3 ~ 4 cm，无香气；萼片和花瓣通常红褐色，带黄色边缘；萼片近等长，狭椭圆形，长约 2 cm；花瓣近等长于萼片，向两边开展；唇瓣白色带紫红色斑，3 裂，侧裂片近直立，中裂片外弯；唇盘上具 2 黄色纵褶片。蒴果长圆形，长 3 ~ 4 cm。花期 4 ~ 8 月。

| 生境分布 | 生于海拔 100 ~ 1 350 m 的林中、林缘树上、溪谷旁透光的岩石上

或岩壁上。分布于广东乳源、乐昌、蕉岭、龙门、连州、英德、怀集、信宜及广州（市区）等。

| 资源情况 | 野生资源稀少。栽培资源一般。药材来源于野生和栽培。

| 采收加工 | 兰花：4～8月花将开时采收，鲜用或晒干。
牛角三七：全年均可采收，割取地上部分，洗净，切段，鲜用或晾干。

| 功能主治 | 兰花：辛，平。归肺、脾、肝经。调气和中，止咳，明目。用于胸闷，腹泻，久咳，青盲内障。
牛角三七：辛、甘、淡，平。清热化痰，补肾健脑。用于肺痨咯血，百日咳，肾虚腰痛，神经衰弱，头晕头痛。

| 用法用量 | 兰花：内服煎汤，3～9g；或代茶饮。
牛角三七：内服煎汤，3～9g；或研末。外用适量，浸酒搽；或捣敷。

兰科 Orchidaceae 兰属 Cymbidium

春兰

Cymbidium goeringii (Rchb. f.) Rchb. f.

| 药 材 名 |

兰花（药用部位：花。别名：朵朵香、山兰）、兰花叶（药用部位：叶）。

| 形态特征 |

地生兰。假鳞茎卵球形，宽 1 ~ 1.5 cm。叶 4 ~ 7 丛生，狭带状，长 20 ~ 40 cm，宽 5 ~ 11 mm，叶脉明显。花葶直立，远比叶短；苞片长而宽；花直径 4 ~ 5 cm，颜色变化大，通常浅黄绿色，有清香气；萼片近等长，狭长圆形，长 2.5 ~ 4 cm；花瓣卵状披针形，比萼片略短；唇瓣 3 浅裂，侧裂片直立，中裂片较大，强外弯，浅黄色带紫褐色斑点；唇盘具 2 纵褶片。蒴果狭椭圆形，长 6 ~ 8 cm。花期 1 ~ 3 月。

| 生境分布 |

生于海拔 300 ~ 1 000 m 的多石山坡、林缘、林中透光处。分布于广东乳源、乐昌、连州及韶关（市区）等。

| 资源情况 |

野生资源稀少。栽培资源一般。药材来源于野生和栽培。

| 采收加工 | 兰花：1～3月花将开时采收，鲜用或晒干。

兰花叶：全年均可采收，齐根剪下，洗净，切段，鲜用或晒干。

| 功能主治 | 兰花：辛，平。归肺、脾、肝经。调气和中，止咳，明目。用于胸闷，腹泻，久咳，青盲内障。

兰花叶：辛，微寒。归心、脾、肺经。清肺止咳，凉血止血，利湿解毒。用于肺痈，支气管炎，咳嗽，咯血，吐血，尿血，白浊，带下，尿路感染，疮毒疔肿。

| 用法用量 | 兰花：内服煎汤，3～9g；或代茶饮。

兰花叶：内服煎汤，9～15g，鲜品15～30g；或研末，4g。外用适量，捣汁涂。

兰科 Orchidaceae 兰属 *Cymbidium*

兔耳兰
Cymbidium lancifolium Hook.

| 药 材 名 |

兔耳兰（药用部位：全草。别名：宽叶兰）。

| 形态特征 |

地生兰或半附生兰。假鳞茎扁圆柱形或狭梭形，通常长 2 ~ 7 cm，宽 5 ~ 10 mm，先端聚生 2 ~ 4 叶。叶窄倒披针形至狭椭圆形，长 6 ~ 17 cm，宽 1.9 ~ 4 cm，上部边缘有细齿，基部收狭为柄。总状花序具花 2 ~ 6；花通常白色至淡绿色；萼片窄倒披针形，长2.2 ~ 3 cm；花瓣近长圆形，长 1.5 ~ 2.3 cm，有紫栗色中脉；唇瓣卵状长圆形，有紫栗色斑纹，3 浅裂，侧裂片多少围抱蕊柱，中裂片外弯；唇盘具 2 纵褶片。蒴果狭椭圆形，长约 5 cm。花期 4 ~ 8 月。

| 生境分布 |

生于海拔 1 300 m 以下的山地林下或溪边湿地。分布于广东乳源、翁源、曲江、连平、连州、英德、阳春及深圳（市区）、广州（市区）等。

| 资源情况 |

野生资源稀少。栽培资源一般。药材来源于野生和栽培。

王晓云提供

| **采收加工** | 夏、秋季采收。

| **功能主治** | 辛，平。滋阴清肺，化痰止咳。用于咳嗽。

| **用法用量** | 内服煎汤，9 ~ 15 g，鲜品 15 ~ 30 g；或研末，4 g。外用适量，捣汁涂。

王晓云提供

王晓云提供

兰科 Orchidaceae 兰属 *Cymbidium*

墨兰

Cymbidium sinense (Jackson ex Andr.) Willd.

| 药 材 名 |

墨兰（药用部位：根。别名：报春兰、丰岁兰）。

| 形态特征 |

地生兰。假鳞茎卵球形，长 2.5 ~ 6 cm。叶 3 ~ 5，带形，薄革质，暗绿色，长 45 ~ 110 cm，宽 1.5 ~ 3 cm。花葶直立，常稍长于叶。总状花序具 10 ~ 20 或更多花；花颜色变化大，常呈暗紫色、紫褐色而具浅色唇瓣，也有黄绿色、桃红色或白色，具幽香味；萼片狭长圆形或狭椭圆形，长 2.2 ~ 3 cm，宽 5 ~ 7 mm；花瓣近狭卵形；唇瓣卵状长圆形，3 浅裂，侧裂片直立，中裂片较大，外弯；唇盘具 2 纵褶片。蒴果狭椭圆形，长 6 ~ 7 cm。花期 10 月至翌年 3 月。

| 生境分布 |

生于海拔 300 ~ 1 200 m 的林下、灌木林中或溪谷旁湿润但排水良好的背阴处。分布于广东新丰、乐昌、龙门、惠东、博罗、惠阳、连州、封开、高要、阳春、信宜及深圳（市区）、广州（市区）等。

| 资源情况 | 野生资源稀少。栽培资源一般。药材来源于野生和栽培。 |

| 采收加工 | 全年均可采挖，除去叶，洗净，鲜用或晒干。 |

| 功能主治 | 辛，平；有毒。祛风解毒，活血调经。用于风湿痹痛，胃痛，疟疾。 |

| 用法用量 | 内服煎汤，鲜品 15 ~ 30 g；或捣汁。外用适量，捣汁涂。 |

兰科 Orchidaceae 石斛属 *Dendrobium*

钩状石斛

Dendrobium aduncum Wall ex Lindl.

| 药 材 名 |

石斛（药用部位：茎。别名：钩石斛）。

| 形态特征 |

附生兰。茎圆柱形，下垂，直径 2 ~ 5 mm，不分枝，具多节，节间长 3 ~ 3.5 cm。叶长圆形或狭椭圆形，长 7 ~ 10.5 cm，宽 1 ~ 3.5 cm，基部具鞘。总状花序常数个；花序轴纤细，疏生 1 ~ 6 花；花开展；萼片和花瓣淡粉红色；中萼片长圆状披针形，长 1.6 ~ 2 cm，先端急尖，具 5 脉，侧萼片与中萼片等长而较中萼片宽得多；萼囊明显坛状，长约 1 cm；花瓣长圆形；唇瓣白色，朝上，凹陷成舟状，先端短尾状反卷；蕊柱白色，药帽深紫色。花期 5 ~ 6 月。

| 生境分布 |

生于海拔 700 ~ 1 000 m 的山地林中树干上。分布于广东始兴、博罗、英德、封开、阳春、信宜及广州（市区）、阳江（市区）等。

| 资源情况 |

野生资源稀少。药材来源于野生。

| 采收加工 | 全年均可采收，鲜用者，除去根和泥沙；干用者，除去杂质，用开水略烫或烘软，边搓边烘晒至叶鞘干净，干燥。

| 功能主治 | 甘，微寒。归胃、肾经。益胃生津，滋阴清热。用于热病津伤，口干烦渴，胃阴不足，食少干呕，病后虚热不退，阴虚火旺，骨蒸劳热，目暗不明，筋骨痿软。

| 用法用量 | 内服煎汤，6 ~ 15 g，鲜品加倍；或入丸、散剂；或熬膏。

兰科 Orchidaceae 石斛属 *Dendrobium*

密花石斛

Dendrobium densiflorum Lindl.ex Wall.

| 药 材 名 |

石斛（药用部位：茎。别名：粗黄草、大黄草、黄草）。

| 形态特征 |

附生兰。茎粗壮，棒状或纺锤形，长 25 ～ 40 cm，直径达 2 cm，下部收狭，具数节和 4 纵棱。叶常 3 ～ 4，革质，长圆状披针形，长 8 ～ 17 cm，宽 2.6 ～ 6 cm。总状花序下垂，密生多花；花开展；萼片和花瓣淡黄色；中萼片卵形，先端钝，全缘，侧萼片卵状披针形；萼囊近球形；花瓣近圆形，基部收狭为短爪，中部以上边缘具啮齿；唇瓣金黄色，圆状菱形，长 1.7 ～ 2.2 cm，先端圆形，中部以上密被短绒毛。花期 4 ～ 5 月。

| 生境分布 |

生于海拔 420 ～ 1 000 m 的常绿阔叶林中树干上或山谷岩石上。分布于广东新丰、乐昌、龙门等。

| 资源情况 |

野生资源稀少。药材来源于野生。

采收加工	全年均可采收，鲜用者，除去根和泥沙；干用者，除去杂质，用开水略烫或烘软，边搓边烘晒至叶鞘干净，干燥。
功能主治	甘，微寒。归胃、肾经。益胃生津，滋阴清热。用于热病津伤，口干烦渴，胃阴不足，食少干呕，病后虚热不退，阴虚火旺，骨蒸劳热，目暗不明，筋骨痿软。
用法用量	内服煎汤，6～15 g，鲜品加倍；或入丸、散剂；或熬膏。

兰科 Orchidaceae 石斛属 Dendrobium

重唇石斛 *Dendrobium hercoglossum* Rchb. f.

| **植物别名** | 网脉唇石斛。

| **药 材 名** | 石斛（药用部位：茎）。

| **形态特征** | 附生兰。茎下垂，通常圆柱形，直径 2 ～ 5 mm，节间长 1.5 ～ 2 cm。叶 2 列，狭长圆形或长圆状披针形，长 4 ～ 10 cm，宽 4 ～ 8（～ 14）mm，先端 2 圆裂，基部具鞘。总状花序具 2 ～ 3 花；花序轴瘦弱，长 1.5 ～ 2 cm；花开展；萼片和花瓣淡粉红色；中萼片卵状长圆形，长 1.3 ～ 1.8 cm，先端急尖，侧萼片与中萼片等大；萼囊短；花瓣倒卵状长圆形；唇瓣白色，直立，后唇半球形，前唇淡粉红色，较小，三角形；蕊柱白色，药帽紫色。花期 5 ～ 6 月。

| 生境分布 | 生于山地密林中树干上和山谷湿润岩石上。分布于广东英德、台山、信宜等。

| 资源情况 | 野生资源稀少。药材来源于野生。

| 采收加工 | 全年均可采收，鲜用者，除去根和泥沙；干用者，除去杂质，用开水略烫或烘软，边搓边烘晒至叶鞘干净，干燥。

| 功能主治 | 甘，微寒。归胃、肾经。益胃生津，滋阴清热。用于热病津伤，口干烦渴，胃阴不足，食少干呕，病后虚热不退，阴虚火旺，骨蒸劳热，目暗不明，筋骨痿软。

| 用法用量 | 内服煎汤，6 ～ 15 g，鲜品加倍；或入丸、散剂；或熬膏。

兰科 Orchidaceae 石斛属 *Dendrobium*

聚石斛

Dendrobium lindleyi Stendel

| 药 材 名 |

木虾公（药用部位：全草。别名：鸡背石斛、虾公草）。

| 形态特征 |

附生兰。茎假鳞茎状，密集或丛生，两侧压扁，纺锤形或卵状长圆形，通常 2 ~ 5 节，长 1 ~ 5 cm，宽 5 ~ 15 mm，顶生 1 叶。叶革质，长圆形，长 3 ~ 9 cm，宽 0.6 ~ 3 cm，先端钝并微凹，基部收狭。总状花序从茎先端发出，远比茎长，具 2 至多朵花；花开展，橘黄色，质薄；中萼片卵状披针形，长约 2 cm，侧萼片与中萼片近等大；萼囊近球形，长约 5 mm；花瓣阔椭圆形，先端圆钝；唇瓣横长圆形，不裂。花期 4 ~ 5 月。

| 生境分布 |

生于海拔约 1 000 m 的阳光充裕的疏林中树干上。分布于广东博罗、英德、恩平、信宜及阳江（市区）等。

| 资源情况 |

野生资源稀少。药材来源于野生。

| 采收加工 | 全年均可采收，洗净，晒干、烘干或鲜用。

| 药材性状 | 本品假鳞茎状茎呈三棱形或四棱状纺锤形，表面金黄色，平滑而有光泽，全体具 3 ~ 4 节，节处呈线状凹入。质坚，体轻，纵向撕裂成疏松海绵状，类白色，折断面纤维性。气微，味淡。

| 功能主治 | 甘、淡，凉。归肺、胃经。润肺止咳，滋阴养胃。用于肺热咳嗽，肺结核，哮喘，痢疾，口腔炎，胃痛，疳积。

| 用法用量 | 内服煎汤，6 ~ 15 g。

兰科 Orchidaceae 石斛属 *Dendrobium*

美花石斛
Dendrobium loddigesii Rolfe

| 药 材 名 |

石斛（药用部位：茎。别名：粉花石斛、环草石斛）。

| 形态特征 |

附生兰。茎柔弱，常下垂，细圆柱形，长10～45 cm，直径约3 mm，多节，节间长1.5～2 cm。叶2列，纸质，长圆状披针形或舌形，长3～5 cm，宽1～1.3 cm，先端急尖，基部具鞘。总状花序具1～2花；花通常淡紫红色；中萼片卵状长圆形，长1.7～2 cm，先端急尖，侧萼片较窄，披针形；萼囊近球形；花瓣椭圆形，先端稍钝，全缘；唇瓣近圆形，直径1.7～2 cm，稍内凹，上面中央金黄色，周边淡紫红色，边缘流苏状，两面被短柔毛。花期4～5月。

| 生境分布 |

生于山地林中树干上或林下岩石上。分布于广东龙门、博罗、连山、连州、阳春、信宜及广州（市区）、肇庆（市区）、阳江（市区）等。

| 资源情况 |

野生资源稀少。药材来源于野生。

| 采收加工 | 栽后 2 ~ 3 年采收，全年均可采收，鲜用者，除去须根及杂质，另行保存；干用者，除去根，洗净，搓去薄膜状叶鞘，晒干或烘干，或洗净后置开水中略烫，晒干或烘干。

| 药材性状 | 本品呈细长圆柱形，偶有分枝，常弯曲盘绕成团或捆成把，长 11 ~ 35 cm，中部直径 0.5 ~ 2 mm，节间长 0.5 ~ 2 cm。表面金黄色，有光泽，具细纵纹，常残留有棕色叶鞘，抱茎，易脱落。质柔韧而实，断面平坦，灰白色。气微，味微苦，有黏性。

| 功能主治 | 甘，微寒。归胃、肺、肾经。生津养胃，滋阴清热，润肺益肾，明目强腰。用于热病伤津，口干烦渴，胃阴不足，胃痛干呕，肺燥干咳，虚热不退，阴伤目暗，腰膝软弱。

| 用法用量 | 内服煎汤，6 ~ 15 g，鲜品加倍；或入丸、散剂；或熬膏。

兰科 Orchidaceae 石斛属 *Dendrobium*

罗河石斛

Dendrobium lohohense T. Tang et F. T. Wang

| 药 材 名 | 罗河石斛（药用部位：茎）。

| 形态特征 | 附生兰。茎木质化，圆柱形，长达 80 cm，直径 3 ～ 5 mm，多节，上部节上常生根而分出新枝条。叶 2 列，长圆形，长 3 ～ 4.5 cm，宽 0.5 ～ 1.6 cm，基部具抱茎的鞘。总状花序减退为单花；花蜡黄色，稍肉质，开展；中萼片椭圆形，长约 1.5 cm，宽约 9 mm，侧萼片斜椭圆形，比中萼片稍长而窄；萼囊近球形；花瓣椭圆形；唇瓣不裂，倒卵形，长约 2 cm，前端边缘具不整齐的细齿。蒴果椭圆状球形，长约 4 cm。花期 6 月，果期 7 ～ 8 月。

| 生境分布 | 生于山谷或林缘的岩石上。分布于广东连州及清远（市区）等。

| 资源情况 | 野生资源稀少。药材来源于野生。

| 采收加工 | 全年均可采收，鲜用者，除去根和泥沙；干用者，除去杂质，用开水略烫或烘软，边搓边烘晒至叶鞘干净，干燥。

| 药材性状 | 本品呈圆柱形或扁圆柱形，直径 0.4 ~ 1.2 cm。表面黄绿色，光滑或有纵纹，节明显，色较深，节上有膜质叶鞘。肉质多汁，易折断。气微，味微苦而回甜，嚼之有黏性。

| 功能主治 | 甘，微寒。归胃、肾经。益胃生津，滋阴清热。用于热病津伤，口干烦渴，胃阴不足，食少干呕，病后虚热不退，阴虚火旺，骨蒸劳热，目暗不明，筋骨痿软。

| 用法用量 | 内服煎汤，6 ~ 15 g，鲜品加倍；或入丸、散剂；或熬膏。

兰科 Orchidaceae 石斛属 *Dendrobium*

铁皮石斛 *Dendrobium officinale* Kimura et Migo

| 药 材 名 | 铁皮石斛（药用部位：茎。别名：石斛、黑节草）。

| 形态特征 | 附生兰。茎圆柱形，长达 35 cm，直径 2 ～ 4 mm，不分枝，具多节，常在中部以上互生 3 ～ 5 叶。叶 2 列，长圆状披针形，长 3 ～ 5 cm，宽 1 ～ 1.5 cm，基部下延为抱茎的鞘。总状花序具 2 ～ 3 花；花序轴回折状弯曲；萼片和花瓣黄绿色，相似，长圆状披针形，长约 1.8 cm；侧萼片基部较宽阔，宽约 1 cm；萼囊明显；唇瓣卵状披针形，比萼片稍短，中部反折，先端急尖，不裂或不明显 3 裂，中部以下两侧具紫红色条纹；唇盘具紫红色斑块。花期 3 ～ 6 月。

| 生境分布 | 生于阴坡、半阳坡的潮湿岩石壁上。分布于广东仁化、龙川等。

| 资源情况 | 野生资源稀少。栽培资源丰富。药材来源于栽培。

| 采收加工 | 11 月至翌年 3 月采收，除去杂质，剪去部分须根，边加热边扭成螺旋形或弹簧状，烘干；或切段，干燥或低温烘干。前者习称"铁片枫斗"，后者习称"铁片石斛"。

| 药材性状 | **铁皮枫斗**：本品呈螺旋形或弹簧状，通常为 2 ~ 6 旋纹，拉直后长 3.5 ~ 8 cm，直径 0.2 ~ 0.4 cm；表面黄绿色或略带金黄色，有细纵皱纹，节明显，节上有时可见残留的灰白色叶鞘，一端可见茎基部留下的短须根。质坚实，易折断，断面平坦，灰白色至灰绿色，略角质状。气微，味淡，嚼之有黏性。
铁皮石斛：本品呈圆柱形，长短不等。

| 功能主治 | 甘，微寒。归胃、肾经。益胃生津，滋阴清热。用于热病津伤，口干烦渴，胃阴不足，食少干呕，病后虚热不退，阴虚火旺，骨蒸劳热，目暗不明，筋骨痿软。

| 用法用量 | 内服煎汤，6 ~ 15 g；或入丸、散剂；或熬膏。

| 附　　注 | 本种野生资源几近枯竭。

兰科 Orchidaceae 石斛属 *Dendrobium*

细茎石斛

Dendrobium moniliforme (Linn.) Sw.

| **药 材 名** | 石斛（药用部位：茎。别名：念珠石斛）。

| **形态特征** | 附生兰。茎细圆柱形，通常长 10 ~ 35 cm，直径 2 ~ 4 mm，具多节。叶 2 列，披针形或长圆形，长 3 ~ 5.5 cm，宽 5 ~ 10 mm，基部为抱茎的鞘。总状花序 2 至数个，通常具 1 ~ 3 花；花黄绿色、白色或白色带淡紫红色；萼片和花瓣相似，卵状长圆形或卵状披针形，通常长 1 ~ 1.7 cm；侧萼片基部歪斜；萼囊圆锥形；花瓣通常比萼片稍宽；唇瓣卵状披针形，比萼片稍短，3 浅裂；唇盘密布短柔毛，通常具 1 斑块。蒴果椭圆形，长 1.3 ~ 1.5 cm。花期 3 ~ 5 月。

| **生境分布** | 生于阔叶林中树干上或山谷岩壁上。分布于广东乳源、南雄、乐昌、阳山、连州、信宜等。

| 资源情况 | 野生资源稀少。药材来源于野生。

| 采收加工 | 栽后2~3年采收，全年均可采收，鲜用者，除去须根及杂质，另行保存；干用者，除去根，洗净，搓去薄膜状叶鞘，晒干或烘干，或洗净后置开水中略烫，晒干或烘干。

| 药材性状 | 本品呈圆柱形或扁圆柱形，表面黄绿色，光滑或有纵纹，节明显，色较深，节上有膜质叶鞘。肉质多汁，易折断。气微，味微苦而回甜，嚼之有黏性。

| 功能主治 | 甘，微寒。归胃、肾经。益胃生津，滋阴清热。用于热病津伤，口干烦渴，胃阴不足，食少干呕，病后虚热不退，阴虚火旺，骨蒸劳热，目暗不明，筋骨痿软。

| 用法用量 | 内服煎汤，6~15 g，鲜品加倍；或入丸、散剂；或熬膏。

兰科 Orchidaceae 石斛属 *Dendrobium*

金钗石斛 *Dendrobium nobile* Lindl.

| 药 材 名 | 石斛（药用部位：茎。别名：金钗花、千年润）。

| 形态特征 | 附生兰。茎肥厚肉质，圆柱形，长 10 ~ 60 cm，直径达 1.3 cm，上部多回折状弯曲，不分枝，多节，节间长 2 ~ 4 cm。叶 2 列，近革质，长圆形，长 6 ~ 12 cm，宽 1 ~ 3 cm，基部具鞘。总状花序具 1 ~ 4 花；花大，直径 6 ~ 8 cm；萼片与花瓣等长，通常白色，末端带淡紫红色；中萼片长圆形，侧萼片斜长圆形；萼囊圆锥形；花瓣斜阔卵形；唇瓣阔卵形，中部两侧包围蕊柱，边缘具短睫毛，两面被毛；唇盘中央具紫红色大斑块。花期 4 ~ 5 月。

| 生境分布 | 生于山地林中树干上或山谷岩石上。分布于广东珠江口岛屿等。

| 资源情况 | 野生资源稀少。栽培资源丰富。药材来源于栽培。

| 采收加工 | 全年均可采收，鲜用者，除去根和泥沙；干用者，除去杂质，用开水略烫或烘软，边搓边烘晒至叶鞘干净，干燥。

| 药材性状 | 本品呈扁圆柱形，长 20 ～ 40 cm，直径 0.4 ～ 0.6 cm，节间长 2.5 ～ 3 cm。表面金黄色或带绿色，有深纵沟。质硬而脆，断面较平坦而疏松。气微，味苦。

| 功能主治 | 甘，微寒。归胃、肾经。益胃生津，滋阴清热。用于热病津伤，口干烦渴，胃阴不足，食少干呕，病后虚热不退，阴虚火旺，骨蒸劳热，目暗不明，筋骨痿软。

| 用法用量 | 内服煎汤，6 ～ 15 g，鲜品加倍；或入丸、散剂；或熬膏。

兰科 Orchidaceae 厚唇兰属 *Epigeneium*

单叶厚唇兰

Epigeneium fargesii (Finet) Gagnep.

| 药 材 名 | 单叶厚唇兰（药用部位：全草。别名：小攀龙、果上叶）。

| 形态特征 | 附生兰。根茎匍匐。假鳞茎弯曲，卵状长圆形，斜伸，中部以下贴伏根茎，长约 1 cm，顶生 1 叶。叶厚革质，卵形或倒卵状长圆形，长 1 ~ 2.3 cm，宽 7 ~ 11 mm，先端圆钝，凹缺。花单生，不甚张开；萼片和花瓣淡粉红色；中萼片卵形，侧萼片斜卵状披针形；萼囊明显；花瓣卵状披针形，比侧萼片小；唇瓣白色，小提琴状，长约 2 cm，前后唇等宽，宽约 11 mm，后唇两侧直立，前唇伸展，近肾形，先端深凹。花期 4 ~ 5 月。

| 生境分布 | 生于海拔 400 ~ 1 500 m 的沟谷岩石上或山地林中树干上。分布于广东乳源、乐昌、饶平、潮安、连州、信宜等。

| 资源情况 | 野生资源稀少。药材来源于野生。

| 采收加工 | 全年均可采收，洗净，晒干。

| 功能主治 | 甘、微涩，凉。滋阴养胃，润肺化痰，清热利湿。用于跌打损伤，腰肌劳损，骨折，刀伤，咯血，胃炎，咽喉肿痛等。

| 用法用量 | 内服煎汤，6 ~ 15 g。

兰科 Orchidaceae 毛兰属 *Eria*

半柱毛兰

Eria corneri Rchb. f.

| **药 材 名** | 蛤臂兰（药用部位：全草。别名：黄绒兰、干氏毛兰）。

| **形态特征** | 附生兰，全体无毛。假鳞茎密生，卵形或长圆形，长 2 ~ 6 cm，先端具 2 ~ 3 叶。叶片长圆形或倒卵状披针形，长 15 ~ 45 cm，基部渐狭为柄。总状花序通常具 10 余花；花白色或柠檬黄色；中萼片卵状三角形，长约 1 cm，先端渐尖，侧萼片镰状三角形；萼囊短，钝；花瓣狭披针形；唇瓣卵形，先端紫色，3 裂，侧裂片半圆形，中裂片卵状三角形；唇盘具 3 波状褶片。蒴果倒卵状圆柱形，长约 1.5 cm。花期 8 ~ 9 月，果期 10 ~ 12 月。

| **生境分布** | 生于海拔 200 ~ 1 500 m 的林中树上或林下岩石上。分布于广东新丰、翁源、博罗、阳山、封开、高要、新兴、阳春、信宜及汕头（市

区）、深圳（市区）等。

| **资源情况** | 野生资源稀少。药材来源于野生。

| **采收加工** | 夏、秋季采收，洗净，蒸后晒干。

| **功能主治** | 甘，平。滋阴清热，生津止渴。用于热病伤津，烦渴，盗汗，肺结核，瘰疬，疮疡肿毒。

| **用法用量** | 内服煎汤，6 ～ 15 g。

兰科 Orchidaceae 美冠兰属 *Eulophia*

美冠兰

Eulophia graminea Lindl.

| 药 材 名 |

美冠兰（药用部位：全草）。

| 形态特征 |

地生兰。假鳞茎直立，形状多样，长 3 ～ 7 cm，直径 2 ～ 4 cm，多少露出地面。叶 3 ～ 5，先花后叶，线形或线状披针形，长 13 ～ 35 cm，宽 7 ～ 10 mm，基部收狭成 柄。总状花序长 20 ～ 40 cm，疏生多数花； 花榄绿色；中萼片倒披针状线形，长 1.1 ～ 1.3 cm，先端渐尖，侧萼片常略斜歪而稍大； 花瓣近狭卵形；唇瓣白色而具淡紫红色褶 片，近倒卵形或长圆形，3 浅裂；唇盘具纵 褶片；距圆筒状。蒴果下垂，椭圆形，长 2.5 ～ 3 cm。花期 4 ～ 5 月，果期 5 ～ 6 月。

| 生境分布 |

生于山坡、林缘或草地上。分布于广东龙 门、连州、阳春及深圳（市区）、广州（市 区）等。

| 资源情况 |

野生资源较少。药材来源于野生。

| 采收加工 | 夏、秋季采收，洗净，鲜用或晒干。

| 功能主治 | 甘、淡，寒。滋阴益胃，润肺止咳。用于热病伤津，口干烦渴，病后虚热，肺燥咳嗽，胃酸不足。

| 用法用量 | 内服煎汤，6~9g。外用适量，捣敷。

兰科 Orchidaceae 山珊瑚属 *Galeola*

毛萼山珊瑚

Galeola lindleyana (Hook. f. et Thoms.) Rchb. f.

| 药 材 名 | 毛萼山珊瑚（药用部位：全草。别名：毛萼珊瑚兰）。

| 形态特征 | 腐生兰，亚灌木状，高达 3 m。茎直立，红褐色。圆锥花序由总状花序组成，侧生总状花序一般较短，长 2 ~ 5 cm，具数朵至 10 余朵花；花黄色，直径可达 3.5 cm；萼片椭圆形至卵状椭圆形，长 1.6 ~ 2 cm，宽 9 ~ 11 mm，背面密被锈色短绒毛，侧萼片常比中萼片略长；花瓣宽卵形至近圆形，略短于中萼片，无毛；唇瓣凹陷成杯状，近半球形，不裂，直径约 1.3 cm，边缘具短流苏。果实长圆形，淡棕色，长 8 ~ 12 cm。花期 5 ~ 8 月，果期 9 ~ 12 月。

| 生境分布 | 生于海拔 700 ~ 1 200 m 的疏林下、稀疏灌丛中、沟谷边、竹林中。分布于广东乳源、信宜等。

| 资源情况 | 野生资源稀少。药材来源于野生。

| 采收加工 | 夏、秋季采收，洗净，鲜用或切段晒干。

| 功能主治 | 辛、苦，凉。祛风，通络，利水消肿。用于风湿性关节炎，中风手足不遂，偏正头痛，崩中，血痢，肾炎。

| 用法用量 | 内服煎汤，6～9g。外用适量，捣敷。

兰科 Orchidaceae 天麻属 Gastrodia

天麻 *Gastrodia elata* Bl.

| 药 材 名 | 天麻（药用部位：块茎。别名：赤箭）。

| 形态特征 | 腐生兰，高 30 ~ 100 cm。根茎肥厚，肉质，长圆形，长约 10 cm，直径 3 ~ 5 cm，节较密，节上被膜质鞘。茎直立，圆柱形，通常黄褐色。无绿叶。总状花序顶生，长 10 ~ 30 cm，具 30 ~ 50 花；花扭转，橙黄色、淡黄色、绿白色或黄白色；萼片和花瓣合生成斜卵状圆筒，长约 1 cm，先端具 5 裂片，裂片三角形，筒基部向前方凸出；唇瓣长圆状卵圆形，长 6 ~ 7 mm，3 裂。蒴果倒卵状椭圆形，长 1.4 ~ 1.8 cm；种子多而细小，呈粉末状。花果期 5 ~ 7 月。

| 生境分布 | 生于疏林下、林中空地、林缘、灌丛边缘。广东连州等有栽培。

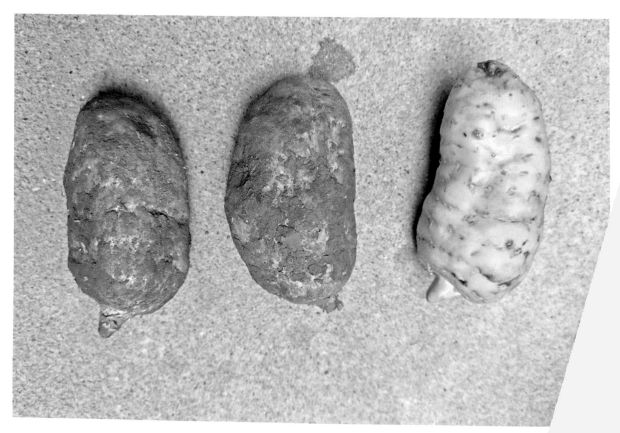

| 资源情况 | 栽培资源较丰富。药材来源于栽培。

| 采收加工 | 立冬后至翌年清明前采挖，立即洗净，蒸透，低温干燥。

| 药材性状 | 本品呈椭圆形或长条形，略扁，皱缩而稍弯曲，长 3 ～ 15 cm，宽 1.5 ～ 6 cm，厚 0.5 ～ 2 cm。表面黄白色至黄棕色，有纵皱纹及由潜伏芽排列而成的横环纹多轮，有时可见棕褐色菌素，先端有红棕色至深棕色鹦嘴状芽或残留的茎基，另一端有圆脐形疤痕。质坚硬，不易折断，断面较平坦，黄白色至淡棕色，角质样。气微，味甘。

| 功能主治 | 甘，平。归肝经。息风止痉，平抑肝阳，祛风通络。用于惊风，癫痫抽搐，破伤风，头痛眩晕，手足不遂，肢体麻木，风湿痹痛。

| 用法用量 | 内服煎汤，3 ～ 10 g；或入丸、散剂；或研末，1 ～ 1.5 g。

兰科 Orchidaceae 斑叶兰属 *Goodyera*

大花斑叶兰 *Goodyera biflora* (Lindl.) Hook. f.

| 植物别名 | 长花斑叶兰、双花斑叶兰。

| 药 材 名 | 斑叶兰（药用部位：全草。别名：金边莲、银耳环）。

| 形态特征 | 地生兰，高 5 ~ 15 cm。根茎匍匐，具节。茎直立，具 4 ~ 5 叶。叶片卵形或椭圆形，长 2 ~ 4 cm，宽 1 ~ 2.5 cm，表面绿色，具均匀的白色网状脉纹，背面淡绿色；叶柄基部扩大成抱茎的鞘。总状花序常具 2 花，常偏向一侧；花白色或带粉红色；萼片狭披针形，近等长，长约 2.5 cm，中萼片与花瓣黏合成兜状，侧萼片稍偏斜；花瓣斜菱状线形，长约 2.5 cm；唇瓣狭披针形，长 1.8 ~ 2 cm，前部伸长成舌状，先端急尖，向下卷曲。花期 2 ~ 7 月。

王晓云提供

| 生境分布 | 生于林下阴湿处。分布于广东乳源、连州、封开、信宜等。

| 资源情况 | 野生资源稀少。药材来源于野生。

| 采收加工 | 夏、秋季采收，洗净，鲜用或晒干。

| 功能主治 | 甘、辛，平。润肺止咳，补肾益气，行气活血，消肿解毒。用于肺痨咳嗽，气管炎，头晕乏力，神经衰弱，阳痿，跌打损伤，骨节疼痛，咽喉肿痛，乳痈，疮疖，瘰疬，毒蛇咬伤。

| 用法用量 | 内服煎汤，9 ~ 15 g；或捣汁；或浸酒。外用适量，捣敷。

王晓云提供

王晓云提供

高斑叶兰 *Goodyera procera* (Ker-Gawl.) Hook.

药材名

石风丹（药用部位：全草。别名：石风丹、追风草、高大斑叶兰）。

形态特征

地生兰，高 20 ～ 80 cm。茎直立，具 6 ～ 8 叶。叶片长圆形或狭椭圆形，长 7 ～ 15 cm，宽 2 ～ 5.5 cm，先端渐尖，基部渐狭；叶柄基部扩大成鞘。总状花序呈穗状，长 10 ～ 15 cm，具多数密集的花；花小，白色带淡绿色；中萼片卵状椭圆形，凹陷，长 3 ～ 3.5 mm，与花瓣黏合成兜状，侧萼片斜卵形；花瓣匙形；唇瓣阔卵形，长 2.2 ～ 2.5 mm，基部凹陷成囊状，先端反卷；唇盘具 2 胼胝体。蒴果纺锤形。花期 4 ～ 5 月。

生境分布

生于山地、山谷林下阴湿处。分布于广东始兴、蕉岭、龙门、博罗、连山、连州、英德、封开、信宜及广州（市区）、肇庆（市区）等。

资源情况

野生资源稀少。药材来源于野生。

| 采收加工 | 全年均可采收，洗净，鲜用或晒干。

| 药材性状 | 本品根茎短，有数条根。根弯曲而相互纠结；表面有黄柔毛；质较韧。茎圆柱形，黄绿色，无毛。叶多皱缩，棕黄色或带绿色，展平后呈宽披针形或矩圆形，长 7 ~ 15 cm，宽 2 ~ 5.5 cm，先端渐尖，基部渐狭成叶柄；叶柄长 3 ~ 7 cm，基部鞘状抱茎，全缘，具平行脉。气微，味辣。

| 功能主治 | 苦、辛，温。归肝、肺经。祛风除湿，行气活血，止咳平喘。用于风寒湿痹，半身不遂，瘫痪，跌打损伤，咳喘，胃痛，水肿。

| 用法用量 | 内服煎汤，9 ~ 15 g；或浸酒。

斑叶兰
Goodyera schlechtendaliana Reichb. f.

| 药 材 名 |

斑叶兰（药用部位：全草。别名：金边莲、银耳环、大斑叶兰）。

| 形态特征 |

地生兰，高 15 ～ 35 cm。根茎伸长，匍匐，肉质。茎直立，近基部具 4 ～ 6 叶。叶片卵形或卵状披针形，长 3 ～ 8 cm，宽 0.8 ～ 2.5 cm，上面深绿色，具不规则的白色点状斑纹；叶柄基部扩大成鞘。总状花序具数朵至 20 余朵花，花常偏向一侧；花小，白色或微带粉红色；中萼片狭椭圆状披针形，长 7 ～ 10 mm，与花瓣黏合成兜状，侧萼片卵状披针形；花瓣菱状倒披针形；唇瓣卵形，前部伸长成舌状，稍下弯。花期 8 ～ 10 月。

| 生境分布 |

生于海拔约 700 m 的山坡或沟谷阔叶林下。分布于广东乳源、乐昌、和平、连州及梅州（市区）等。

| 资源情况 |

野生资源稀少。药材来源于野生。

| 采收加工 | 夏、秋季采收，洗净，鲜用或晒干。

| 功能主治 | 甘、辛，平。润肺止咳，补肾益气，行气活血，消肿解毒。用于肺痨咳嗽，气管炎，头晕乏力，神经衰弱，阳痿，跌打损伤，骨节疼痛，咽喉肿痛，乳痈，疮疖，瘰疬，毒蛇咬伤。

| 用法用量 | 内服煎汤，9～15 g；或捣汁；或浸酒。外用适量，捣敷。

兰科 Orchidaceae 玉凤花属 *Habenaria*

毛葶玉凤花

Habenaria ciliolaris Kraenzl.

| **植物别名** | 毛葶玉凤兰。

| **药 材 名** | 肾经草（药用部位：块茎。别名：双肾草、地夫子）。

| **形态特征** | 地生兰，高 25 ~ 60 cm。块茎长圆形或圆柱形，长 3 ~ 5 cm。茎直立，中部具 5 ~ 6 叶，向下具多枚筒状鞘，向上渐变成苞片状小叶。叶片椭圆状披针形、倒卵状匙形或长椭圆形，长 5 ~ 16 cm，宽 2 ~ 5 cm。总状花序长 9 ~ 23 cm，疏生 6 ~ 15 花；花淡绿色或白色，直径约 1 cm；中萼片卵形，兜状，具 5 脉，侧萼片卵形，偏斜，反折；花瓣斜披针形；唇瓣 3 深裂，裂片线形，中裂片较侧裂片短；距棒状，长约 2 cm。花期 7 ~ 9 月。

| 生境分布 | 生于山坡或沟边林下潮湿处。分布于广东乳源、和平、连平、博罗、阳山、高州等。

| 资源情况 | 野生资源稀少。药材来源于野生。

| 采收加工 | 春、秋季采挖，除去茎叶和须根，洗净。

| 功能主治 | 甘、微苦，平。壮腰补肾，清热利水，解毒。用于肾虚腰痛，遗精，阳痿，带下，热淋，毒蛇咬伤，疮疖肿毒。

| 用法用量 | 内服煎汤，9 ~ 15 g。外用适量，鲜品捣敷。

兰科 Orchidaceae 玉凤花属 *Habenaria*

鹅毛玉凤花

Habenaria dentata (Sw.) Schltr.

| 植物别名 |

白凤兰。

| 药材名 |

双肾子（药用部位：块茎。别名：双肾参、腰子七）、白花草（药用部位：茎叶）。

| 形态特征 |

地生兰，高 35 ~ 80 cm。块茎常 2 并生，卵形或长圆形，长 2 ~ 5 cm。茎直立，圆柱形，近基部具 2 ~ 3 筒状鞘，向上具数枚渐变成苞片状的小叶。叶片长圆形至长椭圆形，长 5 ~ 15 cm，宽 1.5 ~ 4 cm，抱茎。总状花序；花较大，白色；萼片和花瓣边缘具缘毛；中萼片阔卵形，长 10 ~ 13 mm，与花瓣靠合成兜状，侧萼片斜卵形；花瓣不裂，狭披针形；唇瓣 3 深裂，侧裂片宽，前部边缘具锯齿，中裂片条形，长 5 ~ 7 mm；距细棒状，下垂，长达 4 cm。花期 8 ~ 10 月。

| 生境分布 |

生于山坡林下或山谷湿地上。分布于广东乳源、翁源、仁化、增城、始兴、南雄、阳山、乐昌、紫金、蕉岭、大埔、惠东、阳春及东莞、深圳（市区）、珠海（市区）、清远

（市区）、肇庆（市区）、云浮（市区）等。

| 资源情况 | 野生资源稀少。药材来源于野生。

| 采收加工 | **双肾子：**秋季采挖，洗净，晒干或鲜用。

白花草：夏季采收，洗净，晒干。

| 功能主治 | **双肾子：**甘、微苦，平。归肺、肾经。补肾益肺，利湿，解毒。用于肾虚腰痛，阳痿，肺痨咳嗽，水肿，带下，疝气，痈肿疔毒，蛇虫咬伤。

白花草：甘、微苦，平。清热利湿。用于热淋。

| 用法用量 | **双肾子：**内服煎汤，9 ~ 30 g；或磨汁；或浸酒。外用适量，鲜品捣敷。

白花草：内服煎汤，9 ~ 15 g。

兰科 Orchidaceae 玉凤花属 *Habenaria*

坡参
Habenaria linguella Lindl.

| 植物别名 | 小舌玉凤花。

| 药 材 名 | 坡参（药用部位：块茎。别名：土沙参）。

| 形态特征 | 地生兰，高 20 ~ 50 cm。块茎长圆形，长 3 ~ 5 cm。茎直立，基部具 2 ~ 3 筒状鞘，中部疏生 3 ~ 4 叶，向上渐变成苞片状小叶。叶片狭长圆形或披针形，长 5 ~ 12 cm，宽 1.2 ~ 2 cm，基部收狭成鞘状。总状花序具 9 ~ 20 密生的花；花小，黄色或黄褐色；中萼片宽椭圆形，长 4 ~ 5 mm，与花瓣靠合成兜状，侧萼片反折，斜宽倒卵形，长 6 ~ 7 mm；花瓣斜长圆形；唇瓣基部 3 深裂，中裂片舌状，侧裂片钻形，叉开；距下垂。花期 6 ~ 8 月。

| 生境分布 | 生于山坡林下或草地。分布于广东乳源、博罗、惠东、阳山、连州、英德及清远（市区）、肇庆（市区）等。

| 资源情况 | 野生资源稀少。药材来源于野生。

| 采收加工 | 夏、秋季采挖，除去茎叶，洗净，晒干。

| 功能主治 | 甘，平。归肺经。润肺益肾，强壮筋骨。用于肺热咳嗽，阳痿，劳伤腰痛，疝气，跌打损伤。

| 用法用量 | 内服煎汤，9 ~ 15 g。

兰科 Orchidaceae 玉凤花属 *Habenaria*

橙黄玉凤花

Habenaria rhodocheila Hance

| 植物别名 |

红唇玉凤花。

| 药 材 名 |

橙黄玉凤花（药用部位：块茎。别名：飞花羊、鸡母虫药）。

| 形态特征 |

地生兰，高 8 ~ 35 cm。块茎长圆形，长 2 ~ 3 cm。茎下部具 4 ~ 6 叶，向上具苞片状小叶。叶片线状披针形至近长圆形，长 10 ~ 15 cm，宽 1.5 ~ 2 cm，基部收狭成鞘状。总状花序具 2 ~ 10 或更多花；萼片和花瓣绿色；中萼片凹陷，与花瓣靠合成兜状，侧萼片长圆形，反折；花瓣匙状线形；唇瓣橙黄色或橙红色至红色，向前伸展，长 1.8 ~ 2 cm，3 裂，侧裂片长圆形，中裂片 2 裂；距下垂，长 2 ~ 3 cm。蒴果纺锤形，长约 1.5 cm。花期 7 ~ 8 月，果期 10 ~ 11 月。

| 生境分布 |

生于海拔 250 ~ 800 m 的山坡、沟谷林下阴处地上或岩石上覆土中。分布于广东大部分山区。

| 资源情况 | 野生资源稀少。药材来源于野生。

| 采收加工 | 全年均可采收，洗净，鲜用或晒干。

| 功能主治 | 甘，平。归肺、肝、肾经。清热解毒，活血止痛。用于肺热咳嗽，疮疡肿毒，跌打损伤。

| 用法用量 | 内服煎汤，3 ~ 9 g。外用适量，鲜品捣敷。

兰科 Orchidaceae 角盘兰属 *Herminium*

叉唇角盘兰

Herminium lanceum (Thunb.) Vuijk

| 药 材 名 |

腰子草（药用部位：全草或块茎。别名：双肾草、蛇含草）。

| 形态特征 |

地生兰，高 10 ~ 75 cm。块茎肉质，球形或椭圆形，长 1 ~ 1.5 cm，颈部生几条细长的根。茎直立，基部具 2 筒状鞘，中部具 3 ~ 4 叶。叶线状披针形，长达 15 cm，宽约 1 cm。总状花序具多数密集的花；花小，黄绿色或浅绿色；萼片近等长，卵状长圆形或长圆形，长 2 ~ 4 mm；花瓣条形，与萼片等长；唇瓣长圆形，长 3 ~ 7 mm，常下垂，先端 3 裂，侧裂片线形，长 3 ~ 8 mm，中裂片极短。花期 6 ~ 8 月。

| 生境分布 |

生于山坡林下或草地中。分布于广东乳源、连州等。

| 资源情况 |

野生资源稀少。药材来源于野生。

| 采收加工 |

夏、秋季采收，洗净，晒干。

| 功能主治 | 甘，温。益肾壮阳，养血补虚，理气除湿。用于虚劳，目昏，阳痿，遗精，睾丸肿痛，白浊，带下。 |

| 用法用量 | 内服煎汤，6 ~ 15 g。 |

镰翅羊耳蒜 *Liparis bootanensis* Griff.

| 药 材 名 | 九莲灯（药用部位：全草。别名：石杨梅、石仙桃、七仙桃）。

| 形态特征 | 附生兰，高 10 ~ 25 cm。假鳞茎卵状长圆形或狭卵状圆柱形，长 0.8 ~ 1.8 cm，具 1 叶。叶片狭长圆形至倒披针形，长 8 ~ 22 cm，宽 1 ~ 3 cm，基部渐狭为柄，有关节。总状花序具多数花；花通常黄绿色；中萼片狭披针形，长约 5 mm，侧萼片与中萼片近等长，但较中萼片稍宽；花瓣细线形，与萼片等长；唇瓣阔长圆状倒卵形，先端通常近平截，具不规则的细齿，基部具 2 胼胝体；合蕊柱弯曲。蒴果倒卵状椭圆形，长约 1 cm。花期 8 ~ 10 月，果期翌年 3 ~ 5 月。

| 生境分布 | 生于海拔 130 ~ 700 m 的林缘、林中、山谷阴处的树上或岩壁上。分布于广东乳源、新丰、翁源、始兴、乐昌、龙门、博罗、连山、

阳山、封开、怀集、广宁及韶关（市区）、广州（市区）等。

| 资源情况 | 野生资源稀少。药材来源于野生。

| 采收加工 | 夏、秋季采收，切段，晒干。

| 功能主治 | 甘、微苦，微寒。归肺、肝、脾经。解毒，利湿，润肺止咳。用于淋证，白浊，腹泻，腹水型血吸虫病，瘰疬，疮疥，肺痨咳嗽。

| 用法用量 | 内服煎汤，6 ~ 15 g。

兰科 Orchidaceae 羊耳蒜属 *Liparis*

大花羊耳蒜

Liparis distans C. B. Clarke

| **药 材 名** | 虎石头（药用部位：全草。别名：虾仔兰、草斛）。

| **形态特征** | 附生兰，高达 40 cm。假鳞茎密集，近圆柱形，长 2 ~ 9.5 cm，先端或近先端具 2 叶。叶倒披针形或狭倒披针形，长 15 ~ 35 cm，宽 1 ~ 3 cm，基部收狭成柄，有关节。总状花序疏生数朵至 10 余朵花；花黄绿色或橘黄色；萼片线形，长 1.0 ~ 1.6 cm，宽约 2 mm，边缘常外卷；花瓣近丝状；唇瓣阔长圆形、阔椭圆形至圆形，先端浑圆或钝，边缘具不规则细齿；蕊柱上部具狭翅。蒴果狭倒卵状长圆形，长 1.5 ~ 1.8 cm。花期 10 月至翌年 2 月，果期 6 ~ 7 月。

| **生境分布** | 生于林下、溪边阴湿的岩石上。分布于广东信宜等。

| 资源情况 | 野生资源稀少。药材来源于野生。

| 采收加工 | 夏、秋季采收，切段，晒干。

| 功能主治 | 甘，寒。归肺经。清热止咳。用于肺热咳嗽。

| 用法用量 | 内服煎汤，6 ～ 15 g。

兰科 Orchidaceae　羊耳蒜属 *Liparis*

见血青 *Liparis nervosa* (Thunb. ex Murray) Lindl.

| **植物别名** | 显脉羊耳蒜。

| **药 材 名** | 见血清（药用部位：全草。别名：羊耳蒜、羊耳兰、见血莲）。

| **形态特征** | 地生兰。假鳞茎圆柱形，肥厚，肉质，有数节，长 2 ~ 10 cm，直径约 6 mm，具 3 ~ 5 叶。叶卵形至卵状椭圆形，长 10 ~ 15 cm，全缘，基部鞘状抱茎。总状花序具数朵至 10 余朵花；花紫红色或黄绿色；中萼片线形或宽线形，长 8 ~ 10 mm，侧萼片狭卵状长圆形；花瓣丝状；唇瓣长圆状倒卵形，先端截形并微凹，基部收狭并具 2 胼胝体；蕊柱上部两侧有狭翅。蒴果倒卵状长圆形或狭椭圆形，长约 1.5 cm。花期 2 ~ 7 月，果期 7 ~ 12 月。

| **生境分布** | 生于山谷溪边、林下湿润处。分布于广东翁源、始兴、乐昌、连平、惠东、博罗、连山、阳山、英德、信宜及云浮（市区）、深圳（市区）、珠海（市区）、肇庆（市区）等。 |

| **资源情况** | 野生资源稀少。药材来源于野生。 |

| **采收加工** | 夏、秋季采收，鲜用或切段晒干。 |

| **功能主治** | 苦、涩，凉。归肺、肾经。凉血止血，清热解毒。用于胃热吐血，肺热咯血，肠风下血，崩漏，手术出血，创伤出血，疮疡肿毒，毒蛇咬伤，跌打损伤。 |

| **用法用量** | 内服煎汤，9 ~ 15 g，鲜品 30 ~ 60 g；或研末，9 g。外用适量，鲜品捣敷；或研末调敷。 |

兰科 Orchidaceae 羊耳蒜属 *Liparis*

香花羊耳蒜 *Liparis odorata* (Willd.) Lindl.

| 药 材 名 |

二仙桃（药用部位：全草。别名：绿羊耳蒜、绿叶绿花）。

| 形态特征 |

地生兰，高 25 ～ 40 cm。假鳞茎卵圆形，长 1.3 ～ 2.2 cm，具节，被鞘。叶 2 ～ 3，狭长圆形至卵状披针形，长 6 ～ 17 cm，宽 2.5 ～ 6 cm，基部鞘状抱茎。花葶高出叶面；总状花序疏生 10 余花；花黄绿色或淡绿褐色；中萼片线形，长 7 ～ 8 mm，宽约 1.5 mm，先端钝，侧萼片斜长圆形；花瓣线形，长 6 ～ 7 mm；唇瓣倒卵状长圆形，长约 5.5 mm，先端平截，常微凹，上部边缘具细齿。蒴果倒卵状长圆形或椭圆形，长 1 ～ 1.5 cm。花期 4 ～ 7 月，果期 9 ～ 10 月。

| 生境分布 |

生于林下或山坡草丛中。分布于广东乐昌及云浮（市区）等。

| 资源情况 |

野生资源稀少。药材来源于野生。

| 采收加工 | 夏、秋季采收，切段，晒干。

| 功能主治 | 辛、苦，温。解毒消肿，祛风除湿。用于疮疡肿毒，风寒湿痹，带下，腰痛，咳嗽。

| 用法用量 | 内服煎汤，6 ~ 15 g。

兰科 Orchidaceae 血叶兰属 *Ludisia*

血叶兰

Ludisia discolor (Ker-Gawl.) A. Rich.

| 药 材 名 | 血叶兰（药用部位：全草。别名：异色血叶兰、干石蚕）。

| 形态特征 | 地生兰，高 10 ～ 25 cm。根茎匍匐，肉质，节上生根。茎直立，圆柱状，近基部互生 2 ～ 4 叶。叶卵形或卵状长圆形，长 3 ～ 7 cm，宽 2 ～ 3 cm，表面暗绿色或紫红色，具黄红色有光泽的纵脉和网脉，背面红色；叶柄基部扩大成鞘。总状花序有 2 ～ 10 或更多花；苞片淡红色；花白色或粉红色，直径约 7 mm；中萼片卵状椭圆形，侧萼片椭圆形；花瓣与中萼片等长并靠合成兜状；唇瓣扭转，前端扩大伸展如两翼展翅，基部具囊。花期 2 ～ 4 月。

| 生境分布 | 生于山坡或沟谷常绿阔叶林下阴湿处。分布于广东博罗及广州（市区）、云浮（市区）等。

翟俊文提供

| 资源情况 | 野生资源稀少。栽培资源一般。药材来源于野生和栽培。

| 采收加工 | 夏、秋季采收，鲜用或切段晒干。

| 药材性状 | 本品长 10 ~ 20 cm。根茎伸长似蚕状，肉质，直径约 3 mm；表面灰黄色，具纵皱纹，节明显，可见残留的膜状或干枯成毛状的叶鞘。根短，稍粗壮，被细密的绒毛状根毛。叶互生，纸质，多卷缩，展平后呈卵状椭圆形，长 2 ~ 5 cm，宽 1 ~ 2 cm，灰绿色或暗红色；叶柄延长成膜状鞘，抱茎。气微，味淡、微涩。以色鲜、粗壮者为佳。

| 功能主治 | 甘，凉。滋阴润肺，健脾，安神。用于肺痨咯血，食欲不振，神经衰弱。

| 用法用量 | 内服煎汤，3 ~ 9 g，鲜品 9 ~ 15 g。

兰科 Orchidaceae 芋兰属 *Nervilia*

毛唇芋兰

Nervilia fordii (Hance) Schltr.

| 药 材 名 | 青天葵（药用部位：全草或块茎。别名：独叶莲）。

| 形态特征 | 地生兰。块茎球形或扁球形，肉质，白色，直径 10 ~ 15 mm。叶
1，心状卵形，长约 5 cm，宽约 6 cm，先端急尖，基部心形，边缘
波状，两面无毛；叶柄长约 7 cm。先花后叶；花葶长 15 ~ 30 cm，
下部具筒状鞘；总状花序具 3 ~ 5 花；花梗纤细，常下垂；花半
张开；萼片和花瓣相似，淡绿色，具紫红色脉，线状长圆形，长
10 ~ 17 mm；唇瓣白色，具紫红色脉，合抱蕊柱，上部 3 裂，内面
密被长柔毛。花期 4 ~ 5 月。

| 生境分布 | 生于山坡或沟谷林下阴湿处。分布于广东博罗、阳山、连州、封开、
怀集、阳春及云浮（市区）等。

| 资源情况 | 野生资源稀少。药材来源于野生。

| 采收加工 | 6～9月采收，除去根茎，洗净，暴晒，用叶片包裹块茎，搓成球状，晒至足干。

| 药材性状 | 本品叶呈灰褐色至灰绿色，卷成团粒状；叶柄扁平，有纵向条纹。块茎肉质，皱缩成不规则扁平状，直径5～12 mm，类白色或黄白色。气微有草菇香，味微甘。以干燥、叶嫩小、色青绿、具草菇香气者为佳。

| 功能主治 | 甘，凉。润肺止咳，清热解毒，散瘀止痛。用于肺痨咯血，肺热咳嗽，口腔炎，咽喉肿痛，瘰疬，疮疡肿毒，跌打损伤。

| 用法用量 | 内服煎汤，9～15 g。外用适量，捣敷。

兰科 Orchidaceae 芋兰属 Nervilia

毛叶芋兰
Nervilia plicata (Andr.) Schltr.

| 植物别名 | 芋兰、紫花脉叶兰、紫花芋兰。

| 药 材 名 | 毛叶芋兰（药用部位：全草或块茎）。

| 形态特征 | 地生兰。块茎近球形，肉质，直径 5 ～ 10 mm。叶 1，近圆心形，长 7.5 ～ 11 cm，宽 10 ～ 13 cm，背面绿色或暗红色，两面及边缘均被粗毛；叶柄长 1.5 ～ 3 cm。先花后叶；花葶长 12 ～ 20 cm；总状花序具 2 ～ 3 花；花半张开；萼片和花瓣棕黄色或淡红色，具紫红色脉，近等大，线状长圆形，长 2 ～ 2.5 cm，宽 2.5 ～ 3 mm；唇瓣白色或淡紫红色，具紫红色脉，凹陷，围抱蕊柱，近中部具不明显的 3 浅裂，内面无毛。花期 5 ～ 6 月。

| **生境分布** | 生于林下或沟谷阴湿处。分布于广东惠东、封开等。

| **资源情况** | 野生资源稀少。药材来源于野生。

| **采收加工** | 6～9月采收，除去根茎，洗净，暴晒，用叶片包裹块茎，搓成球状，晒至足干。

| **功能主治** | 甘，凉。润肺止咳，清热解毒，散瘀止痛。用于肺痨咯血，肺热咳嗽，口腔炎，咽喉肿痛，瘰疬，疮疡肿毒，跌打损伤。

| **用法用量** | 内服煎汤，9～15 g。外用适量，捣敷。

兰科 Orchidaceae 白蝶兰属 *Pecteilis*

龙头兰 *Pecteilis susannae* (Linn.) Rafin.

| 植物别名 |

鹅毛白蝶花、白蝶兰。

| 药 材 名 |

白蝶花（药用部位：块茎。别名：兔耳草、白花参）。

| 形态特征 |

地生兰，高 45 ~ 120 cm。块茎长圆形，肉质，不裂，长 4 ~ 6 cm。茎直立，基部具鞘，上面具数片叶。叶互生，下部叶卵形至长圆形，长 6 ~ 10 cm，宽 3 ~ 6 cm，上部叶披针形，苞片状。总状花序具 2 ~ 5 花；花大，白色，芳香；萼片宽卵形，长约 2.5 cm；花瓣线状披针形，狭小，长约 1 cm；唇瓣 3 深裂，侧裂片近扇形，外缘篦状或流苏状撕裂，中裂片线状舌形，长约 2 cm，全缘，肉质；距长 6 ~ 10 cm。花期夏季。

| 生境分布 |

生于山坡林下、沟边或草坡。分布于广东乳源、五华、大埔、龙门、博罗、连州、英德、阳春、信宜、高州及广州（市区）、茂名（市区）等。

资源情况	野生资源稀少。药材来源于野生。
采收加工	秋季采收，晒干。
功能主治	甘，微温。补肾壮阳，疏肝散寒。用于肾虚腰痛，阳痿，遗精，寒疝。
用法用量	内服煎汤，9 ~ 15 g；或研末；或泡酒。

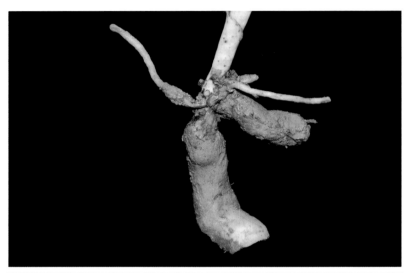

兰科 Orchidaceae 阔蕊兰属 *Peristylus*

阔蕊兰
Peristylus goodyeroides (D. Don) Lindl.

| 植物别名 |

绿花阔蕊兰。

| 药 材 名 |

山砂姜（药用部位：块茎。别名：珍珠草）。

| 形态特征 |

地生兰，高 30 ~ 90 cm。块茎长圆形或长圆状倒卵形，长 2 ~ 4 cm。茎直立，中部具 4 ~ 6 叶，向上具数片渐成披针形的小叶。叶片椭圆形或卵状披针形，基部下延，呈鞘状抱茎。总状花序长 7 ~ 21 cm，具多数密集的小花；花绿色、淡绿色至白色；中萼片卵状披针形、卵形至阔卵形，长 4 ~ 6 mm，侧萼片舌状；花瓣宽卵形；唇瓣倒卵状长圆形，3 浅裂，裂片三角形；距近球状。花期 6 ~ 8 月。

| 生境分布 |

生于山坡阔叶林下、灌丛下、山坡草地或山脚路旁。分布于广东乳源、翁源、南雄、连平、阳山、英德及韶关（市区）、河源（市区）等。

| 资源情况 | 野生资源稀少。药材来源于野生。

| 采收加工 | 秋后采收，切片，晒干。

| 功能主治 | 苦，凉。清热解毒。用于乳痈，瘰疬，疖肿，毒蛇咬伤。

| 用法用量 | 内服煎汤，6 ~ 15 g。外用适量，捣敷。

兰科 Orchidaceae 鹤顶兰属 *Phaius*

黄花鹤顶兰

Phaius flavus (Bl.) Lindl.

| 植物别名 |

黄鹤兰、斑叶鹤顶兰。

| 药 材 名 |

黄花鹤顶兰（药用部位：假鳞茎）。

| 形态特征 |

地生兰。假鳞茎卵状圆锥形，通常长 5 ～ 6 cm，被鞘。叶 4 ～ 6，通常具黄色斑纹，长椭圆形或椭圆状披针形，长超过 25 cm，宽 5 ～ 10 cm，基部收狭为长柄。花葶长达 75 cm；总状花序具数朵至 20 花；花柠檬黄色；中萼片长圆状倒卵形，长 3 ～ 4 cm，侧萼片斜长圆形；花瓣长圆状倒披针形；唇瓣倒卵形，前端 3 裂，侧裂片围抱蕊柱，中裂片前端边缘褐色并具波状折皱；唇盘具褐色脊突；距白色。花期 4 ～ 10 月。

| 生境分布 |

生于海拔 300 ～ 1 500 m 的山坡林下阴湿处。分布于广东乳源、新丰、翁源、仁化、始兴、南雄、乐昌、蕉岭、大埔、饶平、龙门、惠东、博罗、连南、连山、阳山、连州、英德、封开、怀集、阳春、信宜及广州（市区）等。

| 资源情况 | 野生资源稀少。药材来源于野生。

| 采收加工 | 春、夏季采收，鲜用或晒干。

| 功能主治 | 微辛，凉；有小毒。清热止咳，活血止血。用于咳嗽多痰，咯血，外伤出血。

| 用法用量 | 内服煎汤，3～9g。外用适量，鲜品捣敷；或研末撒。

兰科 Orchidaceae 鹤顶兰属 *Phaius*

鹤顶兰

Phaius tancarvilleae (L'Heritier.) Bl.

| 药 材 名 |

鹤顶兰（药用部位：假鳞茎。别名：大白芨、鹤兰）。

| 形态特征 |

地生兰。假鳞茎圆锥形，丛生，长约 6 cm，被鞘，具 2 ~ 6 叶。叶大型，长圆状披针形，长 30 ~ 70 cm，宽达 10 cm，先端渐尖，基部收狭成长柄，具折扇状叶脉。花葶直立，粗壮，长达 1 m；总状花序具多花；花大，直径 7 ~ 10 cm，外面白色，内面红褐色；萼片相似，长圆状披针形；花瓣狭长圆形；唇瓣大，卷成喇叭状，紫红色；唇盘具 2 褶片；距细圆柱形，长约 1 cm。花期 3 ~ 6 月。

| 生境分布 |

生于海拔 350 ~ 1 500 m 的林缘、沟谷或溪边阴湿处。分布于广东新丰、翁源、仁化、饶平、龙门、惠东、博罗、连山、连州、阳春、信宜等。

| 资源情况 |

野生资源稀少。药材来源于野生。

| 采收加工 | 春、夏季采收，鲜用或晒干。

| 功能主治 | 微辛，凉；有小毒。止咳祛痰，活血止血。用于咳嗽痰多，咯血，乳腺炎，跌打损伤，外伤出血。

| 用法用量 | 内服煎汤，3～9g。外用适量，鲜品捣敷；或研末撒。

兰科 Orchidaceae 石仙桃属 *Pholidota*

细叶石仙桃

Pholidota cantonensis Rolfe

| 药 材 名 | 小石仙桃（药用部位：全草或假鳞茎。别名：双叶岩珠、对叶草、石橄榄）。

| 形态特征 | 附生兰。根茎常每间隔 1 ~ 3 cm 生假鳞茎。假鳞茎狭卵形或卵状长圆形，长 1 ~ 2 cm，顶生 2 叶。叶条形或条状披针形，长 2 ~ 6 cm，宽 5 ~ 8 mm，基部渐狭成柄。总状花序有 10 余花，排成 2 列；小苞片早落；花小，白色或淡黄色，直径约 4 mm；中萼片卵状长圆形，舟状，侧萼片卵形，偏斜，稍宽于中萼片；花瓣卵形；唇瓣阔椭圆形，舟状。蒴果倒卵形，长约 1 cm。花期 4 月，果期 8 ~ 9 月。

| 生境分布 | 生于海拔 200 ~ 850 m 的林中或背阴处的岩石上。分布于广东翁源、始兴、乐昌、紫金、博罗、惠阳及深圳（市区）、广州（市区）等。

| 资源情况 | 野生资源稀少。药材来源于野生。

| 采收加工 | 夏、秋季采收，鲜用或晒干。

| 药材性状 | 本品根茎表面有干枯的膜质鳞叶，下侧有须状细根，上侧节处有数个长卵形假鳞茎。假鳞茎长 0.8 ~ 2 cm，直径 0.4 ~ 0.9 cm，先端有 2 叶。叶黄绿色或绿色，具数条平行脉。气微，味淡。

| 功能主治 | 苦、微酸，凉。清热凉血，滋阴润肺，解毒。用于高热，头晕，头痛，肺热咳嗽，咯血，急性胃肠炎，慢性骨髓炎，跌打损伤。

| 用法用量 | 内服煎汤，30 ~ 60 g。外用适量，鲜品捣敷。

兰科 Orchidaceae　石仙桃属 *Pholidota*

石仙桃 *Pholidota chinensis* Lindl.

| 药 材 名 |

石仙桃（药用部位：全草或假鳞茎。别名：石山莲、石橄榄）。

| 形态特征 |

附生兰。根茎每间隔 5 ~ 15 mm 生假鳞茎。假鳞茎卵状长圆形，长 2 ~ 8 cm，宽 1 ~ 2.5 cm，顶生 2 叶。叶椭圆形或倒披针形，长 5 ~ 22 cm，宽 2 ~ 6 cm，基部收狭成柄。总状花序具 20 余花；花序轴曲折；苞片宿存；花白色或淡黄色，芳香；萼片近等大；花瓣披针形；唇瓣阔卵形，长约 8 mm，3 裂，中裂片下半部为半球形囊，囊两侧各具 1 半圆形侧裂片。蒴果倒卵状椭圆形，长 1.5 ~ 3 cm，具 6 棱。花期 4 ~ 5 月，果期 9 月至翌年 1 月。

| 生境分布 |

生于海拔 1 500 m 以下的林中或林缘树上、岩壁上或岩石上。广东各地均有分布。

| 资源情况 |

野生资源一般。药材来源于野生。

| 采收加工 | 秋季采收，鲜用，或开水烫后晒干。

| 药材性状 | 本品根茎粗壮，直径 5 ~ 10 mm，下侧生灰黑色须根，节明显，节上有干枯的膜质鳞叶。假鳞茎肉质肥厚，呈瓶状，卵形至长圆形；表面碧绿色或黄绿色，具 5 ~ 7 纵棱或光滑，基部收缩成柄状，有的被鞘状鳞叶，先端生 2 叶，多脱落而留有呈内外套叠的 "V" 形叶痕。叶片革质，较厚，具数条平行叶脉，其中 3 叶脉明显而突出于下表面。花序顶生。气微，味甘、淡。

| 功能主治 | 甘、微苦，凉。归肺、肾经。养阴润肺，清热解毒，利湿，消瘀。用于肺热咳嗽，咯血，吐血，眩晕，头痛，梦遗，咽喉肿痛，风湿疼痛，湿热浮肿，痢疾，带下，疳积，瘰疬，跌打损伤。

| 用法用量 | 内服煎汤，15 ~ 30 g，鲜品加倍。外用适量，鲜品捣敷。

兰科 Orchidaceae 舌唇兰属 *Platanthera*

小舌唇兰 *Platanthera minor* (Miq.) Rchb. f.

| 药 材 名 |

猪獠参（药用部位：全草。别名：小长距兰、蛇蓼子）。

| 形态特征 |

地生兰。肉质块茎椭圆形，长 1.5 ～ 2 cm。茎直立，下部叶较大，椭圆形、卵状椭圆形或长圆状披针形，上部叶变小，披针形或线状披针形。叶互生，长 6 ～ 15 cm，宽 1.5 ～ 5 cm，基部骤狭成鞘状。总状花序长 10 ～ 18 cm，疏生多数花；花黄绿色；中萼片阔卵形，凹陷，与花瓣黏合成兜状，侧萼片反折；花瓣斜卵形，长 4 ～ 5 mm，基部前侧扩大；唇瓣舌状，长 5 ～ 7 mm，肉质，不裂，下垂，先端钝；距细圆筒状，长 12 ～ 18 mm，下垂。花期 5 ～ 7 月。

| 生境分布 |

生于山坡林下或草地。分布于广东乳源、南雄、乐昌、平远、饶平、龙门、连山、连州、阳春、信宜及广州（市区）等。

| 资源情况 |

野生资源稀少。药材来源于野生。

| 采收加工 |　3 ～ 4 月采收，晒干。

| 功能主治 |　甘，平。归肺、肾经。补肺固肾。用于咳嗽气喘，肾虚腰痛，遗精，头晕，病后体弱。

| 用法用量 |　内服煎汤，15 ～ 60 g。

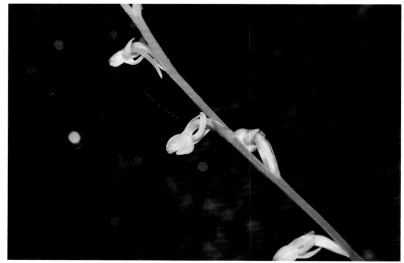

兰科 Orchidaceae 独蒜兰属 *Pleione*

独蒜兰
Pleione bulbocodioides (Franch.) Rolfe

| 药 材 名 | 山慈菇（药用部位：假鳞茎。别名：冰球子）、山慈菇叶（药用部位：叶）。

| 形态特征 | 半附生。假鳞茎卵形至卵状圆锥形，上端具明显的颈，长 1 ~ 2.5 cm，顶生 1 叶。叶椭圆状披针形，长 10 ~ 25 cm，宽 2 ~ 5 cm，基部收狭成柄，通常顶生 1 花。花粉红色至淡紫色；中萼片近倒披针形，长 3.5 ~ 5 cm，侧萼片比中萼片稍宽；花瓣倒披针形，稍偏斜；唇瓣倒卵形或宽倒卵形，长 3.5 ~ 4.5 cm，不明显 3 裂，上部边缘撕裂状，通常具 4 ~ 5 褶片。蒴果近长圆形，长 2.7 ~ 3.5 cm。花期 4 ~ 5 月，果期 7 月。

| 生境分布 | 生于山地常绿阔叶林下、灌木林缘腐殖质丰富的土壤上或苔藓覆盖

的岩石上。分布于广东乐昌、连山、连州等。

| 资源情况 | 野生资源稀少。药材来源于野生。

| 采收加工 | 山慈菇：夏、秋季采挖，除去地上部分及泥沙，分开大小，置沸水锅中蒸煮至透心，干燥。

山慈菇叶：夏、秋季采收，洗净，鲜用。

| 药材性状 | 山慈菇：本品呈圆锥形、瓶颈状或不规则团块状，直径 1 ~ 2 cm，高 1.5 ~ 2.5 cm，先端渐尖，尖端断头处呈盘状，基部膨大且圆平，中央凹入，有 1 ~ 2 环节，多偏向一侧。撞去外皮者表面黄白色，带皮者表面浅棕色，光滑，有不规则皱纹，断面浅黄色，角质，半透明。

| 功能主治 | 山慈菇：甘、微辛，凉。归肝、脾经。清热解毒，化痰散结。用于痈肿疔毒，瘰疬痰核，蛇虫咬伤，癥瘕痞块。

山慈菇叶：甘、微辛，寒。清热解毒。用于痈肿疮毒。

| 用法用量 | 山慈菇：内服煎汤，3 ~ 9 g。外用适量。

山慈菇叶：外用适量，捣敷。

兰科 Orchidaceae 寄树兰属 *Robiquetia*

寄树兰
Robiquetia succisa (Lindl.) Tang et Wang.

| **植物别名** | 截叶陆宾兰。

| **药 材 名** | 小叶寄树兰（药用部位：叶）。

| **形态特征** | 附生兰。茎圆柱形，长达 1 m，有长气生根。叶片长圆形，长 6 ~ 12 cm，宽 1.5 ~ 2.5 cm，先端具不整齐的齿缺。花序与叶对生，比叶长，密生多数小花；花淡黄色或黄绿色；中萼片宽卵形，舟状，长约 5 mm，宽约 4 mm，侧萼片与中萼片等长；花瓣较小，阔倒卵形；唇瓣 3 裂，侧裂片直立，耳状，带紫褐色，中裂片肉质，狭长圆形；距长 3 ~ 4 mm，近中部缢缩，下部膨大。蒴果长圆柱形，长 2.5 ~ 3 cm。花期 6 ~ 9 月，果期 7 ~ 11 月。

| 生境分布 | 生于海拔 570 ～ 1 100 m 的疏林中树干上或山崖石壁上。分布于广东怀集及河源（市区）等。

| 资源情况 | 野生资源稀少。药材来源于野生。

| 采收加工 | 春、夏季采收，鲜用或晒干。

| 功能主治 | 甘、平。润肺止咳。用于肺燥咳嗽。

| 用法用量 | 内服煎汤，9 ～ 15 g。

兰科 Orchidaceae 苞舌兰属 *Spathoglottis*

苞舌兰 *Spathoglottis pubescens* Lindl.

| 药 材 名 |

黄花独蒜（药用部位：假鳞茎。别名：土白芨、老鸦蒜）。

| 形态特征 |

地生兰。假鳞茎扁球形，直径 1 ～ 2.5 cm，顶生 1 ～ 3 叶。叶片狭披针形，通常长 20 ～ 30 cm，宽 1 ～ 2 cm，先端渐尖，具折扇状脉。总状花序具 2 ～ 8 花；花黄色；萼片椭圆形，长 1.2 ～ 1.6 cm，宽 5 ～ 7 mm，先端略钝；花瓣长圆形，与萼片等长而较萼片宽；唇瓣 3 裂，中裂片倒卵状楔形，先端近平截，具爪，爪上有 1 对半圆状肥厚的附属物，侧裂片镰状长圆形，近直立。花期 7 ～ 10 月。

| 生境分布 |

生于海拔 300 ～ 1 500 m 的山坡草丛中或疏林下。分布于广东乳源、新丰、始兴、乐昌、和平、梅县、博罗、连南、连山、阳山、英德、阳春、信宜及汕头（市区）、肇庆（市区）、茂名（市区）等。

| 资源情况 |

野生资源稀少。药材来源于野生。

| **采收加工** | 秋季采收，鲜用或晒干。

| **功能主治** | 苦、甘，寒。归心、肺经。补肺，止咳，清热解毒，生肌，敛疮。用于肺痨，咳嗽，咯血，痈疽疔疮，跌打损伤。

| **用法用量** | 内服煎汤，9 g。外用适量，鲜品捣敷。

兰科 Orchidaceae 绥草属 *Spiranthes*

绥草
Spiranthes sinensis (Pers.) Ames.

| 药 材 名 |

盘龙参（药用部位：全草。别名：龙抱柱）。

| 形态特征 |

地生兰，高 15 ~ 50 cm。根指状，肉质，簇生于茎基部。茎短，近基部生 2 ~ 5 叶。叶宽线形或宽线状披针形，长 3 ~ 10 cm，宽 5 ~ 10 mm。总状花序顶生，长 5 ~ 10 cm，具多数密集的小花，似穗状，呈螺旋状扭转；花紫红色、粉红色或白色；中萼片狭长圆形，舟状，长约 4 mm，常与花瓣靠合成兜状，侧萼片偏斜，披针形；花瓣斜菱状长圆形；唇瓣宽长圆形，凹陷，长 4 ~ 5 mm，先端圆钝，边缘具皱波状啮齿。花期 6 ~ 8 月。

| 生境分布 |

生于山坡林下、灌丛下、草地或河滩沼泽草甸中。广东各地均有分布。

| 资源情况 |

野生资源一般。药材来源于野生。

| 采收加工 |

夏、秋季采收，鲜用或晒干。

| 药材性状 | 本品茎圆柱形，具纵条纹，基部簇生数条小纺锤形块根，具纵皱纹，表面灰白色。叶条形，数枚基生，展平后呈条状披针形。穗状花序呈螺旋状扭转。气微，味淡、微甘。

| 功能主治 | 甘、苦，平。归心、肺经。益气养阴，清热解毒。用于病后虚弱，阴虚内热，咳嗽吐血，头晕，腰痛酸软，糖尿病，遗精，淋浊带下，咽喉肿痛，毒蛇咬伤，烫火伤，疮疡痈肿。

| 用法用量 | 内服煎汤，9 ~ 15 g，鲜品 15 ~ 30 g。外用适量，鲜品捣敷。